TUTTO BENE

MANULA KALICKA
ZBIGNIEW ZAWADZKI

TUTTO BENE

Prószyński i S-ka

Projekt okładki i zdjęcie na okładce
Mariusz Banachowicz

Redaktor prowadzący
Anna Derengowska

Redakcja
Ewa Charitonow

Korekta
Jolanta Tyczyńska

Łamanie
Alicja Rudnik

ISBN 978-83-7839-394-8

Warszawa 2012

Wydawca
Prószyński Media Sp. z o.o.
02-697 Warszawa, ul. Rzymowskiego 28
www.proszynski.pl

Druk i oprawa
OPOLGRAF Spółka Akcyjna
45-085 Opole, ul. Niedziałkowskiego 8-12
www.opolgraf.com.pl

12 maja, wtorek

14:00

1. Zosia Staszewska siekała zapamiętale pietruszkę. Siekała ją niejako zastępczo, ponieważ bardziej usiec chciała niejakiego Grzegorza Dolana. Na razie jednak skupiła się na pietruszce, której nasiekać musiała niemało, bo *aglio, olio e peperoncino* w ich autorskim wydaniu potrzebowało jej dużo.

Za jej plecami Henio Rozalski usiłował wykazać się dowcipem, dolewając octu do zupy fasolowej, której recepturę próbował uatrakcyjnić Rychu. Rychu Gajewski był pracowity, Henio sfrustrowany, a Zosia nieszczęśliwie zakochana.

Grzegorz D. – już widziała te nagłówki w „Fakcie" po tym, gdy go zabije z nadmiaru uczuć – unikał jej, jak mógł. Na nic zdały się jej starania, uśmiechy, a nawet i stringi, wystające uwodzicielsko z dżinsów. Lucy twierdziła, że jeśli nic nie zadziała, zadziałają stringi, więc Zosia zaryzykowała i nosiła. Uwierały, a skutku żadnego.

Podniosła wzrok znad pietruszki, bo właśnie trzasnęły drzwi od strony zaplecza. Grzesiek pojawił się w robocie. Szyja zapłonęła, serce najpierw stanęło, a potem załomotało, nóż się omsknął i krew omal nie zalała już usiekanej zieleniny. To było żałosne, wiedziała o tym aż nadto dobrze. Coś musi zrobić z tą swoją pasją do Grześka, który ani na nią spojrzał.

Wiedziała, że nie spojrzał. Czuła to. Zawsze wchodził, mówił: „Cześć wszystkim", i zajmował się swoimi sprawami.

A to kartę dań na dzień jutrzejszy konsultował z Norbertem, tutejszym menedżerem, a to przyrządzał jakieś superdanie dla gości specjalnych, tych znanych z telewizora, co to lubili zajrzeć do lokalu prowadzonego przez jednego z najlepszych kucharzy w kraju i poprosić o coś ekstra.

Rzeczywiście, był wspaniały. Musiała przyznać i czyniła to z entuzjazmem. Ach, te jego *filetti di sogliola al forno in pergamena* – myślała, wrzucając pietruszkę do makaronu i lekko mieszając gotową już potrawę. Są naprawdę, naprawdę super. Popatrzyła na przygotowane danie i wytarła ręce w ściereczkę. Teraz spaghetti powinno wchłonąć soki z oliwy z czosnkiem i chili, a ona mogła przez chwilę spokojnie się zastanowić. Wyczerpała już wszystkie pomysły na zwrócenie uwagi Grześka. Pracowała w knajpie dobre pół roku, a zakochała się w nim pierwszego dnia. Weszła do kuchni nieśmiała i speszona; on stał przy blacie, w takiej błękitnej koszuli, białych spodniach i lekko spocony, z rozwianymi włosami, przyrządzał *saltimbocca*. Cudowny aromat unosił się w powietrzu. I śpiewał.

O sole mio! śpiewał.

Smuga słońca odbijająca się od garnka, on i pieśń neapolitańska. Czy jakaś.

Poza nim był w kuchni tylko Rychu. No, wtedy jeszcze nie wiedziała, że ten grubasek w żółtej koszuli to Rychu. Stanęła i tak się zagapiła, że nawet „dzień dobry" zapomniała powiedzieć. Grzesiek spokojnie skończył arię i *saltimbocca*, popatrzył na Zosię i zapytał:

– To ty jesteś ta nowa?

– Tak. Jestem Zosia – wyszeptała zachrypniętym głosem i pewnie by dygnęła, gdyby umiała dygać. – Dzień dobry – dodała, bo uznała, że wypada, acz język stanął jej kołkiem na widok takiego szefa kuchni.

– Aaa... – Skinął głową i wskazał jej miejsce naprzeciwko Ryśka. – Miło cię widzieć. Akurat mamy awarię, drugi kucharz nam zaniemógł. Dasz radę przygotować dwadzieścia porcji tiramisu? Tu będzie twoje stanowisko pracy. – Wskazał na niewielką zatoczkę w rogu kuchni.

– Jasne – wyszeptała, ciągle patrząc w jego oczy, jeszcze bardziej błękitne niż koszula. – Jasne... – powtórzyła i oblizała wargi.

Jak jakaś nimfomanka. Przełknęła ślinę. Miała nadzieję, że on tego nie usłyszał. Śliczne miał imię: Grzegorz. A zdrabniali go Grzech. Tylko grzeszyć nie chciał. Z nią. Bo z innymi to i owszem. Coś bym sieknęła, pomyślała i rozejrzała się po kuchni, ale spojrzenie, jak zwykle, pobiegło do Grzegorza. I natychmiast zapomniała, że dopiero co miała chęć zatopić w nim nóż. Zatopić się, tak, owszem, w nim, ale żadnych noży! Zerknęła ponownie. Też mieszał. I smakował. Ach!

Wtedy, tego pierwszego dnia, wskazał widelcem na lodówkę.

– Tam masz produkty, tu miejsce. Bierz się do roboty, bo za godzinę ruszamy. A! I bluza robocza. Tobie przysługuje zielona. Leży na półce, w składziku. – Machnął dłonią w kierunku niewielkich drzwi na tyłach obszernej i, jak zdążyła zauważyć już wcześniej, podczas rozmowy kwalifikacyjnej, świetnie wyposażonej kuchni.

Tak to było. Pół roku temu. Od tamtej pory Zosia siekała, biła, obierała, blanszowała, dusiła, piekła i dekorowała. Polecenia wydawał jej grzecznie, uprzejmie, ba, czasem nawet chwalił, ale ich relacje nic a nic się nie zmieniły. Był nią na pewno mniej zainteresowany niż udźcem baranim, w który w tej chwili wbijał nóż. Ach, jak wbijał!

– Zocha!

Zamyślona, nie usłyszała Lucyny, kelnerki, która stała tuż obok i domagała się makaronu dla dziewiątki. No tak. Miłość ogłusza. Karnie nałożyła kopiastą porcję *tagliatelle* na talerz i uśmiechnęła się speszona. Czy inni zauważyli, że zwariowała? No, Lucyna wiedziała. Lucyna, taka trochę gamoniowata, wiedziała wszystko. O wszystkich. A Rychu?

Zerknęła. Peklował wieprzowinę. Okrągłymi oczami wpatrywał się w miskę i z zapałem nacierał mięso rozmarynem wymieszanym z oliwą i balsamico. Krople potu na czole… Był jak w transie.

Nie. Rychu nic nie widział poza garami. To była jego pasja. Gorzej z Heniem. Ten widział. Lucynę i Sanię. O! Właśnie przesunął ręką, niby mimochodem, po plecach Sani podnoszącej tacę z trzema porcjami *penne all'arrabbiata*.

Molestant.

Zosia wzięła się do kolejnego dania: *prosciutto crudo*, figi i awokado. Prościutkie to *prosciutto*.

Henio, który miał już dobrą pięćdziesiątkę na karku, no, po prostu starzec, pił jak smok. Ale nie wodę z Wisły, tylko tequilę. Lubił. Jak był trzeźwy, zaczynał ambitnie, lecz jak już się nieco napił, przechodził po prostu na czyściochę. I szklaneczkami, szklaneczkami...

A co mu tam!

Lubił. Poza tym był trochę głuchy, więc trzeba było mu mówić wszystko w twarz, bo za plecami nie słyszał. Kłopot w robocie.

No i łapy mu się lepiły, włosy mu się lepiły i pocił się jak mysz przydepnięta przez słonia. I cały się lepił – do każdej z nich. Lija Agacka, właścicielka Tutto Bene, powinna go dawno wylać, ale, prawdę mówiąc, knajpa niewiele ją interesowała, byle przynosiła dochody. Norbert, menedżer, dzielił się z nią po uważaniu. To znaczy uważał, by nie miała za dużo z tego interesu, ale i nie za mało, żeby się nie zniechęciła. Jak zaczynała marudzić, to biznes jakoś lepiej się kręcił, ale gdy wypadała gdzieś do ciepłych krajów – stawał i ledwo dychał.

Tak tu było. Po kilku miesiącach pracy Zosia znała już miejscowe układy. Tak, Norbert Zawijka umiał kombinować i ciągle tylko szeptał po kątach ze swoim najlepszym kumplem Heniem Rozalskim.

Zosi ich konszachty nie interesowały wcale, ale coś tam się w tle działo. Henio miał jedną niezaprzeczalną zaletę: znał jak nikt kuchnię portugalską, dodatkową atrakcję Tutto Bene, a jego zupa z jarmużu czy tuńczyk w migdałach były niezrównane. A sałatka z kiełbasą *linguiça* i bobem!

Jak on to potrafił podać! Mimo że wciąż na lekkim rauszu, był kreatywny jak mało kto, wymyślał coraz to nowe dania i zestawienia. Sporo można się było od niego nauczyć, ale widać było, że jego czas się kończy, że już zegar bije. Łapy mu drżały, zawalał robotę, tłukł wciąż jakieś naczynia i gdyby nie opieka Norberta, wyleciałby już dawno. Zosia Heńka nie cierpiała. Powinni go zamknąć za te łapy jak u ośmiornicy! Lubił ją łapać zwłaszcza za gumkę od stringów; inna sprawa, że powinna sobie z nimi dać spokój. Ze stringami. Grzech nie zauważył, a erotomanek Henio miał zabawę. Wywalę je dziś do śmieci, postanowiła.

Tego dnia wszystko toczyło się jak zawsze. Zasuwali jak automaty. Dziewczyny wpadały, brały tace i znikały, a oni szykowali, co tam goście zamówili. Dzień mijał na mozolnej pracy, aż wreszcie około dwudziestej trzeciej lokal pustoszał.

23:40

2. W sali restauracyjnej została już tylko parka zakochanych, flirtująca ze sobą zawzięcie, i samotny facet przy narożnym stoliku. Zosia skończyła już z kucharzeniem, zdjęła bluzę, ochlapała się w łazience wodą i jak co wieczór przeszła do baru, by przez chwilę odparować. Usiadła na stołku i zerkała na gości.

Zamówiła drinka u barmana Miśka, który już sprzątał i szykował się do wyjścia. Mogła się wyciszyć i złapać oddech. Bo chyba nikt już nic nie zamówi? Zamykają około północy.

Misiek chował rzeczy na półki, odgarniał z czoła sklejone włosy. Widać było, że się śpieszy. Mieszkał daleko, w Komorowie, i zawsze starał się wychodzić jak najwcześniej. Zosia miała ochotę do niego zagadać, ale niespecjalnie było jak. Widać dziś śpieszył się bardziej niż zwykle, nawet słowa nie powiedział. Odwróciła się więc w kierunku sali i przyjrzała klientowi pod oknem. Uporczywie gapił się w ciemność. Co widzi? Może swoje życie, pomyślała. Nie jest miło tak jeść samotnie, nawet najlepszą kolację. Obok przysiadła Sania, druga kelnerka. Była świeża, jakby cały dzień odpoczywała, a nie pomykała na dziesięciocentymetrowych obcasach – bo tylko takie lubiła – z tacami wypakowanymi wszelakim dobrem.

– Jak mała? – zapytała Zosia, odwracając się w kierunku Oksany, zadowolona, że ma z kim pogwarzyć.

Oksana odgarnęła z czoła włosy i zapatrzyła się w ciemność za oknem.

– Fajnie. Już robi mostki. Do raczkowania się zabiera. No i tak grr… grr… mówi.

Patrzyła przez szybę i mówiła tak, jakby czytała z tego tam… No, jak w telewizji.

Zosia w myślach szukała kiedyś zasłyszanego słowa. Aha, Oksana mówi, jakby czytała z promptera. Zamyślona, gapiąca się wciąż przez okno, gdzieś tam, w ciemność.

– Jak przychodzisz, to śpi? – zapytała Zosia, upijając łyk drinka.

– Jak czasem. Ale zawsze jej jeszcze piersi daję.

– Jasne. Skoro masz pokarm. A ojciec? Pokazał się?

– Ani razu.

Smutne, pomyślała.

I powiedziała na głos:

– Smutne.

– Ano.

Napiły się w milczeniu. Sania wody, Zosia zaś Krwawej Mary, którą ostatnio polubiła namiętnie. Za tydzień pewnie coś innego jej posmakuje, ale na razie z upodobaniem sączyła sok pomidorowy z wódką.

Para spod okna podnosiła się powoli. On ją objął, ona obciągnęła kusą spódniczkę i podrapała się po udzie. Taka była jakaś ciepła, domowa jakby. Z lekką nadwagą, w mini i wyciągniętym sweterku. Zosia patrzyła na nich z zazdrością. Na pewno dziś będą mieli fajną noc. Nie to, co ona. Zaraz dowlecze się do nocnego, potem pojedzie na Ursynów i z duszą na ramieniu przemknie osiedlowymi alejkami do mieszkanka zajmowanego z dwójką trutni dobranych na Gumtree. Powinna zmienić lokum, ale jakoś nie miała energii. Wracała do domu zmachana, przestępowała przez górę śmieci zalegającą korytarz, usiłowała nie wejść w gówienko kota Malwiny, która mieszkała vis-á-vis jej pokoju i nocą, gdy był u niej narzeczony Olo, zawsze bezlitośnie wywalała zwierzaka na korytarz, gdzie on... No cóż. Mścił się, jak się zdaje. W mieszkaniu była jeszcze jedna lokatorka, Ania, zajmująca najmniejszy pokój, ale ciągle wyjeżdżała w jakieś podróże i prawie nigdy nie spała w domu, co było bezsprzecznie dużą zaletą. Drugiej takiej Malwiny jednak bym nie wytrzymała, pomyślała.

Nocą, przeważnie z sukcesem (acz nie zawsze), omijała podłożoną przez wściekłego kota minę i chwilę po wejściu do pokoju waliła się do łóżka. A gdy miała wolny dzień, tyle było rzeczy do zrobienia, do sprzątnięcia, uprania czy kupienia, że nie miała sił ani czasu, żeby szperać w necie za jakimś mieszkaniem. Powinna jednak czegoś poszukać. Tu, gdzieś w pobliżu najlepiej, żeby po nocy się nie tłuc. Za każdym razem, gdy wracała około pierwszej do domu, bała się, że ją ktoś napadnie, da jej w łeb, a ona ani się obejrzy, jak padnie na glebę zdana na łaskę i niełaskę złoczyńcy. Każdej nocy słyszała na opustoszałych ulicach tylko łomot własnego serca, bębniące w ciszy kroki i ich echo. Daleko niosło. Gdy ucho złowiło inny szmer, Zosia przystawała i wsłuchiwała się przestraszona. No, powinna znaleźć to nowe mieszkanie. Ta Malwa, ten kot i Olo, a na dodatek odległość od knajpy... Może jutro. Jutro ma wolne.

Parka wyszła, barman Misiek zniknął na zapleczu, rzucając w przestrzeń ciche: „Cześć". Sania, która skończyła pić wodę, zbierała jeszcze talerze z pustego stolika. Za zakochaną parą właśnie zamykały się drzwi.

Siedzący pod oknem facet podniósł się powoli, rzucił na stół banknot i też założył kurtkę. Zosia odwróciła się do baru, szukając wzrokiem soku pomidorowego. Miała ochotę wypić jeszcze odrobinę, niekoniecznie z alkoholem. Gdzie też Misiek wsadził ten kartonik? Uniosła się energicznie na stołku i przechyliła przez kontuar, bacznie lustrując stojące za nim na podręcznym stoliku flaszki i kartony. Właśnie dostrzegła jeden, jak się zdawało z pomidorem wychylającym się zza listków, nachyliła się jeszcze bardziej, by dosięgnąć, gdy usłyszała, że coś rąbnęło za jej plecami. Stukot. Jeden, drugi – jakby wywróciło się krzesło. A może stolik? Aż podskoczyła. Odwróciła się, omal nie spadając, i zobaczyła osuwającą się na blat Oksanę, przewrócone krzesło, tacę z porozbijanymi na kawałki talerzami z resztkami jedzenia na podłodze i coś jakby ułamek sylwetki faceta w kurtce z kapturem naciągniętym na głowę, znikającego za drzwiami.

13 maja, środa

9:45

3. Droga z Mokotowa na Saską Kępę okazała się uciążliwa, jak zawsze. Mozolnie przedzierał się beżowym nissanem przez korki, remonty, objazdy i sznury unieruchomionych tramwajów. Chociaż było już po porannym szczycie, jazda ciągnęła się jak flaki z olejem.

– No i dalej pan będzie na Bufetową głosował...? – Pan Julian, siedzący obok na przednim siedzeniu, jak zwykle miał ochotę podyskutować o polityce.

– Panie Julku, niech pan przestanie, nie mam ochoty tego słuchać! – przerwał Grzegorz pasażerowi. – Już pana ostrzegałem. Nie będę pana wozić, jak pan mnie będzie ciągle prowokował.

– Dobra, dobra... Pan by pewnie wolał o Borucu, tyle że ja się już piłką mało interesuję.

– Nie chcę o Borucu. Niech mi pan lepiej powie, czy na tych akcjach WBR da się zarobić.

Prawie codziennie, jadąc do knajpy, podwoził sąsiada na drugi brzeg Wisły. Po pierwsze, go lubił.

W apartamentowcu, w którym uwił przed dwoma laty gniazdko, pan Julian był chyba jedynym lokatorem, który okazywał mu życzliwość i świadczył drobne, sąsiedzkie przysługi. No i – po drugie – starszy pan cały wolny czas (a miał go sporo) spędzał na śledzeniu wiadomości z giełdy i czytaniu fachowych analiz. Dzięki temu Grzegorz miał podczas porannych peregrynacji przez miasto nie tylko towarzystwo do pogawędki, ale i darmowe doradztwo inwestycyjne.

– Przebicie pewnie będzie niezłe, jak to przy prywatyzacjach. Tylko ile panu tych akcji pozwolą kupić? Góra za tysiąc złotych. No to ile pan na tym będzie wygrany? Dwie stówy? – utyskiwał pan Julian.

– Dobre i dwie stówy. U nas w knajpie jest taki jeden, Henio… – zaczął opowieść Grzegorz. – Co przy tego typu okazjach zatrudnia byłą żonę, byłych teściów, krewnych z prowincji, kolegów syna, nawet nasze kelnerki. Wszystkim każe akcje kupować, a potem się z nimi wykłóca, żeby mu zarobek oddawali. Zostawia im, a i to z rzadka, jakieś grosze. Czasem w kuchni słyszymy, jak się awanturuje przez telefon, bo odebrać kasy nie może.

Roześmieli się obaj.

– Rzadko pan o kolegach z pracy opowiada – zauważył pan Julek.

– Ach, wie pan… To raptem parę osób. Jak z nimi całe dnie spędzam, to potem już mam ich dość.

Stanęli na kolejnym czerwonym świetle. Dzień był gorący i słoneczny, a szyby w samochodzie opuszczone. Grzegorz nie znosił klimatyzacji i nie rozumiał, po co ludzie za nią płacą, skoro już dawno wymyślono okna. Długowłosa blondynka za kierownicą auta obok najwyraźniej miała podobne zdanie. Z jej czarnego, terenowego opla dobiegały dźwięki melodii. Poznał kawałek z nowej płyty Stańki, której też ostatnio intensywnie słuchał. Blondynka leciutko kiwała głową w takt; jej twarz częściowo zasłaniały duże okulary przeciwsłoneczne, ale to, co było widać, wyglądało bardzo atrakcyjnie.

– No, to rozumiem, to jest propozycja... – westchnął pan Julian, ale Grzegorz już go nie słuchał. Wychylił się przez okno i zagadał do blond obrazka:

– A poprzednią płytę Stańki pani ma?

Dziewczyna nie zareagowała. Może leciutko się uśmiechnęła, a może tylko mu się wydawało. Światło się zmieniło, wcisnęła gaz i pomknęła w stronę mostu.

– Niektórzy to mają życie... – Właściwie nie wiadomo, który z mężczyzn w nissanie wypowiedział te słowa, bo nagle rozmarzyli się obaj.

– No, a w damskich sprawach to pan w tej pracy coś ciekawego kombinuje? – Pan Julian powrócił do poprzedniego wątku.

– Nie, panie Julku. Pan wie, że ja na razie nie mogę się wysupłać z tego układu z Gośką.

– No, może by panu łatwiej poszło, jakby się panu jakaś nowa buźka spodobała. – Sąsiad nie dawał za wygraną. – Facet z pana przystojny, zawód ma pan rozwojowy, kasy nie brakuje...

– Panie Julku, u nas w restauracji może pan czasem spotkać homara z norweskiego fiordu, wołowinę z Argentyny albo kurczaki z Włoch. Ale dobry dostawca dziewuch jeszcze nam się nie trafił. Kiedyś, na początku, wydawało mi się, że szefowa... Ale jakoś nie wyszło.

– A kelnerki? – Pan Julian fedrował cierpliwie.

– Co pan. Wśród damskiego personelu mamy Ukrainkę z małym dzieckiem, zresztą akurat nie mój typ, ze dwie mężatki, starszą panią sprzątaczkę i jedną, taką młodą po gastronomiku, od niedawna w Warszawie. Nawet sympatyczna, ale musiała się chyba od razu zakręcić koło tych spraw. Jak do nas przyszła, to ledwie potrafiła wydukać, jak ma na imię, ale ktoś ją musiał ośmielić. Dekoltem błyska, makijaż... Nawet stringi zaczęła nosić i tyłek wystawia. Magia stolicy! No, panie Julku, jesteśmy.

– Dzięki, panie Grzesiu. Kochany, a pamięta pan o mojej prośbie? To już za trzy dni.

Beżowy nissan wjechał w zatoczkę przy przystanku.

– Dobra, niech pan wpadnie jutro z pół godziny wcześniej, to się zastanowimy.

– My? Ja przecież nic nie wymyślę. To pan musi. Wie pan, żeby bardziej elegancko...

– Kiedy córka ma te urodziny? – zapytał Grzegorz.

– Jutro, w czwartek. Ale gości zaprosiła na sobotę.

– Dobra, jutro coś zdecydujemy. – Grzegorz machnął na pożegnanie.

– Ja wszystko kupię, co trzeba – upewniał go jeszcze przez okno niedawny pasażer. – Pan mi tylko listę podyktuje. O, niech pan spojrzy! To chyba ta laleczka ze skrzyżowania. – Pan Julian wskazał na zaparkowanego po drugiej stronie ulicy czarnego opla.

Blondynka w ciemnych okularach najwyraźniej na kogoś czekała. Sąsiad pomachał Grzegorzowi ręką z szerokim uśmiechem.

Beżowy nissan ruszył z zatoczki i po chwili przejechał bardzo powoli obok dziewczyny-blondynki i opla-bruneta. W środku wciąż dokazywał Stańko z zespołem, a wydostająca się przez otwarte okno muzyka komponowała się z rozświetloną słońcem, młodą zielenią Saskiej Kępy.

– No więc, czy pani zna jego poprzednią płytę? – rzucił Grzegorz w kierunku dziewczyny.

Spojrzała zdezorientowana, ale po chwili odzyskała pewność siebie i odwróciła głowę.

I jakby się przy tym leciutko uśmiechnęła… A może znów tylko mu się zdawało?

Ruszający z przystanku autobus brutalnie otrąbił blokującego ruch nissana. Pora jechać do Tutto Bene.

10:10

4. Oczywiście, jak zwykle miał zagwozdkę na parkingu, ale po chwili kręcenia się w kółko Grzegorz znalazł wolne miejsce. Daleko, bo daleko, ale dobrze, że w ogóle. Zabrał z auta torbę z rzeczami, przerzucił ją przez ramię, piknął pilotem i pomaszerował do knajpy.

Kilkanaście metrów przed restauracją zauważył, że coś nie gra. Przed wejściem tkwił policjant, na chodniku stało kilka niedbale zaparkowanych samochodów, w tym jeden radiowóz. Widać też było grupę ludzi gadających o czymś z ożywieniem.

Przyśpieszył kroku, minął dwie blokujące chodnik pańcie, kilku pokrzykujących do siebie chłopaków i zatrzymał się przed samymi drzwiami, przed którymi stał funkcjonariusz, młody i sztywny, unikający wzroku gapiów, zapatrzony w dal.

Co też tu się stało, alarm bombowy? – myślał gorączkowo Grzegorz, porządnie zaniepokojony. A może ten gnój Norbert coś nakręcił, kogoś zrąbał na kasę i go postraszyli? Nie było czasu, żeby kombinować.

– Dzień dobry, panie władzo! Co tu się dzieje? – zapytał grzecznie, podchodząc.

Młody funkcjonariusz nawet na niego nie spojrzał. Nie przestawał gapić się w przestrzeń.

– Nie pana sprawa – odparł służbiście. – Informacji nie udzielamy. Proszę się tu nie gromadzić! – rzucił nie tylko do Grześka, ale i do innych gapiów, którzy usłyszawszy pytanie, postąpili bliżej i zastrzygli uszami.

– Panie, ale ja tu pracuję – zaoponował Grzegorz, usiłując zajrzeć do Tutto Bene przez przeszklone drzwi. We wnętrzu zamajaczył tłum ludzi, nie – jak zwykle – siedzących, ale na nogach.

Policjant spojrzał nań wreszcie. Oczy miał jasne i przejrzyste jak dziecko. Skinął głową w stronę restauracji.

– Tu? W tej knajpie pan pracuje? – upewnił się.

– Tak. Jestem szefem kuchni.

– To pan wchodzi. – Ponownie kiwnął głową i zrobił krok w bok.

Grzegorz wszedł do środka.

Miłe zazwyczaj wnętrze przedstawiało obraz nędzy i rozpaczy. Stoliki stały w kompletnym nieładzie, podłoga była zadeptana, w powietrzu unosiły się kłęby papierosowego dymu. Jednak przede wszystkim, na samym jej środku widniała wielka, ciemna plama... Grzegorz przyjrzał się jej uważnie – miała konsystencję zaschniętej mazi. Coś wokół niej było pozaznaczane, takimi żółtymi znaczkami. Nie bardzo wiedział co, ale po plecach przebiegł mu zimny dreszcz. Cholera, pomyślał przerażony, chyba kogoś tu sprzątnęli. Wczoraj czy dzisiaj? Rany boskie!

Rozejrzał się po tak dobrze znanej sali, ale nie zauważył żadnego kolegi. Norberta też nie było, za to kręciło się kilku facetów w wymiętych koszulach, którzy coś tam mierzyli. Pod samym oknem siedział umundurowany policjant, dość tępo gapiąc się na stojące na półkach butelki. Nie było jasne, kto rządzi, więc Grzegorz przystanął w progu, czekając na jakiś ruch. Rzeczywiście, po chwili od gadającej przy barze grupki oderwał się najwyższy, szczupły facet w tweedowej marynarce i podszedł do niego.

– Pan...? – Zawiesił pytająco głos.

– Grzegorz Dolan. Jestem szefem kuchni – odpowiedział powoli, nie przestając rejestrować wszystkiego, co widzi. – Co tu się stało?

– Komisarz Górzyański, komenda rejonowa policji. Pan pozwoli, że najpierw ja będę pytał. O której pan stąd wczoraj wyszedł?

– Zaraz, chwila, muszę pomyśleć...

– Usiądźmy może. – Górzyański wskazał wolny stolik opodal baru.

Grzegorz ciężko opadł na krzesło. Usiłował oswoić się z sytuacją. Nie palił już od trzech miesięcy, ale teraz cholernie potrzebował papierosa. Zaczął szukać po kieszeniach, ale po chwili uświadomił sobie, że to daremne. Wziął więc do ręki serwetkę i zmiął, zastanawiając się intensywnie, jak to było wczoraj. Gliniarz już zaczynał mu się przyglądać podejrzliwie, namysł był chyba zbyt długi.

– Wyszedłem o dwudziestej trzeciej piętnaście... – powiedział wreszcie Grzegorz. – W lokalu zostało już tylko troje gości i nie zanosiło się, żeby ktoś jeszcze miał przyjść. Był zresztą Rychu Gajewski, on zawsze wychodzi ostatni. Henio Rozalski, nasz drugi kucharz, zmył się przede mną. No i Zośka Staszewska też jeszcze była, więc wyszedłem.

– Wyszedł pan frontowymi drzwiami czy od tyłu?

– Od tyłu. Z reguły tamtędy chodzę.

– Czy zaglądał pan na salę przed wyjściem?

– Tak. Zerknąłem, jaka jest sytuacja.

– I co pan zobaczył?

– Dwa stoliki były zajęte. Tu przy trójce siedziała jakaś para, a pod oknem facet.

– Ten facet pod oknem. Przyjrzał mu się pan?

– Przez moment. Chudy, średniego wzrostu. Twarzy nie widziałem. Był odwrócony tyłem i gapił się przez szybę.

– W jakim wieku?

– Czterdzieści? Pięćdziesiąt? Tak mi się zdaje. Naprawdę mu się nie przyglądałem. Omiotłem go wzrokiem. Tak bym to określił.

– A ta para?

– Młodzi. Mocno na siebie napaleni. Całowali się, więc też nie widziałem ich dokładnie. Ona miała zgrabne nogi. Taka lekko pulchna. Tyle zauważyłem.

– Coś może zwróciło pana uwagę, gdy pan wychodził? Jak rozumiem, musiał pan przejść przed witryną?

– Tak, wyszedłem z bramy i poszedłem w lewo. Ale – pokręcił głową – nic nie widziałem. Było pusto. Padał lekki deszczyk. Ani żywej duszy. Samochód miałem za rogiem, więc szybko przemknąłem i pojechałem do siebie, na Mokotów.

– Aha. Czyli nic pan już więcej nie widział?

– Nie. Nic. Co tu się stało, proszę mi wreszcie powiedzieć, na miłość boską. Zabili kogoś? – powiedział, a może nawet i wykrzyczał, dość desperacko, bo cały czas podczas wypytywania niepokój kąsał go jak mamba.

– Ktoś wczoraj strzelał do kelnerki – wyjaśnił gliniarz spokojnie. Popatrzył tak, że Grzegorzowi przeszły po plecach ciarki.

– Której? – Dolan poczuł, że coś mu przeszkadza mówić.

– Oksany Łuczynko.

– Boże! – jęknął. – Przecież ona ma malutkie dziecko. Co za... Kto to zrobił?

– Prowadzimy czynności śledcze.

Grzegorz poczuł się tak, jakby dostał w splot słoneczny.

– O Boże! Ale kaszana. I złapaliście tego... sprawcę?

– Na razie prowadzimy postępowanie.

– Aha. Czyli go nie macie...

Grzegorz zacukał się na moment.

– Gdzie reszta ekipy? – zapytał.

– Wszyscy są na zapleczu. Na razie panu podziękuję. Wkrótce zaproszę pana do komendy, tam sobie te zeznania spiszemy. Gdyby sobie pan przypomniał coś jeszcze, proszę dzwonić.

Górzyański wyciągnął z kieszeni nieco wyświechtaną wizytówkę. Wyglądała jak z recyklingu.

– Tak, oczywiście, jasne. – Grzegorz był w szoku. – Cholera. Oksana. Taka miła dziewczyna. Co za skurwiel to zrobił?

10:30

5. O ile na sali panował bałagan, zamęt i ruch, o tyle na zapleczu nastrój był zdecydowanie grobowy.

Lucyna, w rozchełstanej bluzce i rozmazanym makijażu, łkała, oparta o Rycha, który od czasu do czasu nieporadnie poklepywał ją po plecach, gapiąc się pustymi oczami w przestrzeń. Dziewczyna miała na sobie strój roboczy, ciut przyciasny mundurek, którego, jak Grzesiek wiedział, szczerze nie znosiła. Ponoć skracał ją optycznie. Ach te baby... Rysiek natomiast był ubrany normalnie, w stare dżinsy i bluzę adidasa, inną niż wczoraj. Czyli przyjechał, tak jak i on, z domu.

Mała Zośka siedziała na krześle przy wyspie i patrzyła na swoje stopy. Nos miała czerwony, oczy zapuchnięte, ręce w kieszeniach bluzy zwinięte w pięści. Widać było, że swoje już odpłakała. Heniek

Rozalski zaś opierał się o metalowy blat. W ręku trzymał szklankę, którą kołysał bezmyślnie, a woda, czy co tam w niej było, wychlapywała się na podłogę. Też nie wyglądał najlepiej.

Norbert jeszcze się nie zjawił. Zwykle o tej porze załatwiał różne urzędowe głupoty, umawiał się z dostawcami, co i kiedy mają przywieźć, robił ostatnie zakupy. Zresztą diabli tylko wiedzieli, czym się zajmował naprawdę. W knajpie pojawiał się zwykle około dwunastej, rzucając im to, co zamówili.

Helenka Kamecka, która – jak to sprzątaczka – zazwyczaj przychodziła pierwsza, siedziała na stołku w kącie i chlipała. Napuchłe grube nogi miała zaplecione w obwarzanek. W podwiniętej spódnicy nie wyglądała zbyt apetycznie: z czerwonymi oczami i nosem zapuchniętym od kataru tudzież widocznym kawałkiem niezbyt apetycznego uda. W ręku międliła kawałek papierowego ręcznika, w który głośno wycierała nos. Cała rolka stała tuż obok, na pustym blacie. Korzystały z niej chyba wszystkie obecne na zapleczu kobiety (facetów raczej o to nie podejrzewał), bo kosz na śmieci pełen był pomiętych skrawków w biało-różową kratkę.

Miśka, barmana, też jeszcze nie było, i nie dziwota. On przychodził dopiero na otwarcie.

Grzegorz stanął w progu i przez chwilę patrzył na całą tę gromadkę. Oni, jak na komendę, zagapili się w niego.

– Cześć – powiedział. – No to wesoło.

– No. – Heniek zsunął się z blatu i zbliżył do Dolana, niebezpiecznie balansując szklaneczką.

– Od wczoraj masakra. Mnie złe podkusiło i wróciłem po paczkę, com jej zapomniał. Ta biedna Sanieczka... Co to za historia! No, po prostu we łbie się nie mieści. Żyła i bach, leży martwa.

– Coś wiadomo, kto to zrobił? Jak to się stało? Widział ktoś coś? – zapytał Grzegorz, przyglądając się zmaltretowanym twarzom.

Stojąca tuż przy nim Zosia zaczęła nieskładnie opowiadać, a on słuchał jej w milczeniu. Starał się zrozumieć.

– To właściwie nie widziałaś, kto strzelał, ale wygląda, że ten spod okna?

– Tak. Gapiłam się na kartoniki za barem, a już był przy drzwiach. No i jak wychodził, musiał strzelić do Sani.

– A ona... Umarła tutaj, na miejscu? Czy w szpitalu?

– Nie... Nie wiem, znaczy. Zaraz wezwaliśmy pogotowie i policję, i jak przyjechali, znaczy lekarz, to jeszcze żyła. Tak powiedział. Założyli jej maskę i ją wzięli do karetki. Ale była nieprzytomna, wszędzie pełno krwi. Najpierw nie widziałam krwi, jak do niej dobiegłam, myślałam, że się po prostu potknęła albo coś... Zasłabła... A potem... Wszędzie krew, wszędzie krew... – zakrztusiła się. Znowu zaczęła płakać.

– To ona umarła później? Nie tu?

– Znaczy... – zająknęła się Zosia. – Ja nie wiem, czy umarła. Oni ją zabrali i nic mi nie mówili. Tylko pytali o całą sytuację.

– A jak ten koleś spod okna wyglądał? – zapytał Grzegorz.

– Taki nijaki – wtrąciła się Lucyna. – Też go widziałam. Nie wbił mi się w pamięć. Jakaś czterdziecha, szare oczy, sweter zielonoszary chyba. Cały czas w okno patrzył albo łeb spuszczał. Kurtkę trzymał na krześle obok. Proponowałam, żeby odwiesił, ale nie chciał.

– Ja go w ogóle prawie nie widziałam – dorzuciła Zosia. – Tyłem siedział. Chudy jakiś.

– No nic. Pójdę i zapytam, co i jak z Oksaną. Może mi powiedzą. – Grzegorz odwrócił się na pięcie.

W sali jadalnej nadal nie działo się nic ciekawego. Policjanci siedzieli na krzesłach porozstawianych bez ładu i składu. Wszystko było już dawno obfotografowane, dochodzeniowcy pozdejmowali odciski palców, pozbierali próbki, a Górzyański z jakimś drugim stali przy barze, ale nie opierali się o kontuar. Grzegorz podszedł.

– Przepraszam...

– Tak? – Komisarz odwrócił się, przechylając głowę i wpatrując się w Dolana badawczo.

– Co z Oksaną? Bo ludzie mówią, że żyła, jak ją zabierali.

– Jest w śpiączce. Lekarze nie dają jej, niestety, szans.

– Czy my... Możemy ją odwiedzić?

– Nie. Leży na OIOM-ie. Moi ludzie jej pilnują.

Grzegorz skinął głową. Już miał wracać do kuchni, gdy jeszcze coś przyszło mu do głowy.

– Długo mamy jeszcze tu siedzieć? Kobiety są wykończone.

Komisarz spojrzał na tego drugiego, młodszego nieco, masywnego faceta w bawełnianej, pomiętej kurtce.

– Panie prokuratorze?

Zaskoczył Grzegorza, który nie tak wyobrażał sobie prokuratora. Cóż, bywają widać prokuratorzy niezbyt eleganccy…

– Możemy ich już zwolnić.

– Słyszał pan. Mogą iść do domu.

– A ja?

– Pan też, oczywiście. Wszystkich wezwiemy do komendy na ponowne przesłuchania.

– Tak, oczywiście. Dziękuję.

Grzegorz się ukłonił. Tamci dwaj, nie poświęcając mu dłużej uwagi, powrócili do przerwanej rozmowy.

Na zapleczu ekipa stała tak, jak ją zostawił, zagapiona w drzwi. Gdy wszedł, skierowały się na niego wszystkie oczy.

– No i co z Sanią? – Nie wytrzymała Zośka.

– Żyje. Jest nieprzytomna. Tak mówi ten policjant.

Lucyna znów zapłakała, głośno jak wiejska baba, z piskiem, chlipem. Aż Grzegorzowi coś zgrzytnęło w głowie.

Odsunął się od niej o krok.

– Ale mam jedną dobrą wieść: możecie spadać do domów – powiedział. – Ty, Heniu, odwieziesz może Lucy i Helenkę? Wy chyba gdzieś blisko siebie mieszkacie?

– Nie ma sprawy. – Henio wyglądał niemal radośnie. Szklaneczkę, widać z wodą, odstawił na blat.

Wiadomość, że mogą już iść, wyraźnie go ożywiła.

– A ty, Rychu, Zośkę?

Rychu pokręcił przecząco głową. Duży i zwalisty, wyglądał na trochę upośledzonego. Może i coś w tym było, bo strasznie autystyczny był przy robocie. Dlatego gdy przed miesiącem oznajmił, że się żeni, wszystkich zatkało. Nigdy się nie zająknął, że kogoś ma, a tu od razu ślub. No i potem ta Iwona. Jak ją zobaczyli w kościele – normalnie oniemka. Superlaska, młoda, niepasująca ani trochę do męża. Toteż Grześka jakoś niespecjalnie zdziwiły jego słowa.

– Nie mam dziś auta. Zostawiłem rano Iwonce i przyjechałem autobusem.

Ostatnio Rychu zapierniczał środkami komunikacji miejskiej, zaś jego golfem pomykała małżonka.

– W takim razie to ja was oboje odwiozę – zadeklarował Grzegorz i wszyscy po chwili wahania opuścili lokal frontowymi drzwiami. Komisarz Górzyański z oddali kiwnął im głową, niemal nie zwracając na nich uwagi. A przynajmniej takie sprawiał wrażenie.

11:15

6. Świat był jasny, powietrze niemal przejrzyste, pełne majowych dźwięków i zapachów. Promienie słońca sączyły się przez gałęzie kwitnących kasztanowców, kładąc się jasnymi smugami na ulicy. Słychać było jazgot wróbli, gołębie chodziły dostojnie i jakby ociężale, niedbale wydziobując to i owo z chodnika. Zosia stała przy samochodzie Grzegorza. Patrzyła

na wszystko, co wokół: psy siusiające na krzaki, dzieci hałasujące na pobliskiej ławeczce, kobietę pchającą pracowicie wózek obwieszony zakupami i zerkającą na śpiącego, okutanego kocykiem niemowlaka. Jakby nic się nie zdarzyło. Jakby wszystko szło tak, jak powinno. Staruszek jadł słodką bułkę, siedząc na ławce, obok biegała mała dziewczynka, ganiająca śmiesznego psiaka z białą łapką, a starsza pani na sąsiedniej ławce rozkładała dużą płachtę gazety. Dokoła toczyło się powszednie życie, ale dla Zosi nic już nie było tak, jak być powinno. Nie wiedzieć czemu miała poczucie, że już nigdy nie będzie tak, jak powinno być. Sanię ktoś próbował zabić. To było... potworne, ale chodziło nie tylko o to. Coś zostało złamane, zniszczone. W jednej chwili. Ona, Zosia, coś straciła. Niewinność? Ufność? Poczucie bezpieczeństwa? Wiarę, że drobne wydarzenia dnia codziennego są czymś ważnym, nie tylko dekoracją, za którą ukrywają się rzeczy złe i podłe? Że są tuż obok. Sama nie wiedziała, skąd u niej takie myśli. Ale przyszły. I już.

Potrząsnęła głową, jakby chciała je odgonić. Żeby świat znów był przyjazny i radosny.

Grzegorz piknął pilotem, więc odruchowo sięgnęła do klamki i wsiadła do nissana. Usiadła na fotelu dla pasażera, a Rychu umościł się z tyłu. Było jej zimno. Na dworze upał, w samochodzie upał, a ona czuje się jak na Syberii!

Kiedyś bardzo przeżywałaby jazdę z Grzechem, nadzieję, że może się zaprzyjaźnią... Jednak dziś nic dla niej nie znaczyła. Chciała tylko do domu, chciała wślizgnąć się do swojego zabałaganionego pokoju i zniknąć pod kołdrą. Ale czy będzie mogła tak po prostu zasnąć? Kiedy jej się to uda? Jakoś nie potrafiła sobie tego wyobrazić.

Była rozedrgana, zdenerwowana, pobudzona.

Grzegorz ruszył powoli, usiłując się włączyć do ruchu. Zosia patrzyła przez okno na kobietę z wózkiem. Biedna Sania. I biedna Marynka. Co z nią będzie? A właściwie... Co z nią?

– A co z Marynką? – Odwróciła się od szyby.

Grzegorz zmienił bieg.

– Z jaką Marynką? – zdziwił się. Słyszał to imię po raz pierwszy.

– No, z córeczką Sani.

– A skąd ja mam wiedzieć, Zochna? Chyba policja się tym zajęła.

– Ale... Może powinniśmy się zapytać, zainteresować... – powiedziała, niepewnie patrząc na niego spod potarganej grzywki. – Ona zostawała z jakąś Sani znajomą. Swietką. I co? Jak Sania nie wróciła?

– No racja. Mówiłaś o dziecku komisarzowi?

– Nie. Zapomniałam. Znaczy mówiłam. Że ma córkę. Ale żadnych detali, że ona sama. Bez nikogo.

Grzegorz zmieniał pas i wyprzedzał ślimaczącą się skodę. Myślał o Sani. No, nieźle sobie radziła. Pracowała prawie do porodu. Pod koniec bał się nawet, że dziewczyna zacznie rodzić w pracy, bo brzuch miała ogromny i widać było, że jest jej już ciężko, ciągle jednak zasuwała na tych swoich szpilach. A potem nie przyszła w weekend i się domyślili, że rodzi. Dziewczyny chciały się do niej wybrać, ale komórki nie odbierała, więc nie wiedziały, gdzie jest. Nie było jej równo przez tydzień. Potem się pojawiła, jakby nigdy nic, i stanęła, jak zwykle, do pracy. Nigdy się nie skarżyła. Grzegorz tylko poprosił Norberta, żeby ten przesunął jej trochę godziny, tak aby mogła wychodzić wcześniej, i dał wolne w poniedziałki. Norbert na początku trochę sarkał, ale Grzegorz go uciszył. W poniedziałki prawie nie było klientów. Lucyna mu to podsunęła. Sama Sania o nic nie poprosiła. Zależało jej na robocie. Dziewczyny miały ochotę wpaść do niej, obejrzeć dziecko, słyszał, jak się przymawiały, ale Oksana się wykręcała, przesuwając wizytę na później. Coś jej ciągle nie pasowało.

– Ta Swietka to kto dla niej? – zapytał, trąbiąc na wlokące się przed nim auto.

Zośka podskoczyła. Była, jak zauważył, ciągle spięta.

– Nikt. Koleżanka – odparła. – Sania płaciła, żeby się Swieta zajęła małą, kiedy ona pracowała. Normalnie Oksana mieszkała z taką jedną Wierą, która się opiekowała Marynką w zamian za mieszkanie i jakieś tam pieniądze, ale Sańka mówiła, że ona teraz na Ukrainie, już drugi miesiąc czeka na wizę. Więc wzięła tę Swietę do opieki, ale średnio z niej była zadowolona. Tak – powiedziała Zośka i jakby dla potwierdzenia własnych słów pokiwała głową. Jej zawsze niesforna grzywka znów wpadła do oczu. Odgarnęła ją dłonią i spojrzała gdzieś tam przed siebie, czy w siebie. A może w nicość? Grzegorz nie wiedział. Widział tylko, że odpłynęła.

11:50

7. Samochód przemykał ulicami Ursynowa, mijał kolejne bloki, aż wreszcie zatrzymał się przed szerokim, niezbyt wysokim, przysadzistym budynkiem, pomalowanym na fikuśny turkus. Tu mieszkał Rychu, który całą drogę siedział cicho z tyłu. Nic dziwnego, zawsze był milczkiem. Grzegorz odwrócił się i zobaczył, że Rysiek śpi. Miał zamknięte oczy i posapywał lekko, z głową opartą na piersi.

Ten to ma wrażliwość, pomyślał z przekąsem. Słonia.

– Hej, hej! – zakrzyknął. – Budź się! Rysiek!

Rychu otworzył oczy, rozejrzał się, zobaczył turkusik swojego domu, zamrugał rzęsami, wziął plastikową torbę z dobytkiem i z wymamrotanym pod nosem cichym „cześć" wyszedł z auta.

Kiedy zostali we dwoje, Grzegorz wyciągnął z kieszeni pomiętą wizytówkę Górzyańskiego i wystukał numer na klawiaturze.

– Dzwonię do tego gliny… – poinformował Zosię.

Po kilku sygnałach usłyszał głos komisarza.

– Górzyański.

– Tu Dolan, szef kuchni z Tutto Bene. Chciałbym się dowiedzieć, czy ktoś od was zajął się dzieckiem Oksany? Co z tą małą? Z Marynką?

– Dzieckiem? Chwila. Proszę zaczekać…

Zosia spojrzała na przyciskającego słuchawkę do policzka Grzegorza i pomyślała, że życie jest dość podłe. Coś, co by ich mogło połączyć, jest tak przerażające, że pewnie ich oddali.

Tuż obok bloku znajdował się plac zabaw, teraz, w środku dnia, pełen bawiących się dzieci i matek. I wózków. Wszyscy, których sylwetki widziała z daleka, sprawiali wrażenie radosnych i odprężonych, a ona czuła się, jakby coś jej amputowano. Boże, to uczucie pustki, próżni, ciążyło nie do wytrzymania. Gdyby mogła coś zrobić, czymś się zająć, może by od niego uciekła.

Może właśnie w ogródku? Wmieszałaby się w ten tłumek, stała jedną z nich, i wszystko by zniknęło? Znów potrząsnęła głową, odganiając głupie myśli. Czuła potrzebę ruchu i potrzebę spokoju jednocześnie. Całkiem to wszystko porąbane, pomyślała.

Tymczasem Grzechu zaczął coś mówić do telefonu. Słyszała tylko: „Tak, tak, rozumiem, zaraz".

– Pyta, czy jej adres to na pewno Jagiellońska 45 m. 8?

– Czekaj. – Zosia wyciągnęła kalendarzyk z torby. – Tak – potwierdziła po chwili.

Grzegorz powtórzył i zakończył rozmowę.

Wyłączył aparat, popatrzył na Zosię.

– Pod tym adresem nikogo nie było – powiedział. – Ani dorosłego, ani dziecka. Tylko zamknięte na głucho drzwi.

17:50

8. Pedro chyba wiedział, co się święci, bo najwyraźniej postanowił przedsięwziąć środki zaradcze. Rzadko kiedy zawodziła go intuicja. Jak zwykle

w chwilach zagrożenia pierwszym pomysłem było wejście pod kredens. Zadziałało na krótko, bo jego pan rozgryzł już ten numer i nauczył się wygarniać go stamtąd jednym szybkim ruchem. Potem pozostawała już tylko ucieczka z piskiem i postękiwaniem albo udawanie trupa. Kiedy w domu były dzieci, próbował chować się w ich pokojach. Wiedział, że może liczyć na wstawiennictwo Ali albo Maćka.

– Tato, zostaw go, jemu się nie chce. On nie ma tyle energii, co ty. Jest mały – próbowała przemówić ojcu do rozumu Ala.

– Pies męczy psa... – rzucał ponuro Maciek.

Ale teraz oba pokoje młodzieżowe były puste i zamknięte. A Pedro stał nos w nos z panem komisarzem i wiedział, że może liczyć wyłącznie na siebie. A to prawie zawsze oznaczało porażkę, czyli konieczność wyjścia z domu.

– Przestań się wygłupiać, chłopie. – Górzyański zbliżał się ze smyczą. – No chodź, nie leń się. Odwalisz spacer i już nie będziesz musiał wychodzić wieczorem.

Pedro w odruchu desperacji rzucił się na wznak, zamknął oczy i zastygł bez ruchu.

– No tak, tak... Zdechł pies. – Górzyański podrapał buldożka po brzuchu. – Ale mi się trafił ognisty Pedro. No chodź, nie będę biegać, pójdziemy spacerkiem.

Było jeszcze za wcześnie na codzienny spacer. Ale też nie o przechadzkę tu chodziło. Górzyański przez cały dzień nie mógł się dowiedzieć, co dzieje się z córeczką tej Ukrainki z Tutto Bene. A czuł, że los dziecka może być kluczem do życia Oksany Łuczynko. Być może jedynym, jaki mu zostanie, jeśli kobieta umrze. W mieszkaniu na Jagiellońskiej przez cały dzień panowała cisza. Dzieckiem powinna się zajmować koleżanka Oksany, Swietłana. Czyżby zostawiła dziecko samo? Jeśli nie – dokąd je zabrała? Czy Oksana miała tu jakichś krewnych albo przyjaciółki? Te pytania na razie musiały pozostać bez odpowiedzi, bo Górzyańskiemu nie udało się ustalić nawet nazwiska tej drugiej Ukrainki. Trzeba na to trochę więcej czasu, a tymczasem dzieciak może potrzebować opieki. Może dziewczyna się wystraszyła, kiedy Oksana nie wróciła na noc? Albo dowiedziała się o morderstwie i zwiała, żeby nie mieć kontaktów z polską policją, bo jest tu nielegalnie... Ale skąd miała się dowiedzieć? Chyba że...

Ze Stalowej, gdzie mieszkał, na Jagiellońską nie było daleko. Pedro, oczywiście, o tym nie wiedział i bał się kolejnego szaleństwa swojego pana. Nigdy nie było wiadomo, na jak długo naprawdę wychodzą, ile będzie przy tym biegania, ile jazdy ryczącymi samochodami albo czekania gdzieś w bramie czy na deszczu. A jeszcze nie raz i nie dwa kończyło się na oddaniu psa na trochę jakiemuś kumplowi (albo i kumpelce!) i biedny Pedro musiał nocować w całkiem obcym domu. Dopiero nazajutrz trafiał – zupełnie, rzecz jasna, wykończony nerwowo – do własnego koszyka, odwieziony do domu albo odebrany przez kogoś ze swoich.

Teraz przynajmniej nie chodziło o bieganie. Pan nie miał na nogach białych adidasów, tylko czarne buty. Właśnie mieli wychodzić. Pedro definitywnie tkwił już na końcu smyczy, którą Górzyański bezlitośnie trzymał w ręku, kiedy nagle pojawiła się nadzieja. Usłyszał na schodach – oczywiście znacznie wcześniej niż jego pan – kroki powracającej do domu pani. Po chwili drzwi się otworzyły i stanęła w nich Kamila Górzyańska.

– Wchodzicie czy wychodzicie? – zapytała, widząc scenkę w przedpokoju. Pedro oparł się łapami o jej kolana i zaczął postękiwać radośnie. Kamila pochyliła się i podrapała go za uszami.

– Wychodzimy – odpowiedział Górzyański, jedną ręką pomagając żonie zdjąć cienką kurtkę (odłożenie smyczy i uwolnienie drugiej ręki oznaczałoby, oczywiście, ucieczkę Pedra i opóźnienie całej akcji o kolejne parę minut).

– A gdzie cię niesie? – zapytała. – Młodych jeszcze nie ma?

– Muszę coś sprawdzić w jednym mieszkaniu. Niedaleko.

Górzyański zawahał się, bo coś nagle przyszło mu do głowy. Gdyby okazało się, że dziecko jest samo, głodne, zapłakane i zafajdane, może dobrze byłoby mieć przy sobie kogoś, kto lepiej umiałby poradzić sobie z sytuacją? Odrzucił jednak tę myśl, bo zdawał sobie sprawę, że Kamila po całym dniu w aptece ma lepsze pomysły na popołudnie. Poza tym naprawdę nie wiedział, co dzieje się na Jagiellońskiej. Jego ludzie kilkakrotnie odwiedzali ten adres w ciągu dnia, ale nikogo nie zastali. Komisarz już wystąpił do prokuratury o nakaz przeszukania, ale na razie wciąż nie miał papierka. Jutro na pewno go dostanie, w końcu zniknęło dziecko, a tam mogą być jakieś ślady. Na razie postanowił osobiście pójść pod drzwi poszkodowanej. A nuż coś zobaczy? To w końcu sprawa niecierpiąca zwłoki, więc może jakoś się wytłumaczy z samowolnego wejścia do środka. A przy okazji to taki sam dobry kierunek spaceru jak każdy inny.

– Nie wiem, może będę potrzebować twojej rady. W razie czego zadzwonię. Maciek polazł do tego swojego klubu, a Ala pewnie zaraz wróci z angielskiego.

Kamila weszła do łazienki, żeby umyć ręce.

– Długo cię nie będzie? I co za rady potrzebujesz? Coś pan komisarz dzisiaj tajemniczy.

– Powinienem być za godzinę, półtorej. Przy okazji przespaceruję psa. A rada... Nic takiego. Mówiłem, najwyżej zadzwonię.

– No dobra. Nie chcesz, nie mów. Odpocznę i zrobię kolację. Oczywiście, nie ma nikogo, żeby mi pomóc. Zrobię makaron według przepisu tego Włocha z TV Delicje.

– Co?! Włocha? Jak to...? – Zbieg okoliczności zaskoczył Górzyańskiego.

– Noo... Rozmawialiśmy o tym. Co ci odbiło? Coś się tak zdziwił?

– Nie, nic. Tylko tak się złożyło, że dzisiaj spędziłem pół dnia we włoskiej restauracji.

– Co?! – Tym razem Kamila nie posiadała się ze zdumienia. – Mówisz, że idziesz do pracy, a przesiadujesz w knajpach? To po co ja mam się męczyć z kolacją?

– Nie w tym sensie. Nie poszedłem jeść. We włoskiej knajpie na Saskiej Kępie ktoś strzelał do kelnerki.

Byłem tam służbowo. A twój makaron i tak będzie lepszy niż u nich.

– No dobra, idź już, jak masz iść. I zamknij drzwi – krzyknęła Kamila z głębi łazienki.

Na dworze wciąż było ciepło. Po przejściu jakichś dwustu metrów Górzyański spuścił psa ze smyczy. Wiedział, że Pedro już nie zaryzykuje samotnego rajdu do domu. Piesek dyrdał pociesznie obok swojego pana, a komisarz rozglądał się po okolicy. A nuż wraca któreś z jego dzieci? Trochę martwił go ten klub Maćka, zwłaszcza od czasu, kiedy syn opowiedział, że po nocnych sesjach odwozi go stamtąd kumpel na motorze. Co oni tam naprawdę robią, zastanawiał się. Piją? Wciągają coś? Kupa młodziaków, dziewczyny, motory. Maciek szydził z jego obaw.

– Tato, trochę luzu, nie jesteś w pracy. „Komisarz Górzyański na tropie młodzieżowej mafii na Pradze". Tobie w głowie tylko narkotyki i wódka. To nie jest dziupla dla złodziei samochodów ani wytwórnia amfy. To jest klub miłośników gier fabularnych. Wyście z mamą i z kumplami grali kiedyś całymi nocami w Monopoly. Sam opowiadałeś. Chlaliście przy tym? Wąchaliście klej?

Komisarza jakoś nie przekonywały te argumenty. Chodziło mu nawet po głowie, żeby przez dzielnicowego wywiedzieć się dyskretnie, czy sąsiedzi albo okoliczni dozorcy mają jakieś spostrzeżenia na temat nowego klubu założonego w opuszczonym domu na Odrowąża. Ale jednocześnie... Czułby się okropnie wobec własnego syna. Szpiegować Maćka i jego kumpli? Jeśli młodzi rzeczywiście sprzątnęli, pomalowali i urządzili to pomieszczenie, żeby się tam zbierać i grać w te swoje durne gry, to może raczej należy im się uznanie i wsparcie? Tyle pijanej hołoty w okolicy wyrywa kobietom torebki i kradnie rowery. A ci zbierają po śmietnikach stare krzesła, żeby mieć na czym siedzieć. Górzyański miotał się od ponurych wizji narkotyczno-erotycznych do obrazków jak ze szkolnych czytanek.

– Nie są ani tacy, ani tacy – odpowiadała ze spokojem Kamila, kiedy zwierzał się jej z wątpliwości. – A pamiętasz, jak mnie przy tym Monopoly łapałeś za kolano? No i piwo przy tym piliśmy, panie komisarzu. Pan też.

Skręcili w Jagiellońską. Pedro wyglądał już na pogodzonego z losem. Górzyański rozejrzał się za podanym przez Dolana adresem. Dwuznaczny typ z tego szefa kuchni zresztą. Komisarz nie zapałał do niego sympatią. Facet chyba używa jakiegoś lakieru do włosów czy czegoś takiego. Policjant jakoś nie mógł się przyzwyczaić do nowej mody w kwestii męskiej dbałości o wygląd. Jemu po siłowni wystarczał szybki prysznic; słyszane kątem ucha rozmowy kolegów na temat kremów, żelów i depilatorów wciąż go szokowały. Oczywiście, rodzina – po tym, jak opowiedział w domu o wrażeniach z męskiej łazienki, a nawet raz czy drugi zażartował z prysznicowych lalusiów – namiętnie zaczęła z niego robić staroświeckiego idiotę. Pierwszą skrzypaczką w tej orkiestrze była córka, ale i Kamila dzielnie ją wspomagała.

Stanęli przed bramą kamienicy numer 45 i Górzyański przerwał rozważania o trudnym losie faceta w dzisiejszym świecie. Miał taki własny sposób: wewnętrzne kliknięcie, po którym zmieniał się z człowieka w policjanta. Właśnie kliknął.

– Chodź, Pedro – zawołał psa i zapiął mu smycz.

Weszli do bramy. Typowa praska kamienica, nie z tych w stylu „rewitalizacja Pragi", ale też i nie sypiący się slums. Na oko od ostatniego remontu upłynęło jakieś drobne pięćdziesiąt lat. Minął w bramie wejście do frontowej klatki schodowej i wkroczył na podwórko. Jedynym w miarę świeżym elementem były kwiaty leżące pod figurą Matki Boskiej w kapliczce. Miały może ze dwa tygodnie. Numer mieszkania podyktowany przez Dolana odpowiadał klatce schodowej w głębi. Komisarz otworzył drzwi. Domofonu, oczywiście, nie było; w tej scenerii równie realny jak domofon byłby zaparkowany w pobliżu statek kosmiczny. Wchodząc po schodach, Górzyański mijał kolejne drzwi ze śladami kredowych liter K + M + B. Wreszcie – na trzecim piętrze – stanął przed tymi oznaczonymi ósemką, wypisaną grubym, czarnym flamastrem na kartoniku przyczepionym do desek zardzewiałymi pineskami. Zauważył, że to pierwsze na tej klatce drzwi bez plemiennego znaku Trzech Króli: K + M + B. Dzwonka też nie było. To znaczy: kiedyś był, ale został po nim zaledwie guziczek, na zawsze unieruchomiony przez kilkudziesięcioletnie pokłady farby w pozycji „wciś" („Wciś, Jurek, wciś!", powtarzał co chwila dramatycznym szeptem podczas ćwiczeń w szkole milicyjnej kolega „z keleckego", kiedy we dwóch mieli się w ramach zajęć jak najszybciej uporać z szyfrowanym zamkiem walizki).

Słysząc, że Pedro sapie po swojemu (jak to buldożek francuski po wejściu na trzecie piętro) i zagłusza wszystkie ewentualne szmery dobiegające zza drzwi, Górzyański wziął psa na ręce i włożył go sobie za pazuchę, czyli między koszulę a rozpiętą do połowy skórzaną kurtkę. Odczekał chwilę, aż odgłos ustanie (za pazuchą pana Pedro gotów był podróżować pieszo choćby i z Warszawy do Londynu), po czym zapukał cicho i zbliżył ucho do skrzydła. Nie usłyszał nic, poza echem stukotu własnego palca o drewno. Zapukał raz jeszcze, trochę głośniej. Nadal nic. Przywalił jeszcze parę razy, teraz już pięścią. Wciąż żadnych odgłosów. Pod siódemką i dziewiątką też głucho. Cisza kompletna. W drzwiach były dwa zamki: górny typu yale i dość solidnie wyglądająca podklamkowa gerda i komisarz zaczął się zastanawiać, czy da sobie radę z tym dolnym za pomocą niezbędnika noszonego na stałe przy kluczach. Sprawa niecierpiąca zwłoki... Nie przestawał nasłuchiwać, czy zza drzwi nie dobiegnie go płacz dziecka. Pedro nie zdradzał żadnych oznak zainteresowania sytuacją – a właściwie Górzyański miał wrażenie, że buldożek zaczął już cichutko pochrapywać – co przemawiało za tym, że za drzwiami nie ma nikogo. Stara złodziejska (i policyjna) zasada: zanim zaczniesz się włamywać, sprawdź, czy nie jest otwarte. Komisarz założył wyjętą z kieszeni lateksową rękawiczkę, „wcisł" klamkę i popchnął drzwi. Ustąpiły bez trudu. Czyżby sprawdzający mieszkanie patrol na to nie wpadł? – pomyślał, kręcąc głową z niedowierzaniem. No tak, pukali, nikt nie otwierał, to poszli...

Jego oczom ukazał się ciemny zarys przedpokoju oświetlonego słabym światłem z klatki schodowej. Po tak długim dobijaniu się do drzwi nie było co liczyć na zaskoczenie. Przy wejściu Górzyański dostrzegł wyłącznik, taki starego typu, z dźwigienką zamiast przycisku. Przesunął ją do góry i w przedpokoju zabłysło światło. Pedro oddychał miarowo i spokojnie. W korytarzyku stały trzy pary znoszonych damskich butów, krzesło, jakiś taboret. Proste lustro wisiało na ścianie obok wieszaka. Po prawej stronie znajdowały się zamknięte drzwi z matową szybką u góry – najpewniej do łazienki – dalej otwarte, prowadzące w głąb mieszkania, a na wprost wejścia jeszcze jedne – do kuchni (sądząc po stojącym pod ścianą stole z białym blatem, na którym królował czajnik elektryczny, i trzema krzesełkami wokół). W głębi pomieszczenia widniało okno, przez które komisarz mógł ze swego punktu obserwacyjnego przy wejściu podziwiać zapadający zmierzch.

Przymknął lekko drzwi na klatkę schodową, powoli wszedł do kuchni i włączył światło. Zawrócił do przedpokoju, wszedł w głąb mieszkania i zajrzał do obu pokojów. W drugim zauważył drzwi prowadzące na mały balkon. Otworzył je i wyjrzał na zewnątrz, na Jagiellońską. Zobaczył, że pod kamienicą akurat zatrzymuje się jakieś auto, obok którego przechodzą roześmiani młodzi ludzie. Zamknął drzwi balkonowe i zerknął jeszcze do łazienki. W mieszkaniu, poza nim i Pedrem, nie było nikogo. Ani dziecka, ani dorosłego. Wnętrza i sprzęty robiły wrażenie dość ubogich i prymitywnych. Wszystko było podniszczone, ale czyste, wysprzątane. Można by nawet powiedzieć – trochę na wyrost – zadbane. Widać było, że mieszkają tu młode kobiety. I malutkie dziecko. Rozwieszone w łazience śpioszki, rozstawione wokół kuchennego zlewu butelki ze smoczkami, dziecięce i kobiece kosmetyki, damskie torebki, pozostawiona na tapczanie w jednym z pokojów turkusowa sukienka tworzyły miłą, domową atmosferę. Kobiecości? Rodziny?

Zlew w kuchni był pusty, a suszarka pełna umytych naczyń. Komisarz zajrzał do lodówki: mleko, jajka, ser, kilka plasterków szynki... Nic nie wskazywało na wyprowadzkę ani na pośpieszną ucieczkę. Tylko te otwarte drzwi wejściowe...

Nagle Pedro przerwał drzemkę i wystawił łeb spod kurtki. Górzyański wiedział, co to może oznaczać. Pogasił światła i stanął przy niewidocznej z korytarza ścianie w pierwszym pokoju. Drzwi na klatkę schodową, wciąż lekko uchylone, obramowane były przyćmionym światłem. Komisarz delikatnie nakrył dłonią psi pysk, napominając w ten sposób buldożka, że ten ma siedzieć cicho. Żadnych pisków, sapania i stękania.

Pedro się nie mylił. Po chwili również Górzyański usłyszał kroki. Ktoś nieśpiesznie wchodził po schodach. Dotarł wreszcie do trzeciego piętra i stanął przed drzwiami mieszkania z ósemką. Po przeciwnej stronie niż komisarz. I Pedro za jego pazuchą.

Po dłuższej chwili ledwie uchylone drzwi zaczęły się otwierać powoli. Ich świetlne obramowanie nabierało blasku. W progu pojawiła się czyjaś sylwetka. Mężczyzna zrobił najpierw jeden, potem drugi krok w głąb mieszkania i przystanął. Górzyański nie czekał dłużej. Włączył światło i dał susa do przedpokoju.

– Pan tutaj?! – Rozległ się niemal równoczesny okrzyk. Pedro zaczął sapać (wiedział, że już można), niespodziewanie zdradzając zainteresowanie rozgrywającą się sceną. Wiercił się przy tym niemożliwie, więc jego pan wyciągnął go zza pazuchy i postawił na podłodze. Pies zaczął nieufnie obwąchiwać nogi Grzegorza Dolana.

– Co pan tu robi? – zapytał policjant.

– Ja... No... Jak to? A pan...? – jąkał się niepewnie przybyły.

– Może pan zapomniał, ale ja prowadzę śledztwo w sprawie o próbę zabójstwa Oksany Łuczynko. Ona, zdaje się, tu mieszkała. Wiem to od pana. A pan podobno nigdy u niej nie był. Z pierwszą wizytą wybrał się pan akurat dziś? Nie bał się pan, że Oksany może nie być w domu? – ironizował Górzyański.

– No... Wiem, to może dziwnie... Pewnie wygląda dziwnie, ale ja tu naprawdę jestem pierwszy raz. Powiedziałem panu prawdę. Adres dała mi Zocha. Z Oksaną nie byłem zakumplowany.

– Więc co pan tu robi? – zapytał dość agresywnie komisarz.

– Ja... My martwiliśmy się o... o to dziecko. Nie wiedziałem, czy ma się nim kto zająć. Nakarmić.

– I to jedyny powód?

– Jedyny. Naprawdę.

– I chce pan, żebym uwierzył, że taki rozrywkowy facet przyjeżdża wieczorem z Mokotowa na Pragę, bo go ciekawi, co zje na kolację dzidziuś mało znanej koleżanki z pracy? Której akurat ktoś poprzedniego dnia wpakował kulę w brzuch. Panie, za długo w tym fachu robię, żeby się na to nabrać! – Górzyański nie rezygnował z agresywnego tonu.

– Wiem, że to może dziwnie wyglądać. – Grzegorz najwyraźniej otrząsnął się już z zakłopotania, w które wprawiło go dziwne spotkanie z komisarzem. – Ale tak właśnie było. Zocha... To znaczy Zosia Staszewska zadzwoniła do mnie i zaczęła mi o Sani i niemowlaku opowiadać, i że spać nie może... Że to dziecko może tu samo jest i z głodu wyje. Tak mnie nakręciła, że wsiadłem w samochód i podjechałem. I nie taki ze mnie znowu rozrywkowy facet. Każdego by ruszyło. To w końcu była... To znaczy: jest... koleżanka z pracy.

– Czy to pańskie dziecko?

– Jakie moje? Oksany. Co pan, mówiłem panu, że ja ją słabo znałem. O ojcu to może Zocha coś wie.

– A ma pan klucze do tego mieszkania?

– Nie, nie mam. Myślałem, że zastanę tu koleżankę Oksany albo kogoś innego. Z dzieckiem.

Gdyby nie to przedziwne, wewnętrzne kliknięcie przed półgodziną, Górzyański zapewne uwierzyłby facetowi. Z lakierem na głowie czy bez, gość wyglądał na szczerze zakłopotanego i przyzwoitego. Instynkt próbował podpowiadać komisarzowi, że tamten nie kłamie, ale on nie chciał słuchać instynktu. Kiedy przełączał się na tryb policyjny, podejrzewał wszystkich o wszystko.

– No więc dziecka tu nie ma. Nikogo tu nie ma. Teraz pan stąd wyjdzie. Nie wolno panu niczego dotykać. Zaraz przyjedzie ekipa policyjna. A jutro pewnie wezwę pana na komendę i jeszcze z panem trochę porozmawiam. O tej wizycie też. Do widzenia. – Zachowanie komisarza było niemal opryskliwe. Prawie wypychał Grzegorza z mieszkania.

– A... A wie już pan, gdzie to dziecko jest? I z kim?

– Nie, nie wiem. Do widzenia.

– Do widzenia. To może powie mi pan chociaż, jak się czuje Oksana? – zapytał Grzegorz, już z klatki schodowej.

– Bez zmian – zakomunikował sucho i niechętnie Górzyański, po czym zamknął drzwi.

Im mniej będą wiedzieć, tym lepiej, westchnął w myślach i po chwili znowu wyszedł na balkon. Wyjął z kieszeni kurtki komórkę, żeby zadzwonić na komendę po ekipę techniczną. Pedro dreptał tuż obok. Rzut oka na ulicę. Jedyne na chodniku przed domem auto – zaparkowane raptem kilka minut temu – właśnie odjeżdżało. Jeśli wzrok komisarza nie mylił, był to beżowy nissan.

14 maja, czwartek

9:00

9. Zocha obgryzała skórkę przy kciuku i gapiła się w okno, nic jednak za nim nie widząc. Oczywiście ani nie zasnęła, ani się nie wyciszyła. Czytała kiedyś w necie tekst o rozładowywaniu stresu, ale teraz, gdy sama wpadła w dół, nic z niego nie pamiętała.

Może powinna pójść pobiegać? Tyle że zupełnie jej się nie chciało.

Siedzieć w zabałaganionym pokoju też jej się nie chciało. Nie wspominając już o sprzątaniu. Nie ta faza.

Norbert dzwonił, że knajpa przez parę dni będzie zamknięta, więc właściwie miała... Wolne?

Miała też wezwanie. Na komendę, na czwartą. Była jednak dopiero dziewiąta, a Zosia nie bardzo wiedziała, co ze sobą zrobić. Podniosła się z krzesła, przy okazji zrzucając kilka zalegających na nim ciuchów.

Dołączyły do innych, poniewierających się po podłodze, więc je przestąpiła i poszła do kuchni.

Wlała wodę do czajnika i znów, czekając, aż się zagotuje, zagapiła się w okno. To wszystko jakoś sensu nie miało, pomyślała. Ten koleś, co strzelał. To musiał idiota jakiś być. Pamiętała, że jadł carpaccio z polędwicy, a później, zdaje się, sernik z ricotty z migdałami. I wino pił, czerwone. Siedział i jadł, każdy go mógł zobaczyć. A gdy zjadł, wstał i wychodząc, strzelił kelnerce w brzuch. Czy normalny człowiek tak robi? A Sania go przecież widziała. I nawet nie zdążyła wrzasnąć?

No, normalny to on nie był. To pewne. Wysmakowane menu i…

Gdy sobie pomyślała, że też tam była, na tej sali, po jej plecach przebiegł zimny dreszcz. No bo przecież mógł też do niej… Właściwie dlaczego nie strzelił? Przecież była świadkiem.

Kupy się to nie trzymało. Parę kryminałów w życiu przeczytała, a to dziwne było. Tak. Nawet rachunek zapłacił.

Zagotowała się woda. Zosia zalała torebkę i rozejrzała się za czymś do przegryzienia. W lodówce w zasadzie nie było nic. Suchy żółty ser, niczym nieowinięty, wyglądał okropnie, jakiś dżem truskawkowy, starawy kawałek masła… Sięgnęła po masło. Czyje – nie pamiętała. Nie jej w każdym razie. Zajrzała do pojemnika na chleb, w którym walało się z dziesięć pokrojonych już kromek trzeciej świeżości. Dobre i to. Obsychając, powyginały się w różne świata strony. Dobra, w końcu nie na darmo Zosia była po gastronomiku. Wzięła ząbek czosnku i roztarła go na chlebie, a potem położyła kromkę na patelnię, pod którą zapaliła gaz. Dorzuciła starawego masła i po minucie miała apetyczne grzanki z czosnkiem. W kuchni unosił się przyjemny aromat, który, niestety, zwabił rozkudłaną Malwinę Kłyś.

– Gotujesz coś? – zapytała, zaglądając.

– Ne, ne, ne – zaprzeczyła Zosia z ustami pełnymi podsmażonego chleba, bo nie mogła się powstrzymać i nadgryzła od razu. – Sobie grzankę usmażyłam – wyjaśniła, przełknąwszy kęs i zabierając herbatę oraz talerzyk z *crostini á la polonaise*. Migiem minęła Malwinę, zanim ta zdążyła wyartykułować prośbę o podobne śniadanko, i zniknęła w swojej norce.

9:00

10. Jerzy Górzyański siedział za biurkiem i gapił się w monitor bordowego laptopa. Wiadomości polityczne, jak zwykle, nie były zbyt dobre: bicie piany i nie wiadomo gdzie przód, a gdzie tył. Kaczor, Donald, Donald, Kaczor... Ale i jego śledztwo podobnie tkwiło w miejscu. Przesłuchiwał wczoraj w restauracji osobę za osobą, lecz wszystko, co usłyszał, nie pasowało mu do niczego. Z mieszkania Oksany zdjęto w nocy odciski palców i przegrzebano każdą szparę, ale było tam więcej par majtek niż skrawków papieru. Nikt się nie pokazał, mimo że zorganizowali kocioł i Zabiełło odsiedział na Jagiellońskiej swoje. O północy miał go zmienić Ludek Chmiel. Dysponowali wprawdzie portretem pamięciowym faceta

spod okna, jak go nazywali roboczo, ale niewiele z niego wynikało. Facet jak facet. Wyglądał jak tysiące innych.

Parka spędzająca w knajpce wieczór nie zgłosiła się mimo apeli, a rachunek opłaciła gotówką, więc nie dało się jej namierzyć przez kartę kredytową. W ogóle w tej sprawie nic nie pasowało. Jedno dobre, że Oksana wciąż żyła i na razie nie była to sprawa o zabójstwo, a jedynie o usiłowanie. A może się wygrzebie? Choć lekarze raczej nie dawali jej szans.

9:00

11. Grzegorz siedział na obszernym tarasie w swoim miłym apartamencie, popijał colę z cytryną, by odzyskać homeostazę zaburzoną po wczorajszym melanżu w klubie i by ponownie zasnąć. Noc miał koszmarną: majak za majakiem. Wczoraj, po nagłym spotkaniu z komisarzem, poszedł się uwalić i – nie da się ukryć – odniósł pełen sukces. O trzeciej nad ranem wylądował w chałupie i padł spać. Ale obudził się już o piątej, podminowany jak jasna cholera, i tak tłukł się już od kilku godzin. Jeśli nie uda mu się przespać choć trochę, będzie cały dzień jak zombi.

Więc popijał colę, gapiąc się na kominy, i rozmyślał nad sprawą zabójstwa.

Jedno mu zdecydowanie nie pasowało. Norbert Zawijka. Kiedyś zobaczył go w pakamerze z Oksaną. Nie było wątpliwości, że tych dwoje łączyło coś więcej niż tylko relacja szef – pracownica. Nie powiedział o tym policji, ale teraz trochę żałował.

Czy to, że tarzali się po podłodze, mogło mieć znaczenie?

9:00

12. Rychu gotował na obiad krupniczek na cielęcinie. Po tej całej włoszczyźnie miał ochotę na normalne jedzenie. Iwonka pewnie nie będzie zadowolona. Ona by chciała, żeby jej co dnia przyrządzał polędwicę w sosie bearnaise albo jakiegoś innego wellingtona.

Dziś nie miał na to ochoty. Wstał z rana, świeży i wypoczęty, i jak zwykle zabrał się do pichcenia. On również myślał. Ale nie zaprzątał sobie głowy sprawą morderstwa. Było, minęło i szlus. Niech się gliniarze martwią. Jak znał życie, nic nie wymyślą, a on ma teraz inne problemy.

Może i jest idiotą. Ale nie aż takim, żeby tolerować jawne oszustwo. Powiedziała mu przedwczoraj, że jedzie do mamy. Iwonka powiedziała. A na liczniku nabiła dwieście trzydzieści osiem kilometrów. Mama mieszkała na Cypryjskiej, to chyba musiała do niej jechać przez Poznań. No i nie wróciła na noc. Bo mama zaniemogła. Dziś znowu jej nie było. Rychu pokroił pietruszkę i dorzucił ją oraz trochę masła do ugotowanej już zupy. Tak lubił. Krupniczek powinien go uspokoić. Iwonka wróci za godzinę. Dzwoniła. Na pewno będzie jakieś wyjaśnienie. Ciekawe jakie? Przecież by go nie oszukiwała. Może licznik się popsuł albo co.

Rychu sprawdził krupniczek. Był w sam raz. Nalał do najmniejszej miseczki, nie mógł się oprzeć. Dobra zupa jest dobra o każdej porze dnia. Usiadł w fotelu i włączył telewizor. Akurat w TV Delicje leciał Gino Ferrazzo, więc Rychu oparł się wygodnie i zaczął jeść zupę, siorbiąc nieco. Gino przygotowywał parmigianę z kurczaka, a Rychu gapił się przejęty w ekran. Tamtemu zgrabnie szło. Ale masła zdecydowanie nadużywał. No i nie umył kurczaka. Ale kit!

9:30

13. Zosia zjadła grzankę. Strzepnęła okruszki z bluzy i podjęła decyzję, że tego wszystkiego tak nie zostawi.

Marynka zniknęła i to było podejrzane. A ta Swietka jakoś jej się nie podobała. Tak. Musi poszukać Swietki, to może znajdzie Marynkę. Pomóc może Gala.

9:40

14. Grzegorz, zmożony wczorajszym bankietem oraz dzisiejszym upałem, spał z rozrzuconymi rękami na łóżku o wymiarach dwa na dwa. I nie śniła mu się bynajmniej żadna blondynka, tylko wielki, czarny walec, który wynurzał się z mgły i najeżdżał na niego. Gdy był już ledwie o centymetry od jego głowy, Grzegorz poczuł, że się dusi, zatapia w czerni, pulsującej i żywej. Oblepiała go. Ta czerń. Pocił się. Aż

nagle zerwał się i usiadł na łóżku, od razu przytomny i pamiętający wszystkie wydarzenia wczorajszego dnia.

10:00

15. Pierwsza naprzeciwko komisarza usiadła Lucyna Małecka. Patrzyła niebieskimi, lekko wytrzeszczonymi oczami. Miała na sobie bluzkę, której guziki rozchodziły się na piersiach. Prosta grzywka, blond włosy – nieuczesane, lekko się wijące i niesforne – powodowały, że wyglądała jak paź albo giermek.

Opowiadała monotonnym głosem, co zaszło krytycznego wieczoru, ale sądząc z narracji, nic się nie działo szczególnego. O ojcu dziecka Oksany wiedziała niewiele. Przez pewien czas jakiś młody mięśniak przychodził do Sani do knajpy, ale Norbert Zawijka go wywalił. Nie lubił wizyt krewnych czy znajomych w godzinach pracy.

Więc facet zniknął.

– Jak wyglądał? – zapytał Górzyański.

– Ze dwadzieścia parę lat, tak pod trzydziestkę, perkaty nos, jakby złamany. Z Ukrainy. Miał na imię jakoś tak.

Tak powiedziała. „Jakoś tak". Jak, nie pamiętała.

Wania. Winia. Gienia. Wienia… Coś tak.

Z kim się Oksana przyjaźniła? Z nikim. A romansowała?

Komisarz zauważył, że Lucyna zawahała się przez chwilę.

Ale zaraz zwiniętą dłonią potarła zaczerwieniony z lekka, perkaty nos i powiedziała, że z nikim. Zapytał jeszcze raz. Nie, z nikim. Wydało mu się, że znów się zawahała. W pracy z nikim. Tylko tego Wanię czy Wienię Lucyna widziała.

A ten facet pod oknem?

Nic nie mówił. Zostawił na stoliku osiemdziesiąt złotych. A ona wsadziła je do kasy w tym całym zamieszaniu. Żeby nikomu do łap się nie przykleiło. Tak z nawyku schowała. I wzięła pięć złotych, bo tyle wychodziło napiwku. Rachunek był na siedemdziesiąt pięć, bo klient pił wino, ale to domowe, z karafki. Tej najmniejszej.

Pomyślała o napiwku i kasie, a tymczasem na podłodze wykrwawiała się koleżanka. No, ciekawy przypadek. Równie ciekawy, jak i zostawiający napiwek morderca.

Mieli już odciski palców, które mogły należeć do mężczyzny spod okna. Nie był notowany. Ale nic to, wcześniej czy później trafią na niego i wtedy skonfrontują.

Cholernie to wszystko było dziwne. Może facet był po prostu psychopatą? – pomyślał Górzyański. Chciał sobie strzelić do kogoś i strzelił. Na deser, po obiedzie.

Lucyna była pewna, że Sania nie miała pojęcia kto to. Obsługiwała parkę młodych, ale widziała i mężczyznę. Nic nie wskazywało, by go wcześniej znała. Nawet na niego nie patrzyła.

Po Lucynie pojawił się w pokoju komisarza barman Misiek. Michał Leszczyński. Dość postawny, wysoki, z marzycielskim spojrzeniem. Górzyański zauważył, że gość jest z gatunku bardzo spokojnych, wyważonych rozmówców. Robił wrażenie rzetelnego i spokojnego, takiego akuratnego człowieka, do którego można mieć zaufanie. Z tych, którzy jak coś powiedzą, to tak będzie.

Michał Leszczyński widział siedzącego pod oknem klienta, ale nie pamiętał go wcale. Śpieszył się, żeby wszystko uporządkować przed wyjściem i nie rozglądał się specjalnie. Facet zresztą siedział tyłem, a on może powiedzieć jedynie, że był chudy, średniego wzrostu, w jakimś swetrze burym. O Sani z kolei może powiedzieć, że zachowywała się jak zwykle. I tak dalej, i tak dalej…

Klasyczne bicie piany. Michał Leszczyński, barman, nic nie wniósł do sprawy. Wszystko, co zeznał, wcześniej mówili już inni. O stosunkach łączących Oksanę z resztą personelu nie wiedział, jak twierdził, nic, siedział za barem, a w kuchni bywał tylko okazjonalnie. Ploty, podobno, go nie interesowały. Wolał sobie poczytać, jak ruchu nie było. Po próżnicy, jak się wyraził, gadać nie lubi, a komisarz Górzyański miał nieodparte wrażenie, że to „po próżnicy" jest w ocenie Miśka także teraz i tu. Dał mu zatem spokój i poprosił kolejnego delikwenta, czyli Norberta Zawijkę.

Wysoki, przystojny, w dobrej marynarce, mężczyzna sprawiał wrażenie bardzo pewnego siebie. Ale Górzyański, który miał się nie bez racji za starego praktyka, zauważył nieznaczne drżenie ręki, nadmierne spięcie. Facet się bał. I to jak jasna cholera. Policjant zapytał go o Oksanę. Dzień i wieczór zabójstwa, kto i gdzie był.

Nie dowiedział się niczego nowego. Ot, dzień jak co dzień. Facet Oksany? Taki ukraiński łom. Młody, twarz nieskażona myślą, szerokie czoło i krzywy nos. Nie, nie wie, jak się nazywał. Nigdy nie słyszał jego imienia. Przyłaził przez kilka dni do knajpy. Zawijka raz zauważył, że Sania mu daje jedzenie, potem patrzył, czy zapłaci. Zapłacił, ale może Sańka zauważyła, że on ich obserwuje? W końcu powiedział jej, by tu się ten amant nie szwendał. Podporządkowała się natychmiast.

To była bardzo dobra kelnerka. Dlatego jej nie zwolnił, gdy zaciążyła. Szkoda mu jej było. Miała pozwolenie na pracę.

Sam pomógł jej załatwić papiery.

Przesłuchując go, komisarz usiłował wyczuć, czego boi się Norbert Zawijka, ale facet nie zareagował jakoś mocniej na żadne z pytań. Trzymał się. Trudno. Przyjdzie czas.

Górzyański był coraz mocniej przekonany, że strzał miał swoje przyczyny poza knajpą.

A może nawet i poza Oksaną.

Przypadkowa ofiara?

11:00

16. O jedenastej Zosia była gotowa. Umyła głowę, założyła dżinsy i koszulę w kratę. Ponieważ upał zapowiadał burzę, zabrała sweter, który dopiero co kupiła w H&M. Przejrzała się w lustrze. Wyglądała. Jako tako. Oczy podpuchnięte i pryszcz na brodzie.

Wycisnęła pryszcz. Pomazała korektorem czerwoną plamę i popudrowała. Nie chciało jej się tuszować rzęs. Nie dziś. Pozbierała rzeczy z podłogi, wrzuciła do worka, otworzyła okno i zarzuciła koc na tapczan. Bałagan był, ale już nie tak przeraźliwy. Mogła iść. A! Tylko do mamy dryndnę, przypomniała sobie o codziennym rytuale. Nie miała zamiaru opowiadać, co i jak. Ot, kilka słów zamienią. Żeby mama się nie denerwowała, co u niej. Zresztą, czy się denerwowała? Zosia nie miała pojęcia. Mama była taka milcząca. Wysłuchała tych kilku zdań, na pytanie „co słychać?" odparła jak zawsze „stara bida" i skończyły rozmowę.

U mamy nic się nie działo. Jak zwykle.

Przykazawszy Malwinie, by po mniej więcej kwadransie zamknęła u niej w pokoju okno, Zosia wybiegła z domu. Czuła, że musi działać i miała pomysł. Wsiadła do pierwszego pasującego autobusu, który pojawił się niemal natychmiast, i wylądowała po dwudziestu minutach na Nowym Świecie. Lubiła Nowy Świat. Krakowskie też lubiła. Kochała się tędy włóczyć, specjalnie przyjeżdżała do centrum, żeby napić się kawy w ogródku którejś z kafejek. Kiedyś podczas takiej włóczęgi spotkała tu Oksanę. Razem pogrzebały w ciuchach w Orsayu na rogu Chmielnej i nadziały się na Sani koleżankę. Gala jej było. I ta Gala ponoć pracowała w Amatorskiej. W kuchni. Sania gadała z Galą coś na temat Swietki i, jak się zdawało, Gala znała tamtą nie mniej dobrze niż Sania.

Teraz więc celem Zosi była Amatorska.

Ludzie tłoczyli się w środku. Knajpka była, jak widać, modna. Wystrój miała wprawdzie nieszczególny, ale kawa pachniała miło i Zosia pomyślała, że nie od rzeczy będzie łyknąć trochę kofeiny. Była ożywiona jak mało kiedy, ale kawy nie potrafiła sobie odmówić.

Akurat gdy weszła, zwolniło się szczęśliwie miejsce w rogu, więc szybko pożeglowała w tamtym kierunku, rezerwując je ściągniętym z grzbietu swetrem. Za barem stała dziewczyna, niewielka i wyglądająca na taką, co ją właśnie przyjęli do roboty, a ona w panice usiłuje sprostać zadaniu. Miała obłęd w oku.

– Hej! – zagaiła Zosia, odbierając po chwili oczekiwania filiżankę z espresso. – Szukam Galiny…

– Ga… Galiny? – wyjąkała myszopodobna barmanka.

– No, ponoć tu pracuje.

– Ale ja nic nie wiem – powiedziała myszowata.

Na odczepnego, zauważyła Zosia. Nacisnęła mocniej.

– A możesz się w kuchni o nią zapytać? To bardzo ważne. Serio. Sprawa życia i śmierci.

I na potwierdzenie swych słów tak energicznie pokiwała głową, że jej grzywka niemal wpadła do trzymanej już w ręku i popijanej kawy. Mysz westchnęła i poszła w kierunku kuchni, może i rada, że na chwilę ma szansę zniknąć z reduty Ordona, którą najwyraźniej był dla niej bar. Zosia pamiętała swój stres z pierwszych praktyk, więc rozumiała ją jak nikt. Barmanka wróciła po dwóch minutach, a za nią… Tak, Gala!

Na widok dziewczyny Zosia rozpromieniła się i powitała ją jak zaginioną w dzieciństwie siostrę bliźniaczą.

– Galina! Tak się cieszę, że jesteś! Super!

Gala zagapiła się na nią dość tępo, najwyraźniej wcale jej nie poznając.

– No... Gala, to ja, Zocha, przyjaciółka Sani. Pamiętasz, w Orsayu się spotkałyśmy. No...

Oczy Gali zamgliły się *na minutoczku*. Natężyła się i za chwilę... Za chwilę... Ulga.

Przypomniała sobie.

– *Da, ja pomniu*.

– No właśnie, siadaj, muszę z tobą pogadać.

Gala, wciąż otumaniona, niezbyt pewna, kim jest gość i czego chce, przysiadła jednym półdupkiem na krześle. Tęga i rumiana, położyła ręce na brzuchu i spojrzała pytająco.

Zosi kamień z serca spadł. Miała ją.

– Wiesz, Gala, ja szukam właściwie Swiety. Nie wiesz, gdzie ona się obraca?

Zobaczyła nierozumiejące o co chodzi oczy.

– Gdzie ona mieszka? *Żywiot?* – doprecyzowała.

– A Sania nie powiedziała ci? – przytomnie zapytała Galina.

– No właśnie, nie – zasmuciła się Zosia. – To właśnie przez Sanię. Ona miała, wiesz, wypadek w pracy i w szpitalu leży. No i potrzebna jest Swieta. *Nie znajesz, gdie ona?*

Cud boski. Ruskiego uczyli ją w szkole naprzemiennie z anglikiem, bo angliści odchodzili po roku pracy, a czasem nawet wcześniej, i zanim dyrekcja znalazła kogoś nowego, powracała do pracy emerytowana już w latach osiemdziesiątych rusycystka o mało oryginalnej ksywie Bukwa. Tak więc dzięki starej

Bukwie (wymiennie zwanej Prukwą) Zosia całkiem sprawnie konwersowała w języku Puszkina.

– *A szto słucziłos'?* – zainteresowała się Gala.

– *Niczewo. Ranna. Da. Upała* – kontynuowała Zosia, mówiąc w zasadzie prawdę. Bo czyż Sania nie upadła? I powróciła do podstawowego pytania.

– *A gdie Swieta? Mnie nada najti jejo!* – podkreśliła i napiła się kawy, patrząc głęboko w oczy Gali.

Tamta, siedząc tak, jakby miała się zerwać do lotu, wahała się chwilkę. Twarz miała szczerą i prostą; widać było, że z niej poczciwa i porządna dziewczyna. W końcu podjęła decyzję.

– *Swieta, nu... Ona żywiot... Nie pomniu, kak ona... Karowa. Niet, Karolkowa. Ulica.*

– O, super! – Podnieciła się Zosia. – Karolkowa ile?

– *Siem.*

– *A kwartira?*

– *Dwienadcat'.*

– Ona sama tam mieszka?

– *Niet. S odnom krutom czeławiekiem...*

Co znaczy: kruty? Nic to, pomyślała Zosia, w słowniku sprawdzę.

– Jak on się nazywa?

– Giena.

– A dalej?

– *Nie pomniu.*

– A Swietka? *Kak jejo zawut? Familia? Otczestwo?*

– Swieta? Swietłana Kiriłowna Szewczyczyna.

Jest wszystko! Może, zamiast w kuchni, powinnam w Scotland Yardzie zachrzaniać, pomyślała Zosia. Ale czad!

Złapała Galę za rękę i potrząsnęła nią.

– No, Gala, ja ci bardzo, ale to bardzo dziękuje. *Oczień*. Sani trzeba pomóc, a Sania była blisko ze Swietą, to może ona się nią zaopiekuje...

– Swieta?! – zdziwiła się szczerze Gala. I dodała: – *Taż ona bliad'*.

To też muszę sprawdzić w słowniku, pomyślała Zosia, choć z grubsza wyczuwała wymowę określenia. Szczerze wyściskawszy Galinę, wyszła z kawiarni na rozświetlony słońcem Nowy Świat.

13:00

17. Po przesłuchaniu części personelu Tutto Bene Jerzy Górzyański miał ochotę już tylko na ruch. Dużo ruchu. Najlepiej siłownia albo ostry jogging. Ale zaplanował jeszcze kilka rozmów z pozostałymi pracownikami knajpy, na komendzie. No i do tej pory nie rozmawiał z właścicielką. Z „szefunią", czyli Funią, jak mówili o niej wszyscy pracownicy. Urlop na Krecie. Jak cynkował ten cały Norbert, główny menedżer, to jakaś kolejna romansowa historia. Niemiecki restaurator z Rostocku, który przymierzał się do inwestycji w Polsce, ale na razie włożył parę dolców (Górzyański aż się żachnął na niską jakość żarciku) w zadbaną podobno lalę czterdzieści pięć plus. Baba prowadzi wziętą knajpę w modnej dzielnicy Warszawy, a spędza w niej nie więcej niż jeden tydzień na pięć. Według relacji załogi nosi ją po świecie, jakby dopiero zaczęto paszporty wydawać. Zabiełło, który pomagał

komisarzowi w dochodzeniu, miał ją zlokalizować na tej Krecie, co nie okazało się wcale takie proste. Urlop został wykupiony nie u nas, ale prawdopodobnie w Rostocku, nazwiska niemieckiego knajpiarza nikt w Tutto Bene nie znał, a Funia chyba nie miała w Warszawie żadnej rodziny. Zadanie wymagało zwrócenia się o pomoc do Bundespolizei.

Nowe czasy, nowe porządki, nowe możliwości. Pewne sprawy były niewątpliwie bardziej skomplikowane niż w początkach kariery Górzyańskiego, choć setki innych się wyprostowały. Zniesienie ograniczeń w podróżowaniu miało swoje uroki, ale policji czasem dawało w kość. Jak choćby – mimo wiz – z tymi Ukraińcami. Komisarz czuł instynktowną niechęć do spraw, w które uwikłani zostali przybysze zza wschodniej granicy. Oczywiście, w trybie „człowiek", bo po kliknięciu na tryb „policjant" nie miał już instynktów. Ale wiedział, na jaki mur niechęci, strachu i milczenia natrafia się przy próbie wyjaśnienia czegoś albo rozpytania o coś w tym towarzystwie. Trudno się zresztą ludziom dziwić. Prawie każdy ma coś za uszami, bo kombinują jak mogą, a na dodatek wciąż są bici przez nieżyczliwe przepisy, ichnie i nasze, przez durnych urzędników po obu stronach granicy, i dymani przez cwaniaczków. Tu i tam.

Siedząc przed swoim komputerem i klikając leniwie w gazetę.pl, komisarz przypomniał sobie, jak kiedyś poszedł do urzędu dzielnicy, żeby zameldować czasowo chłopaka przybyłego do Warszawy z jakiejś miejscowości pod Połtawą. Syn przyjaciół jego teściów. Kamila chciała, żeby mu pomóc, a Górzyański dość skrupulatnie przestrzegał zasady niekorzystania z policyjnych układów w sprawach prywatnych. Ukraińcowi potrzebny był ten meldunek do załatwienia jakiejś sprawy. Zaraz po wejściu do budynku urzędu chłopak poszarzał, skurczył się i zaczął się niemal trząść. Strach przed władzą wdrukowywany przez pokolenia… Odstali swoje w kolejce, a kiedy z wypełnionym druczkiem dotarli do urzędniczki, ta zaczęła przepisywać dane długopisem na jakiś kretyński kartonik. Widząc stojący obok niej monitor, Górzyański zażartował:

– Coś wam tu słabo komputery działają.

– A po co to bazę danych zaśmiecać? – odpowiedziała. – Dziś toto jest, jutro wyjedzie. Po co wpisywać?

Komisarz zobaczył mroczki przed oczami.

– A niech pani sobie wyobrazi, że załatwia pani jakąś sprawę w Kijowie – wycedził, siląc się na spokój. – A tam urzędnik stwierdza, że pani jest śmieciem w jego bazie danych i mówi o pani „toto”…

Kobieta zerknęła na bladego jak ściana Ukraińca, czerwonego jak burak Górzyańskiego, spojrzała na formularz.

– Przepraszam – powiedziała cicho.

„Dobre i to”, pomyślał wtedy komisarz. Do dziś nie miał pojęcia, co chłopak zrozumiał z tamtej rozmowy.

– Głupia cipa – wymamrotał do wspomnienia.

– Co takiego, panie komisarzu? – zapytał Ludek Chmiel, który tego dnia miał dyżur i właśnie pojawił się w drzwiach z jakimiś papierami.

– Nie, nic. Coś mi się przypomniało. Co tam masz?

– Balistykę. Facet oddał dwa strzały. Jeden pocisk trafił kelnerkę, drugi utkwił w barze.

Wyciągnął w kierunku Górzyańskiego kartę ze starannie odrysowanymi ludzkimi sylwetkami i wektorami pokazującymi kierunki ruchu.

– W barze, powiadasz?

– No w barze, w barze...

– Czyli jednak wygląda na to, że walił do obu.

– Aha. Ciekawe, do której pierwszej?

– To troszkę zmienia.

– Dokładnie. – Ludek pokiwał głową. – Siedzisz jeszcze? Jakieś szamanko?

– Nie, pourzęduję chwilę, a potem idę się spocić.

W zeszłym roku z fanfarami otwarto nową siłownię w budynku komendy, w piwnicy. Na otwarcie przyjechał komendant główny, byli dziennikarze, kwiaty, woda święcona (jakżeby inaczej). Przemowy o sprawności, o europejskich standardach cywilizacyjnych, zdobyczach socjalnych, nieszczędzeniu sił i środków. No a po pół roku na drzwiach – obok godzin otwarcia – zawisła kartka: „W związku z brakiem nadzoru wymagane jest, aby jednocześnie ćwiczyły co najmniej 2 osoby". Kłopot z tą drugą osobą był niemal zawsze.

Ludek Chmiel położył na biurku papiery, bąknął jakieś „notopa" i zniknął za drzwiami. Pokoju i komendy. Jego ulubiony barek z (według niego) najlepszym kebabem w mieście był zlokalizowany tuż za rogiem, więc udał się doń nieśpiesznie, zastanawiając się: kurczak czy baranina. Niełatwy wybór. Miał ochotę na jedno i drugie.

Właściwie, czemu nie? Duży jestem, to potrzebuję zjeść, pomyślał.

Górzyański, który czuł, że został na komendzie prawie sam (bo Zabiełło ganiał za danymi na temat ofiary), pogapił się jeszcze przez moment w papiery. Co one zmieniały? Podumał chwilę i przypomniał sobie, że kazał nie przełączać telefonów podczas przesłuchań.

Podniósł się zatem zza biurka i pomaszerował do Pyzatki (chłopakom się wydawało, że to pieszczotliwa ksywka; dziewczyna po pierwszych dwóch tygodniach buntu – jak się zdawało – machnęła ręką). Zawsze była na stanowisku, choć teraz akurat wsuwała kanapkę z serem i kiszonym ogórkiem. Plasterek wylądował właśnie na jakichś papierach na biurku, a ona sama omal się nie zadławiła połykanym w pośpiechu na widok komisarza kęsem.

– Dzwonił ktoś? – zapytał od progu, udając, że nie widzi ogórka w papierach. Pyzatka odłożyła kanapkę i wzięła do ręki kartkę.

– Dwie wiadomości, panie komisarzu. Przede wszystkim dzwoniła pana żona, że trzeba iść z psem do weterynarza, bo jest jakiś osowiały.

– Jeszcze bardziej? Niemożliwe… – wymamrotał Górzyański, przysiadając na krześle obok biurka.

– No, nie wiem. Tak mówiła pana żona – zacukała się Pyzatka.

– A ta druga wiadomość?

– Zadzwoniła dziewczyna. Ukrainka, Szewczyczyna Swietłana… W sprawie koleżanki. Kelnerki, zastrzelonej.

– Co takiego!? – Górzyańskiego poderwało z krzesła.

– Zna ją pan? – zdziwiła się Pyzatka.

– Od wczoraj rana zastanawiam się, jak ją znaleźć. Co mówiła?

– Była wystraszona. Zadzwoniła na 997. Zanim wytłumaczyła, o co jej chodzi, i zanim trafili z nią do nas, minęło chyba z piętnaście minut. Miała dość, bała się, że ją namierzają i zaraz po nią przyjedzie policja. Słabo mówi po polsku. Pytała o kogoś, kto prowadzi sprawę zastrzelenia kelnerki w restauracji.

– Powiedziała coś? Zostawiła jakiś numer? – niecierpliwił się Górzyański.

– Nie, nie chciała. Powiedziała, że jeszcze zadzwoni. Że może zadzwoni, właściwie...

13:30

18. Grzegorz, wyspany, wypryszniCowany, wyświeżony i pachnący wodą o aromacie melona, zatrzasnął drzwi, ale ich nie pozamykał na wszystkie zamki. Szedł przecież zaledwie dwa piętra wyżej. W związku z wydarzeniami w restauracji zmienił mu się rozkład całego dnia. Nie jechał o zwykłej porze na Saską Kępę, a z panem Julkiem umówił się w porze lunchu. W mieszkaniu sąsiada.

Pan Julek Zawidzki starannie przygotował się do spotkania. Po wejściu do salonu Grzegorz zobaczył na stoliku prawie pełną butelkę brandy, dwa koniakowe kieliszki, dwie filiżanki do kawy, plik równo ułożonych kartek czystego papieru i długopis.

– Panie Julku, pan tu imprezę rozkręca, a ja jeszcze może będę musiał dzisiaj jeździć – skomentował, wskazując ręką na symetrycznie ustawione przedmioty.

Wciąż miał w pamięci wczorajszą dziwną wizytę na Jagiellońskiej. Ciągnęło go, żeby wrócić. Może tym razem zastałby dziewczynę i dziecko, a nie komisarza policji?

– Panie Grzesiu, tak się należy. Jednego?

– Wie pan, ja mam z jednym taki problem, że potem chce mi się drugiego. A po drugim trzeciego. Ale niech się pan mną nie przejmuje. Przynajmniej popatrzę, jak panu dobrze. Za to kawy bym się napił.

– Dobrze, kochany. Zaraz będzie gotowa – odparł pan Julek, zmierzając w stronę kuchni.

Grzegorz podszedł do biblioteki i zaczął oglądać książki.

Na dźwięk kroków wracającego do salonu gospodarza odwrócił się i podszedł do kanapy.

Sąsiad od razu przystąpił do rzeczy.

– No i wykombinował pan coś dla mojej córki?

– Niech mi pan jeszcze raz powie, ile będzie osób i jaki dokładnie ma mieć charakter ta impreza.

– Jak panu mówiłem: to trzydzieste urodziny mojej Janeczki. Robi dwa przyjęcia. Jedno takie zwyczajne, dla kumpli. Z tym sama sobie poradzi. – Pan Julek odkręcił zakrętkę. Ramię z flaszką zawisło nad kieliszkami. – Ale drugie chciała urządzić takie bardziej eleganckie, dla kolegów z nowej firmy – kontynuował, nie opuszczając butelki. – Wie pan, pół roku temu... No, wtedy, jak zacząłem do niej jeździć i zajmować się wnuczkiem. Dostała świetną robotę. Opowiadałem panu. Dobrze zarabia, robi to, na czym się zna, szefostwo w porządku, godziny elastyczne. Bardzo jej się tam podoba. Chodzą czasem razem na jakieś piwo, a miesiąc temu główny szef zaprosił wszystkich do domu na wiosennego grilla. No więc wymyśliła, że przy okazji tych urodzin... Integracja połączona z promocją. Bo chyba przyuważyła tam takiego jednego mecenasa. Już mi ze trzy razy o nim wspominała. Więc chciałaby, żeby coś takiego bardziej eleganckiego. Razem ze dwadzieścia osób będzie. Towarzystwo obyte, po świecie jeździ. Ale jednocześnie, żeby nie zanadto „ą, ę". Raczej swobodnie.

– Panie Julku – odezwał się Grzegorz. – Nie mogę się skupić. Niech pan coś zrobi z tą gorzałą, bo panu ręka ścierpnie.

– Momencik. – Sąsiad nalał do swojego kieliszka sowitą porcję płynu, odstawił butelkę, wstał z fotela i poszedł do kuchni po kafetierę, która tymczasem zaczęła bulgotać.

– Na dwadzieścia osób to chyba nie siedząca kolacja przy stole? – Upewnił się Grzegorz, adresując pytanie w stronę kuchni.

– Nie, nie da rady. Ona nie ma u siebie takiego stołu – odkrzyknął pan Julek. – I raczej po południu, nie wieczorem. Koktajlowo, bufet... Zresztą pan zawodowiec, co ja panu będę tłumaczył – ciągnął już w salonie, nalewając kawę do filiżanek.

– A kasy ile chce na to wydać?

– No, wie pan... Niby dobrze zarabia... Ja jej zresztą obiecałem, że alkohole będą na mój koszt, ale rozumie pan – samotna matka, kredyty, dzieciak. Ja też u niej za pół niani robię, żeby było taniej. Więc wie pan, panie Grzesiu: dobrze i tanio.

– Jasne. Jak zawsze w życiu – westchnął Grzegorz ze zrozumieniem. – No, to polecimy standardem, po włosku. Ewentualnie z wycieczkami w inne strony, ale bez oddalania się od Morza Śródziemnego. Można zrobić kilka sałatek. *Caponata*, *faggioli con tonno*, *caprese*...

– Boże, jak pan to mówi, to już mi się podoba – przerwał mu pan Julek, sięgając ponownie po brandy. – To co, ani kropelki?

– Nie, dzięki. Niech się pan sam obsłuży. A te potrawy... Wie pan, zagraniczne nazwy... Niech pan sobie wyobrazi takie hiszpańskie danie: *chuleta de cerdo con chucrú y patatas*. Czai pan klimat? Zapachy, przyprawy? Cały film od razu widać: hacjenda, zachód słońca, stół w cieniu drzew, señority strzelają oczami... – Grzegorz najwyraźniej się rozmarzył. – A wie pan, co to jest? Z grubsza schabosz-czak z kiszoną kapustą i ziemniaczkami. Tyle że po hiszpańsku.

– Jak pan na to mówi? Ciuleta? No, chyba pan mnie obraża – roześmiał się pan Julek, po czym ostrożnie wprowadził do ustroju kolejną dawkę trunku.

– Jak już się wszyscy zejdą, wśród sałatek zaczną się pojawiać antipasti. – Grzegorz przełknął łyk kawy. – Na przykład *vitello tonnato*, *funghi trifolati*. Może jakaś *bruschetta*.

– No pięknie, pięknie – wyszeptał pan Julek, mrużąc oczy i bacząc, by butelka nie rozminęła się z kieliszkiem. – I to wszystko da się łatwo zrobić?

– Pewnie! Już panu mówiłem: niech pan się nie da zwieść nazwom. To wszystko rzeczy w miarę proste. No, i tak zejdzie ze trzy kwadranse, ale z kuchni co parę minut wyjedzie coś nowego. A w przerwach goście będą się głuszyć winem.

– Doradzi pan coś w sprawie tego wina? – Pan Julek był już w okolicach trzeciego kieliszka i siódmego nieba. Ostro jedzie, skonstatował nie bez sarkazmu, acz z lekką zawiścią Dolan, sącząc kawę.

– Jasne – odparł. W jego głosie słychać było machnięcie ręką na taki drobiazg. – Zupę sobie darujemy – ciągnął. – I tak nie byłoby jak podać. No, a danie główne... – Zamyślił się. – Może najprościej upiec ze dwie blachy *lasagne al forno* – zawyrokował po chwili. – Proste, dość łatwe i można tym nakarmić tłum. I właściwie wszystkim zawsze smakuje. Do tego jakaś świeża sałata.

– Znaczy się lazania? – upewnił się pan Julek.

– No właśnie. Można dzień wcześniej przygotować wszystkie farsze, na przykład mięsne, twarogowe i szpinakowe. Potem tylko poprzekładać. Będą zadowoleni. Ale... – Lekko zafrasował się Grzegorz.

– Co takiego? – zaniepokoił się sąsiad, z ogromnym zaangażowaniem obserwując rozgrywający się na jego oczach proces twórczy.

– Troszkę mi w tym wszystkim jednak tego „ą, ę" brakuje. Chyba na deser dołożymy...

– Prawdę mówiąc, Janeczka najbardziej ciekawa była właśnie pana pomysłów na deser. Mówiła, że nie czuje się za mocna w pieczeniu.

– Nie, z ciastami bym się nie wybierał. *Zabaglione*? *Pana cotta*? – Grzegorz przepijał pomysły łyczkami kawy. – Nie. Wie pan co? – Widać było, że proces twórczy dobiegł końca. – Deser nie będzie włoski, ale francuski. *Riz á l'imperatrice*. Ryż á la cesarzowa.

– A to co takiego? – zadziwił się pan Julek. – Ryż na deser?

– Proszę mi zaufać. Teraz nie mam czasu tłumaczyć, ale będzie dobrze. – Grzegorz już zbierał się do wyjścia. – Panie Julku, zrobimy tak: ja to wieczorem wszystko spiszę na kartce, wyszukam w komputerze przepisy i zrobię panu listę, co trzeba kupić. Większość będzie z supermarketu, parę rzeczy z delikatesów, z Kuchni Europa albo Jean i Jeanette. I wina jakieś też zaproponuję, nie za drogie. Wieczorem chcę wpaść do Tutto Bene, więc przy okazji mógłbym zajść do pana córki i omówić z nią parę rzeczy. Koło siódmej bym był.

– Cudownie, panie Grzesiu!

– A córka da radę cały ten towar zwieźć do domu?

– Pewnie! Jutro z nią ruszę w miasto. Specjalnie bierze wolny dzień. Choćby trzeba było parę kursów zrobić, damy radę.

– Dobrze. To połowa sukcesu. Ale jest jeszcze druga część: ktoś to wszystko musi zrobić. Ja mogę trochę pokierować, pogadać przez telefon, ewentualnie wpaść i doradzić. Ale siedzieć pół dnia u córki w kuchni nie dam rady. Jak ona sobie poradzi?

– Niech się pan nie przejmuje, panie Grzesiu! – Pan Julek przerzucił się na kawę. Pił ją dużymi haustami. – Od pana potrzebujemy pomysłów i know-how, a od roboty będzie Janeczka i wynajęta pomocnica. Córka już prawie miesiąc temu kogoś umówiła. Młoda, ale podobno doświadczona. Pomoże w przygotowaniach, a potem będzie obsługiwać gości i sprzątać. Widziałem ją i powiem panu, że sam się chętnie przy niej w tej kuchni pokręcę. Ukrainka. Cacy egzemplarz.

13:30

19. Zosia po wyjściu z Amatorskiej poczuła się nieco głodna. Długo zastanawiać się nie musiała. Tuż obok, na Chmielnej, mieścił się barek wietnamski, gdzie za nieduże pieniądze dają ponoć najlepszą w mieście zupę pho.

Poszła zdegustować. Barek był zatłoczony niemiłosiernie, ale postanowiła spokojnie zaczekać, bo rzadko jej się zdarzało jadać u konkurencji. O zupie słyszała, że jest super. Przestępując z nogi na nogę za odpalonym i pachnącym jak drogeria chłopakiem w filuternym kapelutku, myślała, co dalej ze sprawą Swietki. Dzwonić do komisarza, że ją zlokalizowała? Poczekać na spotkanie o czwartej? Czy raczej pojechać na Karolkową i sprawdzić, czy jest tam Swieta? I – co ważniejsze – Marynka.

Zapłaciła i usiadła przy stoliku, czekając na zupę. Była już zdecydowana pojechać na Wolę.

Po co zawracać głowę na bank zajętemu gliniarzowi? Sama się dowie. I zabłyśnie na przesłuchaniu.

14:30

20. Norbert Zawijka wyszedł z komendy, wsiadł do swojej toyoty, włączył odtwarzacz i nacisnął ostatni wybierany numer w pamięci telefonu.

– Wyszedłem, dzwonię. Tak, jak się umówiliśmy – powiedział, wyciągając jednocześnie papierosa z paczki. Telefon trzymał przyciśnięty policzkiem do ramienia. Próbował zapalić.

– Spoko majonez. Wsio w pariadkie. Nie denerwuj się. Nic nie wiedzą. I jakiś tępy ten gliniarz.

Norbert zaciągnął się głęboko i przez chwilę słuchał głosu w słuchawce. Przekręcił kluczyk w stacyjce.

– Pytali mnie o głupoty. Nie denerwuj się. Nic nam nie grozi. Zaraz u ciebie będę. Zrobiłeś porządek? – powiedział. – O kurwa! Ty kretynie! Jedź tam natychmiast! – wrzasnął po chwili. – Tylko wejdź, dopiero jak się dobrze rozpatrzysz. Psy już tam pewnie były, ale może jeszcze nie trafiły. Jedź!

Zakończył rozmowę, wrzucił bieg i ruszył z kopyta. Staruszka z wózkiem na zakupy, której omal nie potrącił, zamachała za nim z furią.

14:30

21. Dom na Karolkowej był bloczydłem najgorszego sortu. Czarny prawie i pomazany przez grafficiarzy bez pomysłu i wdzięku. Na klatce Zosia przestała na chwilę oddychać. Mocz koci, psi i ludzki. Fuj. A winda wygląda, jakby ją podpalono.

Przemknęła biegiem na drugie piętro i zahamowała pod numerem dwunastym. Coś ją naszło. Refleksja jakby. Że może to tak głupio tu włazić, do jaskini lwa. Zadumała się nieco, oparta o powyłamywaną, plastikową poręcz. Wyjęła telefon i wystukała esemesa. Żeby się zabezpieczyć, w razie czego. A potem przykleiła ucho do drzwi, równie brudnych i śmierdzących jak wszystko wokół.

W mieszkaniu panowała cisza. Ale po dłuższej chwili coś zaszurało. Tak. Ktoś tam był.

Zastukała. Potem jeszcze raz. Szuranie rozległo się bliżej. I jakby ktoś nasłuchiwał.

– To ja, Zosia. Koleżanka Sani – powiedziała. – Otwórz, Swieta. Musimy pogadać.

Znów cisza. I długa chwila milczenia. Zosia spróbowała ponownie.

– Powiem ci, co z Sanią.

W tym momencie drzwi się otworzyły i w progu stanęła Swieta. Wymalowana jak na imprezę, za to w brudnawych legginsach. I w bluzie z wielkim zezowatym kocurem.

Tak po domowemu.

– Priwiet, Zosia, howorý szczo z Sańką. Żywe ona?

– Tak, żyje. Wpuścisz mnie?

– Zachodý. – Swieta usunęła się, robiąc przejście.

Zosia weszła do przedpokoju, w którym dwie ściany obito po sufit drewnianą boazerią, a dwie pozostawiono brudnobiałe. Wyglądało to trochę tak, jakby komuś zabrakło chęci, inwencji albo po prostu deseczek. Ze ściany boazeryjnej, sponad drzwi, patrzył wrogo wypchany ryś.

– A to co?

– To kit. Teść naszej chaziajki buł myslywec.

– Rzeczywiście kit – mruknęła Zosia.

Swieta zamknęła drzwi na wszystkie trzy zamki i poprowadziła gościa do kuchni. W mieszkaniu panowała kompletna cisza. Wyglądało, że nie ma tu żadnego dziecka. A może Marynka śpi? Wszystkie pokoje pozamykane. No, trochę to dziwne, pomyślała Zosia.

Kuchnię też zdobiły listwy boazeryjne. Poza tym była zagracona jak cmentarzysko gadżetów z lat siedemdziesiątych. Wszędzie stały wazony, kryształowe i szklane, lepiące się i brudne. Na półkach, szafkach – kieliszki i karafki. Jedne, drugie, trzecie, piąte.

– Co to wszystko jest? – zdziwiła się Zosia. Wzięła do rąk najbliższy wazonik i zobaczyła przyczepioną metalową plakietkę. „Panu Prokuratorowi Jerzemu Gruszce wdzięczni pracownicy ZSD Kujawianka".

Sięgnęła po drugi, też z inskrypcją, tym razem rytą w szkle. Pamiątka z okazji XX-lecia PRL z zakładów porcelany Ludwika. Rzeczywiście pamiątka, pomyślała.

– Teścio tej, szczo nam znimaje kwartiru, to była jakaś szycha w Polszy – powiedziała Swietka, ogarniając wzrokiem morze otaczających je przedmiotów. – Jak des pryjezżał, to jemu dawały. Tak wona howoryła. O! Tut patrzy, indijskije słoniki, co idą po kości. W Indiach widać też buł.

– Ona się nie boi, że jej coś zniszczycie?

– A szczo teper to stare barachło warte? Nic. Co lepsze wzięła. Zresztą ona dumaje, że ja studentka

– uśmiechnęła się Swietka drapieżnie, a Zosia pomyślała, że tylko głupi by uwierzył, że ta wymalowana jak jajko na Wielkanoc panna może być studentką czegokolwiek.

Klapnęła na krzesełko z lat sześćdziesiątych i odgarnęła ze skrawka stołu całkiem nowe plastikowe opakowania po gotowych daniach w ilości ponadnormatywnej. Podparta pod boki Swieta stała naprzeciwko niej, wgapiając się tymi swoimi wyczernionymi oczami.

– Nu tak howorý, co z Sanią.

– Ktoś do niej strzelał.

– Ale nie zabyw? – Ukrainka patrzyła ciemnymi jak górskie jezioro oczami. Zosia za nic nie mogła się połapać, czy ona z troski pyta, czy z ciekawości. A może jadowicie? I wcale nie zdziwiona, zauważyła. Wcale.

– Nie, ale jest w ciężkim stanie.

– To żałko.

Nic z tego „żałko" nie pojawiło się w jej ślepiach.

– Aha. A co z Marynką? Przyszłam dowiedzieć się o małą. Może jej co potrzeba?

– Z Marynką? Z jaką Marynką?

– No jak to: jaką? Córeczką Oksany. Przecież ty z nią tamtego wieczoru siedziałaś?

– Ja? Siedziałam? – zapytała Swieta. Wyraz jej twarzy nie wskazywał na jakiekolwiek uczucia. W głosie brzmiało jakby wahanie, ale w oczach – czarny dół bez kresu. Zosia patrzyła i nie wiedziała, co myśleć.

– No, ja z Sanią rozmawiałam tego dnia w knajpie i ona mówiła, że zostałaś z dzieckiem.

– Z jakoju dytýnoju? – Swieta otworzyła szerzej oczy. Gapiła się na gościa ze zdziwieniem wyglądającym na całkiem autentyczne.

– No z Marynką. Córeczką Sani.

– Jaką córeczką? Taż Sania ne mała doczku.

– Jak to: nie miała? Przecież była w ciąży!

– Nu, była. Ale potem dytyny ne buło.

– Jakże: nie było?!

Zosia wpatrywała się w Swietłanę z niedowierzaniem. Przecież Sania mówiła! Tak opowiadała, że „grr, grr" robi. I mostki. Jak to: nie było? Ząbek jej się wykluł przecież.

A tu Swieta takie rzeczy opowiada.

– Jakże nie było? – powtórzyła.

– U nieju ne buło dytyny. Jak wyszła z likarni. Ja ne znaju. Ale u nieju ne buło...

15:00

22. Henio Rozalski nachylił się nad wózeczkiem w parku, popatrzył w błękitne oczy niemowlęcia.

– Grr, grr – powiedział.

Dzidziuś uśmiechnął się ufnie i wdzięcznie wygiął ciałko.

15:10

23. Hantle w górę. Hantle w dół. Hantle w górę. Hantle w dół. Grzegorz dyszał jak zmachany pies

i lepił się od potu, ale nie ustawał. Jeszcze choć pięć razy. Musi.

Dał radę. Zadowolony, odłożył na miejsce sprzęt i pomaszerował do szatni. Otworzył szafkę, by zabrać ręcznik, gdy usłyszał pikanie komórki. Esemes.

Już wyciągał rękę, ale dał sobie spokój.

Najpierw się wykąpie.

15:10

24. Zosia niczego nie rozumiała z tej historii. Dlatego poszła do łazienki i spróbowała zadzwonić do Grzecha. Żeby go poprosić o pomoc w zrozumieniu.

A może nie tylko dlatego?

Nie odbierał. Czy to możliwe, że Oksana oddała dziecko? Ale czemu kłamała? Przecież mogła powiedzieć, że mała jest na Ukrainie czy coś takiego. Czemu dzień po dniu opowiadała o malutkiej? O karmieniu, zabawach i nockach? O katarach. Raz się zwolniła, bo ponoć mała miała gorączkę. Kłamała?

Cały czas?

– Swieta, czemu ona kłamała? – zapytała wciąż zdumiona Zosia po powrocie do kuchni.

Ukrainka wyłączyła gaz pod czajnikiem, nasypała trochę herbaty do szklanek i zalała wrzątkiem.

– Ja nie znaju. Nuu, ona to buła bladź... – powiedziała, rozciągając samogłoski jakoś marzycielsko i stawiając napój na wolnym skrawku stołu.

Zosia westchnęła ciężko. Już po raz drugi dzisiaj usłyszała słowo, którego znaczenia nie była pewna, chociaż wiedziała, że nie oznacza nic przyjemnego. A znaczenie słowa „krutyj" też powinna sprawdzić.

– Nic z tego nie rozumiem! – powiedziała rozpaczliwie po chwili milczenia.

– A co tu rozumieć? Detynu albo oddała w likarni, albo zaraz po. To duży pieniądz jest. Taka detyna.

– Sprzedała? Tak myślisz? Ale po co by nam tak mówiła? – Zosia dopytywała się jak nierozgarnięte dziecko. – Przecież my się do niej nie wtrącaliśmy. Lubiliśmy ją. I szanowaliśmy.

– Może dlatego? Szczob wy jej nie przestali lubity.

Czy przestalibyśmy? – zastanowiła się Zosia, unosząc ostrożnie do ust szklankę z gorącym herbacianym naparem.

Może i tak. Oddała dziecko. Nikt by tego nie pochwalił. Ale mogła powiedzieć, że umarło albo co. Dlaczego kłamała?

I to przekonująco.

Zosia łyknęła ledwo odrobinę, gdy zazgrzytał zamek w drzwiach, potem drugi, trzeci. Swieta zbladła i przestraszyła się jak diabli.

Ta opanowana, zimna Swieta. Rzuciła się ku Zosi i zaganiając ją histerycznie, jak kurę na podwórku, wykrzyknęła w panice:

– Wychadi! Skoro!

Co z tego, skoro i tak było za późno?

Stał w drzwiach, wielki jak góra i wytatuowany jak afrykański szaman. Mięśniak ze złamanym kiedyś, a teraz skaleczonym nosem, zaklejonym gustownym plasterkiem w niebieskie krokodylki.

Tuż nad czubkiem głowy miał framugę. Brakowało może trzech centymetrów.

– Hto se ta bladź?! – ryknął.

Znów to słowo. Swieta cofnęła się i wtuliła w okno położone na samym końcu wąziutkiej kuchni, przy okazji strącając cztery wazoniki, które oczywiście stały i tam wśród dziesięciu innych. Trzy rozbiły się natychmiast, jeden, metalowy, potoczył się, grzechocząc przeraźliwie, pod nogi siedzącej na krzesełku Zosi. Dziewczyna popatrzyła na Swietę i mięśniaka, odsunęła od siebie przezornie gorącą herbatę i wstała.

– To ja sobie pójdę – zaszczebiotała.

– Nikoły, job twoj mat', ne pidesz. Szczo ja tobi skazáł, suko? Nikogo ne wpuskaty?! Ach, ty, bladź pidła!

Wielkolud, stawiając jeszcze jeden krok, zamachnął się w kierunku Swiety. Między nim a drzwiami powstała niewielka szpara. Zosia wskoczyła w nią błyskawicznie i pomknęła w kierunku wyjścia. Czuła, że tu nie ma to tamto. Trzeba wiać. Udało jej się przebiec zaledwie kilka kroków, gdy poczuła, że koleś łapie ją za włosy i ciągnie. Zawyła z bólu.

Oskalpuje mnie, przemknęło jej przez mózg. Zatrzymała się natychmiast.

– Stij! No, de ty... Stij – wycedził.

I pociągnął ją za te włosy, bliżej ku sobie. Cuchnął potem, piwem i diabli wiedzą czym jeszcze. Zosia skuliła się, żeby mniej bolało. A on ciągnął.

– Nikuda nie pidesz. Hto ona jest? – Odwrócił się do Swiety, która odkleiła się już od okna i stanęła dwa kroki za nim. Znieruchomiała jak woskowa figura.

– To Zosia. Znakoma z roboty. Ostáw, Giena! – wykrztusiła.

I zrobiła krok w bok, oddalając się na bezpieczniejszą odległość od ramienia kolesia. To ramię przypominało wypasione udo sztangisty. Mięsień na mięśniu. Zosia też postąpiła krok, ale ku niemu. Żeby mniej bolało. Facet był cwany i znów ją szarpnął.

– A ty kuda? – zapytał, owijając sobie na dłoni jej kucyk.

Wisiała już prawie pod jego brodą i chcąc nie chcąc, wpatrywała się w jego tatuaże, które miała pod nosem. O Boże, Matko ratuj, pomodliła się w duchu. Słodkim jak ulepek głosikiem wyseplenila:

– Ja nic, tak wpadłam, herbaty się napić. Akurat byłam niedaleczko. No co pan z tymi włosami? Pan mnie puści.

No i facet puścił.

Tylko po to, by odwrócić się i walnąć pięścią Swietę między oczy. Po ciosie dziewczyna poleciała na ścianę jakby frunęła w powietrzu, stuknęła o nią jakoś tak głucho i osunęła się powoli. Zaległa jak szmaciana lalka między Zosią a mięśniakiem.

Zosia spojrzała, zbladła i poczuła, że uginają się pod nią nogi. Zdecydowanie nie czuła się dobrze. Zaraz zemdleje. Właściwie to nawet by chciała.

W tym momencie zadzwoniła jej komórka. Wyszarpnęła ją z kieszeni swetra, nacisnęła zielony klawisz i krzyknęła ile sił w płucach:

– Ratunku!

Ale nie miała pojęcia, czy ten ktoś po drugiej stronie usłyszał krzyk, bo mięśniak błyskawicznie zamachnął się ponownie, tym razem nogą, i wykopał telefon, aż poszybował gdzieś w przestrzeń, a po chwili drugą nogą przyłożył Zosi, tak że poleciała na ścianę w przedpokoju, waląc w nią jak pocisk armatni.

Jej głowa odskoczyła od boazerii i dziewczyna osunęła się na podłogę, o dwa kroki od nieprzytomnej Swiety. I całkiem przytomnie natychmiast zamknęła oczy.

16:15

25. Podniósł kubek z herbatą, odsuwając na bok wisielca. Całkiem dobra ta herbatka, pomyślał. Coś nowego Pyzatka kupiła. Górzyański zerknął na zegar. Była szesnasta piętnaście, a kolejny delikwent nie przychodził. Spóźniała się Zofia Staszewska. Brzydko. Ostatnia na dzisiejszej liście do przenicowania. Potem już tylko „kino, kawiarnia i spacer". Komisarz otworzył akta i zaczął je przeglądać bez większego zainteresowania, bo znał je niemal na pamięć. Trzeba jeszcze przesłuchać tego Dolana. Jak mu tam, Grzegorza? I Funię, kiedy się pojawi I tych tam, Henia i Rycha. Ale to już jutro.

Ryszard Gajewski. Ciekawe.

Siedział. Za wymuszenie, znęcanie się i rozbój. Nieźle jak na takiego gamonia. Ile to już lat temu? Osiem. Zatarte. Może błędy młodości? Zdarzają się. Ciekawe, czy koledzy w pracy wiedzą, że pan Ryszard był karany. Pewnie nie. Ponowne zerknięcie na zegar.

Szesnasta dwadzieścia. Spóźnia się ta panna Zośka. Zadzwonić do niej?

Ma tu gdzieś jej komórkę.

Jerzy Górzyański zadzwonił. „Abonent czasowo niedostępny". Zaklął pod nosem. No tak, przeszkadza panience. Znów wybrał ten sam numer, gdy zadzwonił telefon na biurku.

Podniósł słuchawkę.

– Trup? Gdzie? Kto? O! Zaraz będę. Jak?

Odłożył słuchawkę. A komórkę wsadził do kieszeni.

Od kuli.

Jego teoria – bardzo wątła teoryjka o szaleńcu – rozpadła się w proch.

16:20

26. Grzegorz Dolan nie wiedział, co robić. Nie był wcale pewien tego, co usłyszał w telefonie. Głos rozległ się niemal natychmiast po wystukaniu numeru. Wyszedł spod prysznica i zobaczył, że to ona dzwoniła parę minut wcześniej. „Staszewska Zosia" wyświetlił ekran nieodebrane połączenie. Oddzwonił. No i wtedy... Chyba to była Zocha i chyba krzyknęła: „Ratunku!". A potem coś zgrzytnęło i zapadła cisza. Grzegorz nie miał jednak pewności ani co do osoby, ani co do wykrzyczanego słowa. Ale to nie całkiem pewne „ratunku!" dźwięczało ostro w jego głowie. Może z dziewczyną coś się dzieje, a on jest jej ostatnią deską ratunku? Co może zrobić? Kolejne próby

połączenia nic nie dawały. „Abonent czasowo niedostępny". Miał od niej jedno nieodebrane połączenie i esemesa sprzed dwudziestu minut. „Jestem na Karolkowej 7/12 u Swiety". Dziwne. U jakiej Swiety? I czemu ona mu o tym pisze?

Swieta. Jak się nazywała ta Ukrainka, co to się dzieciakiem zajmowała? Może i Swieta. No, ale co Zośka krzyczała? I czy na pewno ona? A potem się wyłączyła. Myśl, żeby zadzwonić później, jak już abonent będzie dostępny, kusiła świętym spokojem. Ale pobrzmiewający w pamięci okrzyk i wizja nieszczęsnego abonenta w opresji, rozpaczliwie czepiającego się myśli o nim, burzyła wszelki spokój i nakazywała coś zrobić. Cholera, że też nie odebrałem tego telefonu, pomyślał z udręką. I postanowił zadzwonić na policję. Jak zawsze w sytuacjach nagłych, nie mógł sobie przypomnieć, czy do nich jest 997 czy 999. A w ogóle z komórki to chyba 112? Przyszedł mu do głowy Górzyański, jedyny gliniarz, którego znał. Nie wiedział wprawdzie, czy Zosine „ratunku!" jest w jakikolwiek sposób związane ze śledztwem w sprawie ich knajpy, ale być może przez komisarza będzie jednak szybciej? Miał jego numer w komórce, w rejestrze rozmów. Policjant odezwał się po dość długiej chwili, a Grzegorz uświadomił sobie, z jak dziwaczną sprawą do niego dzwoni.

– Mówi Dolan. Grzegorz, szef kuchni z Tutto Bene. Rozmawialiśmy... Wie pan, mam taką dziwną sprawę. Właściwie to nie wiem... – zaczął niezbornie, przekrzykując wyjącą w telefonie syrenę radiowozu.

– To może pan zadzwoni, jak już pan będzie wiedział – burknął Górzyański. – Jestem zajęty, mam wezwanie do morderstwa.

– O Boże, nie! To chyba nie Zocha?

– Zocha?

– No ta dziewczyna od nas.

– Proszę mówić szybko, o co chodzi, bo nie mam czasu. Dlaczego pan sądzi, że pani Zofia mogła zostać zamordowana?

Grzegorz opowiedział o dziwnym telefonie.

– Czy to morderstwo... – Słowa uwięzły mu w gardle.

– Nie, to akurat mogę powiedzieć z całą pewnością. To nie ona. Dobrze, spróbujemy coś ustalić. Dziękuję, że pan zadzwonił. I proszę dać znać, jeśli nawiąże pan z nią kontakt. Do widzenia.

Mimo że dotarł już na miejsce zbrodni, komisarz nie wysiadł z radiowozu. Wybrał numer Pyzatki.

– Wyślij jakiś patrol na Karolkową siedem, pod dwunasty. Niech chłopaki ustalą, czy tam przebywa Zofia Staszewska, pracownica Tutto Bene. Numer jej komórki znajdziesz w aktach sprawy, na liście pracowników. Jakieś dziesięć minut temu dzwonił do niej Grzegorz Dolan i odebrała telefon. Teraz już nie odbiera. Numer Dolana też znajdziesz w wykazie personelu. Dziewczyna wzywała pomocy. To ta, co nie przyszła na przesłuchanie.

Rozłączył się i wysiadł z radiowozu. Mimo że wjechali przez szeroko otwartą bramę, miał jeszcze do przejścia kilkadziesiąt metrów po pięknie wyglądającym w majowe popołudnie parku.

No, no, jedna knajpa, a być może już trzy trupy. Dobra nazwa, nie powiem, pomyślał i podszedł do sierżanta stojącego przy żółtej taśmie okalającej czworokątny trawnik oraz przylegające alejki. Jedną z nich właśnie przemknęła wiewiórka. Za taśmą widać było leżącego na wznak w trawie mężczyznę, wyglądającego jak manekin, który spadł z dużej wysokości.

16:40

27. Zosia odczekała chyba z dziesięć minut w kompletnej ciszy, jaka zapadła w mieszkaniu po zniknięciu człowieka szafy, zanim odważyła się otworzyć oczy. Bolała ją głowa, a serce wciąż tłukło się jak głupie. O Boże, mamusiu, czy ja stąd wyjdę żywa? – kołatało jej w głowie pytanie. Po kolejnej dłuższej chwili spróbowała się poruszyć. Oprócz bólu głowy czuła przy oddychaniu silne kłucie w prawym boku. Tam, gdzie kopnął ją właściciel plastra na krzywym nosie. Chyba mam złamane żebra, przemknęło jej przez myśl. Uniosła nieco głowę, przemagając ostry ból w karku i powstrzymując się od syknięcia, po czym rozejrzała się lękliwie. W mieszkaniu panowała absolutna cisza. Słyszała własny, stłumiony oddech. I żadnych innych. Dwa metry od niej leżała Swieta. O rany, ona wciąż wygląda jak lalka! – przeraziła się Zosia. W ułożeniu ciała Ukrainki było coś nienaturalnego. Zgięta pod dziwnym kątem głowa opierała się o ścianę. Swieta miała pecha. Najwyraźniej boazeria lepiej zamortyzowała uderzenie.

Ściana była poplamiona na czerwono. Zosia przyglądała się jej przez dłuższą chwilę, zanim uświadomiła sobie, że to nie farba, tylko krew. Swiety.

– Jezus Maria! – krzyknęła i mimo bólu poderwała się na równe nogi.

Zbliżyła się do Ukrainki, próbowała nasłuchiwać, czy tamta oddycha.

– Jezus Maria! – powtórzyła, zorientowawszy się, że z leżącej na podłodze dziewczyny uszła nie tylko ta krew, co na ścianie, ale najpewniej i życie.

– Jak lalka… – Spomiędzy pobielałych warg Zosi wydostał się szept. – Boże, trzeba dzwonić na pogotowie – szeptała dalej. – Na policję…

Dostrzegła na podłodze, tuż przy drzwiach wejściowych swoją komórkę. A raczej to, co z niej zostało. Trzęsącymi się rękami próbowała wetknąć baterię na miejsce, ale szybko się zorientowała, że ten prosty zabieg nie przywróci pokawałkowanego aparatu do życia. Zosia przeszła do kuchni i rozejrzała się. Tak. Komórka Swiety wciąż leżała na stole. Dziewczyna wzięła ją do ręki i zastanowiła się, jak się dzwoni na pogotowie. Huczały jej w głowie różne numery, drżały dłonie. Pomyślała o Grześku. Tak, połączy się z nim i poprosi o wezwanie karetki. Grzesiek… Zapragnęła, by z nią tu był, żeby jej pomógł, objął. Znała jego numer na pamięć, bo parę razy – kiedy ją bardzo tęsknota brała – dzwoniła do niego. Po usłyszeniu: „Grzegorz Dolan, słucham", rozłączała się natychmiast i nigdy nie zdobyła się na nic więcej. Oczywiście, zawsze pamiętała, żeby wcześniej wyłączyć identyfikację własnego numeru. Teraz trzeba tylko sobie przypomnieć.. Grzesiek, 618... I co dalej? Co dalej? Cholera, przecież dopiero co dzwoniła! Rozpraszała ją nieznana klawiatura telefonu Ukrainki, inny kolor wyświetlacza. 618... 350 czy 530? Jak to było...?

17:00

28. – Kto go znalazł? – zapytał Górzyański, przechodząc pod żółtą taśmą. Nie zatrzymując się, zmierzał po ułożonej już przez kolegów ścieżce dostępu ku podłużnemu kształtowi, akurat przykrywanemu czymś w rodzaju prześcieradła.

– Kobieta z małym dzieckiem w wózku, babcia z wnukiem – odpowiedział sierżant. – Dzieciak ma parę miesięcy, więc nie mogła zaczekać. Mówiła, że musi małego dostarczyć do domu na karmienie. Zobaczyła trupa i zadzwoniła z komórki. Byliśmy tu po pięciu minutach, spisałem jej dane, ale pozwoliłem jej iść, panie komisarzu. Dzieciak zaczął się strasznie wydzierać – usprawiedliwiał się policjant. – Przesłuchałem ją na szybko.

– W porządku, sierżancie – uspokoił go Górzyański i nachyliwszy się, odsłonił płachtę. Pod nią zobaczył faceta, z którym rozmawiał poprzedniego dnia: Henryka Rozalskiego z Tutto Bene.

Gość leżał na boku, ale głowę miał odwróconą ku górze. Wydawało się, że śpi, lecz wyraz skierowanej w stronę nieba twarzy zdradzał ostateczny charakter drzemki. Ręce skrzyżowane na piersiach, jakby się nimi zasłaniał. Nogi podkurczone, też jakby w obronnej pozycji. Na dłonie miał już założone papierowe torebki omotane taśmą klejącą, które miały ochronić ślady pod paznokciami. Wyglądało to nieco dziwnie i odbierało majestat śmierci. Jako fachowiec Jerzy Górzyański rozumiał, że wszystko odbywa się zgodnie z regułami sztuki, niemniej jednak czuł, że jest w tym obrazku element farsy. Coś mu nie pasowało. Te torebki sprawiały, że człowiek stawał się obiektem, przedmiotem. Komisarz musiał raz jeszcze kliknąć na tryb „policjant". Potrząsnął głową i odgonił głupie myśli.

– Strzał z bliska w serce – rzucił ponuro sierżant. – Ekipa czekała na pana, nikt go nie ruszał. Tyle że te torebki włożyliśmy, zabezpieczyliśmy teren i zrobiliśmy ścieżkę dostępu. Zauważyłem w kieszonce koszuli dowód, stąd wiemy kto to. Doktor stwierdził zgon.

– Dobra, niech technicy robią swoje – rzucił Górzyański i gestem dał znać dochodzeniowcom stojącym kilkanaście kroków dalej.

– Ktoś coś zauważył? – zapytał po chwili. – Ta kobieta z wnukiem?

– Spacerowała tu prawie godzinę. Mieszka w pobliżu i często zabiera małego na spacer. Chodzi zazwyczaj dokoła tego pagórka. Jedno okrążenie to mniej więcej dziesięć minut. Czasem przysiada na ławce. Okrążenie wcześniej zobaczyła faceta. Też spacerował, jakby na kogoś czekał. W pewnym momencie nachylił się nawet nad wózkiem i coś zagadał do małego. A potem powiedział: „Taki ładny dzidziuś! Czy ja się doczekam takiego wnuka?". Zamienili parę słów i kobieta pojechała dalej. Jak wróciła, koleś już leżał. Tak jak teraz. Nic nie słyszała.

– Inni świadkowie?

– Tam na ławce, przy stawie, była grupka szczyli. Przyszli po szkole. Parę piw mieli, jakieś tipsiary do obmacywania. Wrzeszczeli, ganiali się wokół ławki. Nikt nic nie widział, nie słyszał. Zajęci sobą.

– Macie ich dane?

– Tak jest, panie komisarzu! Było nas na początku tylko dwóch, ale zauważyliśmy ich i zdążyliśmy spisać, zanim spieprzyli do domów.

– Dobra robota, sierżancie – powiedział zamyślony Górzyański. – A jacyś ochroniarze, ogrodnicy? Nikogo?

– Akurat w tym czasie i w tej części parku nikogo. Teraz się zebrali, kowboje – rzucił sierżant z pogardą, wskazując brodą na kilku starszawych mężczyzn w glanach i czarnych kombinezonach z napisem ŻYCIE I MIENIE OCHRONA na plecach.

– Czekam na raport na piśmie, sierżancie – powiedział cicho komisarz. – Pogadam jeszcze z dochodzeniowcami.

17:00

29. Kiedy Zośka dała wreszcie znak życia, dzwoniąc do niego z jakiegoś nieidentyfikującego się numeru i opowiadając wśród szlochów, co się stało, Grzegorz popędził do niej bez zastanowienia. Do tego stopnia, że nawet nie spytał, czy dziewczyna zawiadomiła już policję i pogotowie. Dopiero jadąc na Karolkową, pod adres, który mu podała, zaczął składać w całość

kawałki informacji. Dotarło do niego, że z jakiegoś dziwnego powodu to właśnie on jest chyba pierwszym – i zapewne jedynym – człowiekiem, który wie, co wydarzyło się pół godziny wcześniej na Karolkowej. Oczywiście, do Zośki nie mógł zadzwonić, bo w rejestrze jego komórki ostatnie połączenie zapisało się jako „brak numeru". Pędził więc, jak mógł najszybciej, co w warszawskie przedwakacyjne popołudnie wcale nie oznaczało rajdowej prędkości. Budowa stacji metra przy rondzie Daszyńskiego oznaczała długie objazdy i korki. Na miejsce dotarł przed piątą. Zocha musiała czekać w korytarzu, tuż przy drzwiach, bo otworzyła je pół sekundy później.

Przylgnęła do niego i objęła kurczowo.

Wreszcie mogła komuś oddać choć trochę przygniatającego ciężaru.

– Dzwoniłaś na policję? – Głaszcząc ją po włosach, Grzegorz zadał wreszcie pytanie, którego nie był w stanie zadać przez ostatnie pół godziny. – I na pogotowie? – dopytał, spoglądając na leżącą na podłodze dziewczynę.

– Nie. Czekałam…

– Na co? – zdumiał się.

– Na ciebie.

I tak na niego spojrzała…

17:45

30. Wracający radiowozem na komendę komisarz Górzyański zaklął szpetnie, rozłączywszy się po

rozmowie z Pyzatką. Młoda policjantka poinformowała go, że operator telefoniczny nie jest w stanie ustalić miejsca, w którym przebywała abonentka Staszewska w chwili kontaktu telefonicznego z Dolanem. I że patrol już pojechał.

– Nigdy kutasy nie potrafią nic ustalić! A Osamę dorwali po jednym telefonie od jego kuriera z Pakistanu do faceta w Ameryce!

– Panie komisarzu! – żachnął się za kierownicą Pierzchała. – Ale ilu oni mieli do tego ludzi! I jaką technikę! A i tak zajęło im to pół roku.

Znów zadzwoniła komórka Górzyańskiego. Dolan.

– Pan Górzyański? Zosia się znalazła! Żyje, miała szczęście.

No, to jednak *tutto bene*, przemknęło komisarzowi przez myśl. Tylko dwa trupy.

– A co się działo? – zapytał.

– Jakiś bandyta ukraiński ją pobił. A tę drugą chyba zabił... Leży tutaj. Niech pan przyjedzie albo kogoś wyśle. Jestem z Zosią. Karolkowa siedem mieszkania dwanaście. I pogotowie może czy jakieś służby. Bo chyba jednak zwłoki.

– Czekajcie tam i niczego nie ruszajcie – rzucił komisarz do telefonu, wzdychając ciężko.

– Zawracaj i na Karolkową siedem – wydał polecenie Pierzchale. – I śpiesz się!

– I tyle mojej siłowni. Ciekawe, gdzie ten patrol się zawieruszył? – wymamrotał po chwili, czekając na zgłoszenie się Pyzatki.

17:55

31. Czuwanie przy nieżywej Ukraince było zajęciem dość wyczerpującym psychicznie, więc Grzegorz postanowił opuścić przedpokój. I tak nic nie pomoże. Wraz z wciąż wczepioną w niego Zosią ruszył w kierunku zamkniętych drzwi do pokoju. Po zrobieniu dwóch kroków poślizgnął się na czymś. Szarpnięcie sprawiło, że dziewczyna syknęła z bólu.

– Sorry – powiedział. – Co to jest?

Spojrzał pod nogi i zobaczył, że nadepnął na długopis.

– Cholera, akurat się nawinął! Bolą cię te żebra?

– Trochę bolą – wymamrotała, schylając się po leżący na gołej podłodze przedmiot.

– Nie ruszaj niczego, ten gliniarz prosił... – powstrzymał ją.

– Dziwne. Głowę bym dała, że jak przyszłam, tego tu nie było. Akurat podłodze się przyjrzałam, bo fajna klepka. Stara i taka duża. Nic tu nie leżało, chyba...

– Hm. To może wypadł temu skurwielowi. – Grzegorz nachylił się i przyjrzał z bliska. – Powiedz to Górzyańskiemu.

W tej samej chwili otworzyły się drzwi i stanął w nich komisarz wraz ze starszym posterunkowym Pierzchałą. A za nimi jeszcze dwóch mundurowych gliniarzy, zaglądając im ciekawie przez ramię. Jeden miał usta umazane keczupem, co Górzyański odnotował w pamięci, ale zmilczał. Na razie.

– To co niby ma mi pani powiedzieć? – zapytał, rozglądając się po przedpokoju i podchodząc do leżącej Swiety. Przyjrzał się jej, przyłożył palce do jej szyi, po czym pokiwał głową.

– Pani nic się nie stało?

– Kopnął mnie, z całej siły.

Zaczęła dość bezładnie opowiadać przebieg zdarzeń, ale Górzyański jej przerwał.

– Zabiorę panią na komendę, tam mi pani wszystko zrelacjonuje. Popracują też z panią specе od portretów pamięciowych. Tylko się tu chwilę rozejrzę.

– Panie komisarzu – odezwał się Dolan. – Chodziło o ten długopis, tu, na podłodze. Zosia twierdzi, że gdy przyszłą, nie było go. Mógł wypaść mordercy z kieszeni przy szarpaninie.

Górzyański nachylił się i przez chusteczkę sięgnął po leżący na podłodze przedmiot. Typowy gadżet reklamowy, z nadrukiem. „Spedycja Pol-Ukra, Lwów–Przemyśl”. I adres internetowy, na który również Grzegorz zwrócił przed chwilą uwagę: www.spedpolukra.eu.

18:05

32. Norbert Zawijka przyciszył telewizor, wziął do ręki komórkę i wybrał numer, z którym łączył się już dzisiaj.

– No i co, czego małczisz? Masz jakieś informacje? Pozamiatałeś? – zapytał obcesowo.

Siedział rozwalony w fotelu, z rozleniwioną miną obserwując gołębia, który nieśpiesznie przechadzał się po parapecie.

W miarę słuchania jednak stopniowo przechodził do pionu. Rysy jego twarzy tężały.

– Czyś ty całkiem zdurniał? – wysyczał w końcu w telefon. – Ty chociaż rozumiesz, co narobiłeś?!

18:30

33. Zocha wzdrygnęła się na widok twarzy bandziora z Karolkowej. Po jakichś dwudziestu minutach składania do kupy różnych nosów, oczu, uszu, włosów i podbródków portret pamięciowy przypominał oryginał niemal jak lustrzane odbicie.

– Jeszcze tylko ten plaster na nosie – powiedziała. – Tak na ukos.

– No to specjalnie dla pani, panno Zosieńko, klejmy plasterek – odpowiedział łysawy spec od portretów.

Po chwili zaprezentował jej dwie czy trzy propozycje. Zosia wybrała właściwą i pokierowała akcją odpowiedniego umieszczania plastra na twarzy widocznej na ekranie wielkiego monitora.

– O, idealnie! – potwierdziła w końcu.

– „I tak się skończyła ta leśna audycja"! – podsumował cytatem robotę pan spec, klikając na „zapisz". – Będziemy z panią w kontakcie, panno Zosieńko – dodał po chwili.

– Ale wie pan, mam problem. Bo pan komisarz zabrał mój stary telefon. Zresztą on i tak już do niczego się nie nadawał. Oddał mi tylko kartę SIM. Podobno technicy ją skopiowali.

Policyjny portrecista przez chwilę przyglądał się z oczywistą sympatią dziewczynie, aż w końcu otworzył szufladę biurka. Pogrzebał w niej chwilę jedną ręką, drugą drapiąc się po nieogolonym, a może już zarośniętym od rana podbródku. Szperając i szurając, wyciągnął rzęchowatą, starą nokię i położył ją na biurku.

– Mam tu dyżurny aparat, mogę go pani pożyczyć. W końcu musimy być jakoś z panią w kontakcie.

Zosia aż podskoczyła z radości, czując przy tym ból żeber ciasno obwiązanych bandażami przez lekarza na pogotowiu, gdzie wcześniej zawieźli ją policjanci. Bez telefonu czuła się osamotniona, odcięta od świata. Aparat, choć zdemolowany nieco, i tak wyglądał o niebo lepiej niż jej wysłużony samsung po przejściach na Karolkowej. Portrecista wsunął do niego kartę i z uśmiechem przesunął nokię po blacie w kierunku dziewczyny. Miała ochotę go uściskać, ale powstrzymała się, dziękując tylko wylewnie. Wsadziła komórkę do kieszeni swetra i wyszła z komendy, na zatłoczoną ulicę. Nie oglądając się, poszła przed siebie, nie myśląc nawet, dokąd i po co.

19:30

34. Górzyański, mimo zmęczenia, od razu zorientował się, że coś jest nie w porządku. Pedro wydawał się najwyraźniej przejęty. Dreptał nieporadnie po korytarzu, niby próbował witać się z komisarzem, ale ciągnęło go

jednocześnie do kuchni. Na jej progu zawracał i znów podchodził do swego pana, jakby próbując zatrzymać go w drzwiach.

– No, co jest, don Pedrito? – Jerzy pochylił się nad psiakiem i podrapał go za uszami. – Jest tam kto? – zawołał w kierunku kuchni. – Co ten pies taki wkurzony? Podobno miał być osowiały.

W kuchni zastał scenę jak z XIX-wiecznego rosyjskiego obrazu: Ala siedziała przy stole z głową na blacie, tłumiąc szloch. Nad nią stała matka, głaszcząc dziewczynkę po włosach i usiłując przytulić. Maciek siedział z ponurą miną obok siostry, zapatrzony w ścianę. No i nieporadnie drepczący Pedro. Najwyraźniej około dziesięciu stopni w rodzinnej skali Richtera.

– Co się dzieje? – odezwał się Górzyański mało oryginalnie.

Kamila spojrzała na niego, próbując przybrać uspokajającą minę.

– Ala jest zdenerwowana. W szkole zdarzyło się coś przykrego... – powiedziała i podeszła do męża, delikatnie wypychając go z kuchni i dając znaki, żeby nic nie mówił.

Zaprowadziła go do sypialni i zamknęła drzwi.

– Wiesz, jaka ona jest wrażliwa... – zaczęła tłumaczyć. – Jakaś banda gówniarzy w szkole dała dzisiaj popis. Zaczęli się drażnić z jednym chłopcem, z tym nowym, Wietnamczykiem. Ala stanęła w jego obronie, więc wzięli się i do niej. Tamtego zostawili, ale przez całą przerwę wyzywali ją od „chińskich dziwek" i „Ali, co lubi żółte ptaszki".

– Uderzył ją ktoś? – zapytał Górzyański, zaciskając pięści.

– Nie, ale napędzili jej strachu. A poza tym upokorzenie... Jak przyszła, zamknęła się w swoim pokoju i przez całe popołudnie w ogóle się nie odzywała. Dopiero teraz się to z niej wylało.

– Czy tam, do kurwy nędzy, nie ma jakichś nauczycieli?! Nikt nie zareagował? – Komisarz zaczął się miotać po szesnastometrowym pokoju.

– Uspokój się. – Żona położyła mu rękę na szyi. – Wszystko się działo na podwórzu, nauczyciele nie widzieli. Pili kawkę w nauczycielskim...

– A koledzy?

– Wszyscy się boją tych łobuzów. No, chodźmy do niej. Tylko bądź delikatny.

– Dobrze, że mówisz, bo już miałem zamiar ją spałować! – Górzyańskiemu zdecydowanie puszczały nerwy.

W kuchni pochylił się nad zapłakaną i zasmarkaną córką. Przytulił ją mocno.

– Mama mi mówiła... Ale i ty wszystko opowiedz.

– Tato, to jest okropne! Ja tam więcej nie pójdę! Nie chcę już... Między tymi bydlakami! – Ala ledwie łapała oddech.

– To musisz się przenieść na Marsa – przerwał ponure milczenie Maciek. – Lepiej już zebrać chłopaków z klubu i spuścić wpierdol tym gnojom. Już z paroma kumplami rozmawiałem. Jutro się wybierzemy.

– Maciek! Nie wyrażaj się! Dzieci, dzieci... – Górzyański usiłował zapanować nad sytuacją. – Musimy się wszyscy opanować i porozmawiać spokojnie.

– Tata ma rację – przytaknęła Kamila. – Alusiu, córeczko, może pójdziesz obmyć twarz. Za piętnaście minut możemy siadać do kolacji, wtedy pogadamy. A wy, panowie, bierzcie się do nakrywania do stołu.

Ala pokiwała głową i podniosła się z krzesła, pociągając nosem. Górzyański objął ją mocno, wycisnął na jej głowie całusa i leciutko popchnął w kierunku łazienki.

Taka z niej słodka dziewczynka, pomyślał.

19:40

35. Czekając na skrzyżowaniu na zielone światło, sięgnęła po komórkę i wystukała numer Mira. Odezwał się po chwili.

– Cześć, tu Sylwia. Słuchaj. – Zaczęła bez wstępów, jednocześnie ostro ruszając, bo właśnie zmieniło się światło. – Przed chwilą byłam na Wspólnej, bo lokatorzy dzwonili, że przyszedł do mnie jakiś urzędowy polecony. Kretyni nie odezwali się wcześniej, a okazało się, że ten list tam leży od tygodnia. No i wyobraź sobie, że to wezwanie na policję! Na jutro rano!

Przerwała, słuchając przez chwilę rozmówcy.

– No tak, na policję, na policję – rzuciła zniecierpliwiona. – Bo tam jestem zameldowana. Nie mam pojęcia – dodała. – Właśnie dlatego dzwonię. Możesz mi coś poradzić?

Znów zamilkła na chwilę.

– No wiem, że o tej porze już się niczego nie dowiem. Żeby jeszcze ci idioci wcześniej dali znać…

Cholera wie, jakieś parkowanie albo ktoś zapisał mój numer samochodu przy okazji jakiegoś wypadku. Pojęcia nie mam! Na Wilczą – odpowiedziała po dłuższej chwili na zadane pytanie. Wreszcie zrezygnowanym tonem powiedziała: – Czyli co, trzeba iść? A dzwonić tam wcześniej i próbować się dowiedzieć? Rozumiem. Nie, nie ma sensu, poradzę sobie. Zadzwonię, jak stamtąd wyjdę. Pa, do jutra.

Rozłączyła się, odłożyła komórkę i wcisnęła guzik odtwarzacza. Po krótkiej fortepianowo-kontrabasowej przygrywce usłyszała czysty i mocny dźwięk trąbki Tomasza Stańki.

20:00

36. Siedzieli wszyscy wokół kuchennego stołu. Pedro zajął swoje ulubione miejsce pod krzesłem Kamili.

– Przestań już strzelać focha. – Maciek usiłował uspokoić siostrę. – Dobrze zrobiłaś, że im nagadałaś. A kolesie zarobili na oklep.

– Maciek, skończ z tym ludowym poczuciem sprawiedliwości – odezwała się Kamila, podsuwając córce miskę z sałatą. – Oklep… Myślisz, że problem zniknie, jak zorganizujesz jakąś bijatykę?

– A co, policja się tym zajmie? – rzucił zaczepnie Maciek, patrząc na ojca.

– To chyba jednak nie jest sprawa dla policji, nie uważasz? – odpowiedział cicho komisarz. – Ale jak zrobicie rozróbę z mordobiciem, to już będzie.

– To co? Nikt nie ma nic do zrobienia?

– Cały czas się zastanawiam, co zrobić. Wybiorę się do szkoły, ale nie jako policjant, tylko jako ojciec.

– Nie, tato, błagam… – rzuciła Ala znad talerza.

– I urządzisz im pogadankę wychowawczą? – zapytał Maciek.

– Szkoła to w ogóle jest miejsce na różne pogadanki, nie sądzisz? – odparł ojciec. – Nie wszystkie są skuteczne i nie wszystkie działają, ale nie są takie głupie. Jak można inaczej uczyć i wychowywać? Trzeba tłumaczyć, dawać przykład i gadać.

– No to Ala dała dziś przykład: obrona pokrzywdzonego. I właśnie widzimy wspaniały efekt. – Maciek teatralnym gestem wskazał skuloną nad talerzem siostrę, tępo gapiącą się w obrus w zielone mazaje.

– Czemu oni się uwzięli na tego biednego Nama? On się stara ze wszystkimi dobrze żyć. – Cichym głosem zapytała sprawczyni zamieszania, wciąż zapatrzona we wzór na obrusie. – Bo Wietnamczyk?

– Wystarczy. Je pałeczkami, ma skośne oczy i śmiesznie mówi po polsku – powiedziała Kamila.

– Akurat po polsku to on więcej czyta niż te tłumoki. I ma świetny język – żachnęła się Ala.

– Jakby nie czytał, toby się naśmiewali, że nie czyta. A jak czyta, to im przeszkadza, że czyta. Inny jest i tyle – podsumował Górzyański. – A na dodatek sam jeden.

– To dlatego można go prześladować? – zapytała ponuro Ala.

– Nie można – odparł Górzyański. – Ale twoi koledzy tego nie wymyślili. Takie bezmyślne bydło zawsze było na świecie. I zawsze będzie.

– Proszę! I kto to mówi!? – Maciek znów naskoczył na ojca. – A co było, jak twoi kumple zastrzelili tego Murzyna na stadionie? On też nic nie zrobił. Tłumaczyłeś wtedy, że to wcale nie dlatego że Murzyn.

– No bo przecież nie dlatego... – zaczął niezbyt pewnie komisarz.

– Może i nie dlatego, ale białego by w takiej sytuacji nie zastrzelili – przerwał mu Maciek. – A jakby nawet, toby tak szybko sprawa nie przyschła. Czy kogoś choćby z pracy wyrzucili? Brak winnych.

– Przecież było postępowanie... – Górzyański przerwał w pół słowa.

Bo i co miał powiedzieć? Sam często bywał świadkiem tych obrzydliwych komentarzy, dowcipów, aforyzmów i przekleństw – także od swoich kolegów. O Żydach rozkradających Polskę, o brudasach zarażających HIV-em, o ruskich dziwkach, o tchórzliwych Pepikach, o złodziejskich Cyganach... Przyzwyczaił się puszczać to mimo uszu. Nie można wszystkich ciągle pouczać, z ludźmi trzeba żyć w zgodzie, powtarzał sobie. Ale irytowało go to niezmiennie. Parę dni temu tapicer, który odwiózł im fotel z warsztatu, powiedział na odchodnym: „No lecę, bo mam w aucie jeszcze różne fanty, a jakiś Cygan się kręci po ulicy. A Cygan, panie, to zawsze złodziejowaty jest". I co on miał teraz powiedzieć swoim dzieciom? Grupa młodych ludzi, pochodzących w większości z inteligenckich domów stolicy, zaatakowała Bogu ducha winnego chłopaczka tylko dlatego, że był z Wietnamu. A kiedy ujęła się za nim koleżanka z klasy, wdeptano ją w trotuar. Jak ma to wyjaśnić Ali? Co jej przekazać?

Co ma powiedzieć, żeby przekrzyczeć kibolstwo, które zalęgło się nie tylko na stadionach, ale dorwało się do telewizji i radia, panoszyło się w gazetach, na forach internetowych, docierało do sal wykładowych, do kościołów, do sejmu? Czego ma nauczyć swoją córkę? Alu, nie broń więcej prześladowanych, bo ktoś ci może zrobić krzywdę? Alu, stawaj zawsze w obronie słabszych, choćby i tobie też ktoś miał spuścić wpierdol?

W kieszeni jego kurtki w przedpokoju zadzwoniła komórka. Pedro ocknął się i potruchtał pod wieszak za swoim panem.

– Górzyański, słucham.

Popatrzył przez chwilę w oczy stojącemu przed nim z zadartą głową psu.

– Macie już jego dane? Gienadij Wołczanow. Wiadomo, gdzie jest? – dopytywał. – Rozumiem. Dobra robota, panowie. No to trzymam kciuki.

– Co się dzieje? – zapytała Kamila, kiedy wrócił do stołu.

– Szukamy jednego sukinsyna. Dzisiaj własnoręcznie zatłukł młodą kobietę. Moi go właśnie zidentyfikowali. Ukrainiec.

Przez następną minutę w kuchni Górzyańskich słychać było jedynie ciche sapanie Pedra.

21:30

37. Po przeżyciach całego dnia, po historii z Zosią i morderstwie na Karolkowej Grzegorz zupełnie nie

miał już ochoty ani na wizytę w Tutto Bene (gdzie i tak nic się nie działo, bo ekipa policyjna ledwie przestała tam węszyć w sprawie Oksany), ani na rozmowę z córką pana Julka. Janeczka mieszkała niedaleko ronda Waszyngtona i na pewno czekała na niego, zawiadomiona przez ojca, a on najchętniej by się wykręcił od tego spotkania. Tak też postanowił zrobić. Zakręcił do pana Juliana i przeprosił, referując w okrojonej wersji wydarzenia. Miał ochotę na drinka, ale nie w pojedynkę. No i był ciekawy, co i jak z Zochą i co właściwie się tam na Karolkowej wydarzyło, bo Górzyański od razu zmonopolizował dziewczynę i Grzegorz niczego właściwie się nie dowiedział. Wyciągnął zatem ponownie komórkę i wybrał numer. Może już ją wypuścili? Zawahał się. Przecież ona chyba nie ma telefonu? Ale że już nacisnął, poczekał chwilkę i – o dziwo – odebrała zaraz po pierwszym dzwonku, aż zachłystując się z radości na dźwięk jego głosu.

– Jak dobrze, że dzwonisz! Bo wiesz, tak bym chciała z kimś pogadać… Mógłbyś?

Mógł. Czemu nie.

Zdecydowali, że spotkają się na placu Wilsona. U Bliklego. Warszawa mocno już opustoszała, więc dojechał na Żoliborz w miarę sprawnie, w ciągu zaledwie kwadransa.

Zosia już była, czekała. Właśnie rozmawiała z kelnerką, chyba składała zamówienie. Dołączył do niej szybko i zamówił kawę, choć o tej godzinie nie był to dobry pomysł. Planował odespać wczorajszą imprezę.

No nic. Najwyżej łyknie jakiegoś procha. Popatrzył w Zosine oczy.

– No, jak tam? Lepiej ci? – zapytał.

– Tak. Troszkę.

– A żebra?

– Jedno pęknięte. Bandaż mi założyli.

– To może powinnaś poleżeć.

– Nie! – wykrzyknęła rozemocjonowana. – Za nic. Muszę się jakoś uspokoić. Wywalę to z siebie.

– Co tam się właściwie stało?

Zosia opowiedziała. O Gali, o Swiecie, o dziecku, którego ponoć nie było. I o mięśniaku.

– Dziecka nie było... – zadumał się Grzegorz. – To chyba niemożliwe – powiedział po chwili. – Ja byłem w mieszkaniu Sani już po zbrodni, Górzyańskiego tam spotkałem. Dużo nie widziałem, bo się na mnie zaraz rzucił, znaczy: przesłuchiwać zaczął. Ale coś tam widziałem. Śpioszki, butelki, jakieś mleko w proszku stało. Tam na pewno było dziecko.

– Byłeś? Jak cię prosiłam? – Rozczuliła się, nie wiedzieć czemu, Zosia.

– Tak. Ale wpadłem prosto na tego glinę, a on od razu zaczął podejrzewać, że jestem w to zamieszany. W sumie to był kiepski pomysł, ta wizyta.

Pokręciła głową znad filiżanki czekolady z chili.

– Nie sądzę, żeby cię na serio podejrzewał. On pewnie tak musi. Każdego.

Grzegorz z powątpiewaniem wzruszył ramionami.

– Czy ja wiem? W to dziecko Sańki usiłował mnie ubrać. Niby, że jak się interesuję, to widać moje.

– Co ty! Sam widzisz, że to bez sensu. Każdy wie, że nie twoje.

Jakiś mężczyzna w białej koszuli tak niefortunnie potknął się o stojący opodal stolik, że aż wpadł na inny, tuż obok. Zaklął szpetnie, do reszty stracił równowagę i wylądował dość miękko na kolanach starszej, niezwykle eleganckiej pani. Poderwał się w panice z tych miękkości, przepraszając z całego serca.

Zosia i Grzegorz popatrzyli po sobie i zachichotali.

W kawiarni było przytulnie i miło, osób niewiele, sączyła się jakaś muzyka, gdzieś dalej, w tle. Grzegorz nagle poczuł, że się rozluźnia, że przechodzą złość i nerwy, które towarzyszyły mu przez ten cały, kompletnie zwariowany dzień. Zapach kusił.

– Nie zjadłabyś jakiegoś ciastka? – zapytał dziewczynę, która podobnie jak on poczuła zbawcze działanie miejsca i wreszcie ciut się odprężyła. Zamówili dwa pączki.

Równocześnie zatopili w nich zęby, pochylając się mocno nad talerzykami, by nie pogubić okruszków. I znów się uśmiechnęli, tym razem oczami. Zosia poczuła, jak mięknie, topnieje. Gdzieś tam, w środku.

Była tu i była z Grzesiem. Ilekroć przechodziła przez plac Wilsona, miała ochotę wpaść do tej kawiarni, ale jakoś nigdy się nie składało. No i dobrze. Teraz już zawsze będzie mogła wspominać, że była tu z nim.

– Jak myślisz, czemu Swieta usiłowała ci wmówić, że dziecka nie było? – zapytał.

– Bo coś z nim zrobiła?

– No właśnie.

– Sprzedała?

– Chociażby.

– Rany, to co teraz? Ona nie żyje.

– Sam nie wiem. Może złapią tego umięśnionego psychola. Jak mu tam?

– Giena...

– No właśnie, złapią tego Gienę, i on powie, co z dzieckiem. Jak go przycisną, to pewnie powie – Grzegorz pokiwał głową, jakby utwierdzając się w tym przekonaniu.

– Biedna Sania! – jęknęła Zosia. – Pomyśl: odzyskuje przytomność, a tu dziecka nie ma. Boże! Jak myślisz, kto to zrobił? Znaczy: strzelał do niej?

– Pojęcia nie mam. Może coś widziała, czego nie powinna? Może komuś była winna jakąś forsę? Nic nie wiesz o tym?

Zosia pokręciła głową.

– Nigdy nie słyszałam, żeby ktoś się upominał. I żeby ona prosiła o jakieś pożyczki.

Zamyślili się oboje. Grzegorz zauważył drobinkę lukru w kąciku Zosinych ust. I nagle poczuł, że miałby ochotę scałować ten okruszek. Zosia była taka... taka... świeża... Jak pączuszek.

Sięgnął do jej ust wyciągniętym palcem.

– Masz tu cukier – powiedział.

Znieruchomiała. Zaskoczona rozchyliła wargi i pozwoliłaby ten lukier usunąć, ale Grzegorza w tej samej chwili przeszył tak silny dreszcz pożądania, że aż go wbiło w krzesło. Spłoszony, szybko cofnął rękę. Błyskawicznie odwrócił się od stolika, szukając wzrokiem kelnerki. Nie chciał, by Zosia wyczytała coś z jego oczu. Dziewczyna siedziała bez ruchu, jak zahipnotyzowany królik.

To było magiczne. Jak on… Ach, Boże! To było nawet bardziej niż wtedy, gdy sobie wyobrażała, że on ją dotyka. Czasami w nocy, zanim zasnęła, myślała o Grzechu i grzechu. Tak. O jego rękach, ramionach, oczach i ustach. Ale, choć fantazjowała na całego, to ten prąd… To było…

Boże, jak by chciała, żeby ten gest trwał i trwał!

Ale Grześ już wołał kelnerkę. Chciał iść. Dla niego to nic nie znaczyło.

Ona chciała zostać. Być tutaj. Z nim. Zawsze.

– Grzesiu, czy ty nie zgodziłbyś się… Czy ty byś mógł, znaczy: ja bym chciała… No, oboje… Boję się, znaczy – wykrztusiła.

Patrzył tymi swoimi niebieskimi oczami, a jej już zupełnie odjęło mowę.

– Zocha, wyduś z siebie, o co chodzi, bo… No, jąkasz się jak potłuczona – powiedział ze śmiechem. Jak to samiec.

Jednak te słowa ciut otrzeźwiły potłuczoną Zośkę, bo wreszcie zebrała się w sobie i spuszczając wzrok na stolik, powiedziała w miarę dorzecznie:

– No, boję się. Czy mogłabym dziś przenocować u ciebie?

15 maja, piątek

8:30

38. Zośka była zimna. Jak zwykle.

Jerzy Górzyański usiadł za biurkiem i spojrzał przez okno. Zawsze 15 maja na imieniny Zofii był albo ziąb, albo lało i wiało, jakby ktoś otworzył przepustnicę w tamie. Dziś za szybą ściana wody zamazywała kontury domów i drzew. Dobiegł od samochodu do drzwi komendy, rozpryskując kałuże, i teraz miał mokre włosy, buty, koszulę oraz, prawdę mówiąc, także gacie. Fantastycznie. Andrzejek Zabiełło wcale nie wyglądał lepiej. Siedział vis-á-vis, a mokry fryz miał przylizany niemal jak sam Rudolf Valentino. Chmiel jeszcze nie dotarł, co było zresztą standardem, bo lubił się kolega spóźniać.

Górzyański wyceniał go na kwadrans, ale rąbnął się, bo Ludek zastukał do drzwi gabinetu szefa dwadzieścia dwie minuty po wyznaczonym terminie operatywki.

– To przez ten deszcz – wyjąkał, zajmując swoje zwykłe miejsce w foteliku między oknem a biurkiem. Ledwie się w nim mieścił.

– Chmiel! Za dużo sobie pozwalasz! To już trzecie spóźnienie z rzędu. Żaden tam deszcz!

– Tak jest, panie komisarzu! – wysapał Ludek, wcale nie przestraszony. – Obiecuję, że to ostatni raz. Sorry.

– Tak. No, dobrze. – Górzyański wlepił oczy w Zabiełłę. – Ty zaczynaj. Co masz?

Andrzej Zabiełło wyprostował się na krześle i utkwił wzrok w pliku papierów leżących tuż przed jego nosem.

– To może sobie zreasumujemy?

– Mów.

– Więc tak. Facet je kolację, potem strzela do kelnerki i się oddala. Ale, co ciekawe, płaci. Strzały są dwa i też ciekawe. Bo według wyrysowanego toru lotu pocisku musiał stać tu. Spójrzcie.

Wszyscy trzej zerknęli na wydruk komputerowy, który Zabiełło przyczepił do tablicy stojącej w rogu pokoju. Czerwony punkt wskazywał miejsce, z którego strzelano. Był to narożnik sali restauracyjnej, pomiędzy drzwiami wyjściowymi a kuchnią.

– No to nie bardzo mu po drodze było od stolika – zauważył Ludek.

– No właśnie. Siedział przecież pod oknem. O tu. Do drzwi szedł po tej prostej. Dlaczego znalazł się w tym narożniku? Ofiara była tu, druga dziewczyna przy barze. Widzicie. Czemu, zamiast stanąć w drzwiach, oddać strzał i zniknąć, wylądował w tym miejscu? To nie gra. Czemu nie zastrzelił wybranej ofiary gdzieś na mieście? W ciemnej uliczce, w drodze do domu?

– No istotnie. Sprawdziłeś na miejscu, jak to wyglądało? – zapytał Górzyański.

– Jasne. Byłem tam i zrobiłem ustawkę. Miałby wygodniej od drzwi.

– Jak rozumiem, strzelał jednak do obu dziewczyn?

– Tak. Trafił Ukrainkę, bo ta druga akurat się wychyliła po sok. Pewnie myślał, że i ją trafił. Chybił o centymetry. Trzy. Tak twierdzi Żadecki, który przygotowywał tę ekspertyzę.

– A czemu dziewczyna się nie zorientowała, że do niej też strzelał?

– A kto to wie? Ją spytaj. Musiała nie skojarzyć świstu pocisku. Była mocno wychylona. Oba strzały nastąpiły jeden po drugim. Facet miał zresztą tłumik.

– Z jakiej broni strzelał?

– Dziewięć milimetrów.

– Do której strzelał najpierw?

– Nie mam pojęcia. Ale wydaje mi się, że pierwszy był do Ukrainki, no bo celniejszy. Zresztą może by ta Zofia, jak jej tam, się zorientowała, usłyszała, gdyby to w jej kierunku padł pierwszy strzał? Ale to tylko moje luźne domysły.

– Okej. To znaczy: tak – rzekł Górzyański i zadzwonił po Pyzatkę. Całkiem zapomniał o kawie.

– Facet nie wiadomo czemu stał w tym miejscu i mógł chcieć zabić zarówno pannę Zosię, jak i pannę Oksanę. Wybraną ofiarę albo obie. Tak czy inaczej nie wiemy, o którą mu naprawdę chodziło, a którą likwidował jako potencjalnego świadka. Tak?

– Na to wychodzi – przytaknął Ludek.

W drzwiach pojawiła się Pyzatka z tacą.

– Kawka dla panów policjantów!

Sprawnie rozstawiła pękate, starannie wybrane przez każdego kubki. Parujący dzbanek znalazł się na biurku obok rozłożonych papierów. Sekretarka, żegnana głośnym „Dziękujemy, Pyzasiu!" Ludka Chmiela, zniknęła za drzwiami, obiecując sobie solennie, że się zemści. Jak jeszcze raz tak do niej powie, to upuści temu Pączusiowi kawę na pączusie. Znaczy: na jaja.

Ludek Chmiel, nieświadomy wściekłości sekretarki szefa, rozmarzył się nieco na jej temat. Ale miała tyłeczek! Kochał takie krągłe pupy. Musi się wreszcie odważyć i zakombinować z nią jakieś bunga-bunga.

Czuł, wyraźnie czuł, że Pyzatka też na niego leci.

– Ludek, a co ty uważasz? – obudził go głos Górzyańskiego.

Biegiem powrócił do przytomności, ale za nic nie mógł wykombinować, co uważa.

– Nie wiem. Jeszcze sobie nie wyrobiłem poglądu – odparł zachowawczo.

– Badania włókien już masz?

– Nie. Laboratorium jeszcze nie skończyło analizy.

– Nic z nich nie wyciągnąłeś? Nie gadaj.

– No nic.

– A co mówią lekarze w szpitalu? O stanie ofiary?

– Nic ciekawego. Słabe rokowania. Ogólnie jest zdrowa, nie w ciąży. Rodziła dwa razy. Cesarka.

– Dwa razy?

– No tak – odparł. – Widać na tej Ukrainie zostawiła dziecko.

– Albo i nie na Ukrainie. Zofia Staszewska zeznała, że denatka Swietłana Szewczyczyna powiedziała jej, że nie ma żadnego dziecka, więc nikim się nie opiekowała. Jednak podczas wizji lokalnej na Jagiellońskiej znaleźliśmy niemowlęce rzeczy. Znaczy: dziecko w mieszkaniu zdecydowanie przebywało. I teraz mamy nową kwestię – co się stało z małą? I kiedy. Ludek, zajmiesz się tym? Tym pierwszym dzieciakiem też. Poproś o informacje Ukraińców. Może coś o niej wiedzą.

– Tak jest, panie komisarzu!

– Nie wygłupiaj się. Teraz tak. Jest druga ofiara. Nasi biegli mieli mało czasu na zebranie śladów. No bo ta ulewa. Ale rozbili namiot nad denatem i pracowali całą noc.

– Wyniki będą później. Andrzej, na razie co wiemy?

– Dwa strzały z odległości kilku kroków, z bardzo bliska. W serce. Ten Rozalski nie miał szans. Śmierć w mgnieniu oka. Nikt nic nie widział, broń była zapewne z tłumikiem. Dziś mieliśmy pytać stałych bywalców parku, no ale ta ulewa. Raczej nie popytamy. Zabezpieczamy dom denata. Pracuje tam cała ekipa. Miał małą kawalerkę na Saskiej. Kupił po rozwodzie, już kilkanaście lat temu. A w niej taki bajzel i syf, że tylko dziada z babą brakuje. Narobią się chłopaki. Zaraz tam jadę, dołączyć do ekipy.

– Dobrze, to już mniej więcej wiemy co i jak. Czy sprawa tej Swietki łączy się z tamtymi? Jak sądzicie? – zapytał Ludek, bezskutecznie próbując nalać sobie kolejny kubek kawy. W dzbanku termicznym nie było już nic. Powytrząsał przez chwilę ostatnie krople i rozczarowany dał sobie spokój.

– Nie wiem – odparł Górzyański. – Na pierwszy rzut oka to ten osiłek po prostu za mocno uderzył. No ale nigdy nie wiadomo. Prowadzimy śledztwa równolegle. Mamy, dzięki fartowi, zidentyfikowanego faceta. Był już raz zatrzymany i po odciskach go namierzono. Zdjęcie już rozesłaliśmy. Może go gdzieś przyskrzynimy. Czas kończyć tę gawędę i do roboty, chłopy...

– Hej! – powiedział Andrzej Zabiełło. Sprawnie zebrał papierzyska do teczki i zniknął, podczas gdy Ludek dopiero gramolił się z fotela. Gdy skończył, zasalutował Górzyańskiemu.

– Niebieskie ptaki do paki! Czołem, Jurek!

9:30

39. Rychu siedział na klozecie. Jak zwykle z rana. I myślał. Była to, bądź co bądź, znakomita sposobność, by pomyśleć. Iwonka była wczoraj słodka i miła. Zrobiła mu kolację, wcale się nie dopominając, żeby to on coś przygotował. Ta jej jajeczniczka była zbyt sucha, ale słowa nie powiedział złego, tylko się zachwycał. A potem... Ach!

Było super. I po co on się martwił tymi kilometrami?

Od razu mu powiedziała, zanim zapytał, że była w warsztacie, bo coś z elektroniką wyskoczyło i liczniki oszalały. No a on, jak głupi cymbał...

Muszę jej wysłać esemesa, pomyślał. Zrobił, co potrzeba, wstał i poszedł do pokoju. Wziął telefon ze stolika i zaczął wystukiwać: „Kocham cię, sroczko", gdy palec mu się omsknął i cholerny esemes sam się skasował. Nienawidził tych popapranych esemesów i wymyślnych komórek. Zadzwonię, pomyślał. Lubił jej głos. Lubił go słuchać.

A ona tam i tak często odbiera telefony.

Iwonka była kosmetyczką i czasami recepcjonistką w saloniku urody Stella na Kruczej. Wykręcił numer komórki żony. „Abonent czasowo niedostępny".

Kurna, czemu ona w ciągu dnia wyłącza telefon? Co to, do jasnej cholery, ma być?

9:30

40. Zosia otworzyła oczy. Leżała przykryta miękkim pledem. Na kanapie. Rozejrzała się, na wpół senna, i nagle podskoczyło jej serce. Była u Grzecha! A niech to!

Wczoraj wprosiła się do niego na noc, a on bez problemu zabrał ją do siebie. Świetnie mieszkał. Musiał chyba mieć jakiegoś projektanta, bo wszystko było po prostu super!

U nich, w Koszęcinie, nikt nie miał takiego mieszkania. W Warszawie pewnie się zdarzało, ale ona w takim apartamencie (bo tak, to był apartament!) nigdy nie była.

Full wypas. Łazienka w szarościach, a jedna ściana na przecierane złoto pomalowana. Pięknie. Tak pięknie, że aż zatykało.

Umywalka owalna, na takim drewnianym blacie. Z drzewa egzotycznego, powiedział Grzech. A kuchnia, znów się pochwalił, z przebielanego dębu. Nigdy takiej nie widziała. A ta kanapa? Biała, szeroka, skórzana. Obok stała druga, podobna, tylko mniejsza. I czadowy różowy fotel. Z czegoś w rodzaju błyszczącego miśka. Skąd on miał na to kasę? Choć zarabiał świetnie.

Ale żeby aż tak?

9:30

41. Giena Wołczanow chrapał głośno. Lubił się wysypiać. Słońce zaglądało do małego pokoiku na strychu domu położonego tuż przy lesie, ale on tylko się odwrócił na drugi bok i spał smacznie dalej. Nigdzie się przecież nie śpieszył i mógł się pobyczyć. Na parterze Zoja lakierowała paznokcie i planowała, gdzie wyskoczą wieczorem. Może do Siem Parasiat na Bandery, naprzeciwko kościoła Marii Magdaleny? Lubiła tę knajpę. A i świeczkę zapalić, że Giena szczęśliwie wrócił do domu, niedaleko…

9:45

42. Dzień zaczął się niezbyt ciekawie. Za oknem lało jak z cebra. Przy wyjmowaniu naczyń ze zmywarki upuścił swoją ulubioną, wielką filiżankę na podłogę.

Rozpadła się na sto kawałków i taki był jej koniec. Popsuło mu to humor do reszty, w końcu był do niej przywiązany. Od lat zaczynał dzień kawą z mlekiem pitą z tego właśnie naczynia. A tu taki niefart.

Postawił kafetierę na krążku płyty grzewczej i zajrzał do Zosi, która spała za załomkiem ściany. Huk tłuczonej filiżanki zapewne obudził ją dość radykalnie.

Zajrzał, ale nikogo nie było. Zosia zniknęła.

9:50

43. – Funiu – powiedział Egon, podnosząc do ust filiżankę z kawą. – Czy nie czas jechać? Nie wyrzucam cię, ale mam multum spraw do załatwienia. Muszę polecieć do Zurychu spotkać się z Altengruberem, potem Wiedeń, a na końcu myślałem zajrzeć do Lwowa. A ty powinnaś wrócić do Warszawy i popilnować trochę naszego biznesu.

Lija Agacka ze smutkiem spojrzała na palmę znajdującą się o dwa kroki od okna, na błękit morza i czerń nadmorskich skałek, widoczną z ich domu na Pantellerii, małej wysepce na Morzu Śródziemnym, między Sycylią a Tunezją. Nie chciało jej się stąd ruszać. Ale musiała. Pod jej nieobecność Norbert zawsze robi jakieś głupstwa. Zresztą trochę się za nim stęskniła, choć przez te ostatnie dni nie odbierała od niego telefonów.

Nachyliła się i pocałowała Egona w ucho.

– Masz rację, kochanie. Czas do domu…

9:50

44. Zosia, zawinięta w wielki, biały ręcznik, z mokrymi włosami, stanęła w drzwiach łazienki akurat w momencie, gdy Grzegorz poczuł dławiący strach, że jej nie obronił. Że stało się coś złego.

– Hej – powiedziała ciut nieśmiało, jakby wystraszona, że ją złapał w dezabilu. – Zapomniałam wziąć z torby szczotkę do włosów.

Jakoś tak boczkiem przemknęła do kanapy i sięgnęła do przepastnej torebki. Gdy się nachyliła, zobaczył napięte mięśnie długiego uda i aż zaparło mu dech w piersi. Odwrócił wzrok, a właściwie chciał odwrócić, ale jakoś nie mógł. Stał tak i się gapił, aż ona się wyprostowała i pochwyciła jego wzrok. Zmieszali się oboje. Grzegorz cofnął się o krok.

– Pijesz rano kawę czy herbatę? Właśnie robię... – zapytał lekko. Najlżejszym tonem, na jaki potrafił się zdobyć.

– Wolę herbatę – odparła, stojąc wciąż w tym samym miejscu ze szczotką w ręku.

– To skończ te ablucje, a ja zrobię śniadanie. Tosty mogą być?

– Cudnie! – wykrzyknęła i odwróciła się na pięcie. Pomaszerowała do łazienki. Lekko opadający ręcznik pozwalał dojrzeć atrakcyjne partie pleców i całkiem przyjemny wzgórek poniżej.

Grzegorzowi zrobiło się gorąco. Zapomniał o zbitej filiżance. Zanosiło się na całkiem udany dzień.

Pół godziny później oboje siedzieli przy barku w kuchni. Jedli i pili w najlepsze. I gadali.

Oczywiście o zbrodni.

– To o której masz być na komendzie?

– O dwunastej.

– Zawiozę cię. Strasznie leje.

– Dzięki, super. Masz jakiś pomysł, kto to zrobił? – zapytała po chwili.

– Nie wiem – zamyślił się, słodząc kawę powoli i z rozwagą. – Sania... Ona miała romans z Norbertem. Kiedyś widziałem... – zamilkł.

– Tak. – Skinęła głową Zosia. Jej grzywka, jak zwykle, spadła na oczy. – Też kiedyś widziałam ich razem obściskujących się na ulicy, tuż za Tutto. Myślisz, że to powód? Że to on? Jakieś miłosne problemy?

– No nie. Chociaż może. Ale ona miała też coś wspólnego z Ryśkiem.

– Z Ryśkiem? Nic nie zauważyłam. Już raczej bym podejrzewała, że z Heniem. To on ją ciągle poklepywał i zaczepiał.

– Henio to taki pies, co dużo szczeka, a mało... – Grzegorz znacząco zawiesił głos.

Zosia zagapiła się na niego, niespecjalnie rozumiejąc.

– No Heniek kiedyś po pijaku mi wyznał, że on już w tych sprawach słabiutko. Jak się wyraził: wtryskarka nie działa.

– To mówisz, że Oksana romansowała z dwoma naraz? No, no. Ja zauważyłam tylko tego Norberta.

– A ja widziałem raz, jak się kotłowała w pakamerze z Norbertem, a kilka dni później z Rychem obłapiała na podwórku, jak poszli na papierosa. Widziałem też, że się z nim strasznie kłóciła.

– Z Norbertem?

– Nie, z Rychem. Coś krzyczeli, ale wyszedłem. Mało mnie takie historie interesują.

– Popatrz. A ja nic nie zauważyłam.

– Boś młoda. A to jej dziecko czyje? Wiesz może?

– Mówiła, że takiego jednego Ukraińca.

– Tego, co u nas bywał? Wieni?

– Tak mówiła. I że on chciał, żeby się pozbyła, ale ona nie chciała, więc sobie poszedł.

– A! Czekaj. – Grzegorz usiłował się skupić. – Wiesz, jak sobie policzyłem, to ona zaszła mniej więcej w tym samym czasie, co ją z Norbertem zastałem na podłodze.

– Eee... – zacukała się Zosia. – To może ona...

– ...sama nie wiedziała, czyje to dziecko – dokończył.

10:00

45. – Mam tu wezwanie na dzisiaj, na dziesiątą. O co chodzi? – Sylwia Ryng położyła wyjęty z torebki świstek na balustradzie, tuż przed nosem starszego posterunkowego. Czubek lekko łysawej głowy wystawał zza eleganckiej recepcji komendy rejonowej na Wilczej. Po chwili tuż obok głowy pojawiła się łapa. Ciut zarośnięta. I wzięła karteluszek. Gdzieś z dołu po drugiej stronie doleciało Sylwię bardzo urzędowe:

– Dowód osobisty poproszę.

– Ale może mi pan powiedzieć, o co chodzi? – zapytała.

– Poproszę dowód.

Posterunkowy Kamiński nie zmieniał łatwo pasa ruchu. Nawet dla tak atrakcyjnej, długowłosej blondynki.

– Wszystkiego się pani dowie od oficera. Pokój dwadzieścia osiem, pierwsze piętro, schody na końcu tego korytarza – ogłosił po dłuższej chwili, oddając dowód wraz z wypisaną przepustką i wciskając guzik zwalniający drzwi prowadzące w głąb budynku.

Dziesięć minut później istotnie się dowiedziała. Wcześniej pomogła panu oficerowi uporać się z wszelkimi możliwymi wątpliwościami dotyczącymi jej personaliów. Potem pan oficer zaczął coś mówić o postanowieniu w sprawie postawienia zarzutów i pokazał jej pismo prokuratorskie. Potem jeszcze wysłuchała krótkiego pouczenia o prawach podejrzanego. A kiedy już całkiem huczało jej w głowie, dowiedziała się:

– Krótko mówiąc: według informacji otrzymanych od policji niemieckiej, 10 kwietnia bieżącego roku w miejscowości Simmershausen w okolicach Kassel, w Republice Federalnej Niemiec, wypożyczyła pani na tydzień samochód osobowy marki Audi, model S5 Coupé z dodatkowym wyposażeniem, i do dziś go pani nie oddała ani nie skontaktowała się z wypożyczalnią. W związku z tym jest pani podejrzana o bezprawne przywłaszczenie auta, którego wartość rynkowa w Polsce wynosi ponad ćwierć miliona złotych. Co pani ma do powiedzenia w tej sprawie?

Sylwia przez dłuższą chwilę wpatrywała się w twarz policjanta szeroko otwartymi oczami.

– Czy pan... Czy pan zwariował? – wycedziła.

– Proszę pani, jest pani podejrzana o przestępstwo. Proszę nie pogarszać swojej sytuacji.

– Proszę pana – odpowiedziała Sylwia przez zaciśnięte zęby. – Ja nigdy w życiu nie byłam ani w Kassel, ani w jego okolicach. W Niemczech byłam raz. W Berlinie na Love Parade, jakieś siedem lat temu. Nigdy nie korzystałam z żadnej wypożyczalni samochodów. Nigdzie na świecie. I nigdy nawet nie siedziałam w audi. Jeżdżę oplem. Wystarczy panu?

– Niestety, nie. Dokumenty mówią zupełnie coś innego.

10:05

46. Górzyańskiego zdziwiła informacja od Bundespolizei w sprawie Funi i jej wycieczki na Kretę. Według mejla przysłanego przez Niemców nie udało się znaleźć Lii Agackiej na liście klientów żadnego biura podróży, nic również nie było wiadomo na temat przekroczenia przez nią niemieckiej granicy. Zakładano, że Funia z jakichś powodów podała fałszywe nazwisko, ale wśród kilkunastu zidentyfikowanych polsko-niemieckich par, które wykupiły w ostatnim czasie wycieczki na Kretę w niemieckich biurach podróży, nikt nie pasował do istniejących danych na temat właścicielki Tutto Bene i jej biznesowego partnera (czy też amanta). Albo nie zgadzał się wiek, albo terminy.

Gdzie ona tak naprawdę jest? Podała pracownikom nieprawdziwe miejsce wyjazdu, czy Niemcy zwyczajnie nie potrafią jej na tej Krecie znaleźć? – zadawał sobie pytania komisarz, od chwili gdy Ludek Chmiel przetłumaczył mu zawartość niemieckiego raportu.

Kolejna tajemnica w sprawie. Także i w Polsce nie udało się znaleźć zbyt wielu danych na temat Agackiej. Pochodziła z Nowego Warpna nad Zalewem Szczecińskim. Niewiele tam pozostało po niej śladów. Rodzice nie żyją, rodzeństwa brak. Naprawdę ma na imię Leokadia, Lija to przeróbka. W Warszawie zamieszkała kilkanaście lat temu, już jako trzydziestolatka. A w każdym razie zaczęła się wówczas rozliczać w stolicy z urzędem skarbowym. Tutto Bene, otwarte na początku XXI wieku, to jej pierwszy stały warszawski biznes, przynajmniej oficjalny. I od razu sukces. Personel cynkował o nieustabilizowanym życiu romansowym szefowej, ale konkretów nie było. Albo nie chciano mówić. Dawniej mieszkała w bloku na Gocławiu, kilka lat temu przeniosła się do willi na Saskiej Kępie. Dość blisko knajpy. No i właściwie tyle.

Coś szybko do tej willi doszła. Właściwie, jak jej się to udało, zamyślił się Górzyański.

11:00

47. Zosia wyszła z bramy na chwilę przed Grześkiem, który w ostatniej chwili cofnął się do mieszkania, mówiąc, że zapomniał jakichś papierów. Ponoć dla córki sąsiada.

Też wymyślił. Chyba coś ściemnia, przyszło jej do głowy. Może nie chce, żeby sąsiedzi widzieli, jak wychodzimy razem?

W każdym razie powiedziała, lekko spłoszona, że zaczeka przed domem. Zjechała windą na parter, przeszła przez podwórze i otworzyła drzwi na ulicę. Stanęła przed bramą i rozejrzała się dokoła.

Po porannym deszczu ulicę zdobiły rozległe jeziorka kałuż. Psie kupy, walające się na chodniku, rozmoczone reklamy burdeli oraz – choć dopiero maj – żółknące, nadżarte przez szrotówka liście kasztanowca nie dały rady uśmiercić urody ulubionej pory roku Zosi, kiedy wiosna powoli przechodzi w pełnię lata. Podeszczowa zieleń trawy i krzewów, śpiew ptaków, niezbyt już śpieszne o tej porze życie bocznej mokotowskiej uliczki... Dziewczyna poszła wolnym krokiem w stronę, gdzie zaparkowali wczoraj beżowego nissana. Czuła się jak po pysznym obiedzie. Spędziła noc u Grzecha. Nie z nim, wprawdzie, tylko u niego, ale i tak od wzajemnej bliskości kręciło jej się w głowie. Był taki fajny. Rozmawiali wieczorem w kawiarni i dziś rano przy śniadaniu jak starzy kumple. Tyle ich teraz łączyło. I chyba ją polubił. A może i więcej? Złapała parę razy jego spojrzenia, całkiem niekumplowskie. Gorące.

I wtedy zadzwoniła komórka. Zosia w pierwszej chwili się nie zorientowała; zmyliło ją nieznane brzmienie dzwonka. Przez chwilę do niej nie docierało, że to jej aparat.

– No co? Wysępiłaś telefon na komendzie, a teraz nie odbierasz? – usłyszała za sobą głos rozbawionego

Grzecha, który dochodził właśnie od strony domu. I rzeczywiście niósł pod pachą jakąś kartonową teczuszkę.

Zosia zawstydziła się własnej gapowatości, wyszarpnęła komórkę z kieszeni dżinsów i odebrała, nie patrząc nawet, kto dzwoni.

– Tak... – zaćwierkała.

I zatrzymała się w pół kroku. Telefon parzył jej dłoń i policzek.

– O, Boże! Nie! To znowu ty... – wymamrotała.

Dzwonił Waldek.

– Zosiu, nie rozłączaj się. Nie możesz mnie tak odpychać! Byłem u twojej mamy. Dała mi twój nowy numer. I powiedziała, gdzie pracujesz. Najpierw nie chciała, ale ją ubłagałem. Wypiliśmy herbatę i powiedziałem jej, jak cię...

– Boże! Ja nie chcę z tobą gadać. A matkę zabiję! – wykrzyknęła rozzłoszczona i popatrzyła bezradnie na Grześka, który ze zdumioną miną obserwował zmianę w jej zachowaniu i słuchał nieskładnych słów.

– Proszę cię, Zośka, ja tam byłem, w tej restauracji, a potem pojechałem do twojej mamy. I gadałem z nią. Akurat zadzwoniłaś. Wczoraj. No i ona mi dała ten telefon. Więc wiem, że u ciebie wszystko okej. A w knajpie zamknięte jest... Pogadaj ze mną. Nie mogę żyć bez ciebie! – wykrzyczał łamiącym się głosem.

Waldek! Znów mnie dopadł, jęknęła w duchu.

– Ty... Ty... Boże! Ja nie chcę cię znać – powiedziała zrozpaczona, starając się zapanować nad sobą. – I nie chodź do mojej mamy. Zrozum! Ja nie chcę cię znać! – powtórzyła, skandując. – Ani widzieć.

Z oczami pełnymi łez patrzyła na Grześka i mówiła do telefonu:

– Wszystko znowu mi zepsujesz. Zjeżdżaj stąd! – wrzasnęła i zakończyła połączenie.

– Jezus Maria, kto to był!? – zapytał przerażony Grzegorz.

Zamiast odpowiedzi usłyszał tylko zduszony szloch. Zosia znów przypadła do niego, wtuliła się w koszulę i zaczęła intensywnie pracować nad jej przemoczeniem. Trzęsła się chyba bardziej niż wczoraj na Karolkowej.

– Zochna, powiedzże wreszcie, o co chodzi! – przemówił po dłuższej chwili nieporadnego milczenia, głaszcząc ją po głowie i prowadząc do stojącego jakieś pięć metrów dalej nissana.

Drugi raz w ciągu niecałej doby trzymał ją w objęciach, drugi raz czuł, że powierza mu ona coś strasznie ważnego. Że nagle zwala się na niego ciężar czyichś kłopotów, czyjegoś życia. Ale wcale nie czuł się nim przygnieciony. Drugi raz pomyślał, że chce jej pomóc. I że to fajna dziewczyna.

11:20

48. Górzyański dojechał do szkoły córki i poszukał miejsca do zaparkowania. Wczoraj uradzili, że Ala jednak pójdzie dziś na lekcje. Mało – była to jej własna decyzja. I choć jeszcze po południu stwierdziła kilkakrotnie, że nie chce już nigdy w życiu oglądać swoich dręczycieli, pod koniec wieczoru postanowiła

coś wręcz przeciwnego: a właśnie, że im pokaże! Zgodziła się też w końcu, żeby ojciec porozmawiał z wychowawczynią, wymogła na nim tylko, że nie będzie dopytywał o żadne nazwiska. Maćkowi natomiast rodzice wyperswadowali wypad do szkoły z kolegami z klubu.

– Daję wam dwa dni na wasze gawędy – oświadczył w końcu chłopak, patrząc arogancko na ojca. – Jak nic z tego nie wyjdzie, my się tym zajmiemy. – Odwrócił się na pięcie i wyszedł, zostawiając w przedpokoju z lekka osłupiałych rodziców.

Górzyański wyliczył, że najlepiej będzie dotrzeć do szkoły około wpół do dwunastej. Pojechał własnym samochodem, bo po pierwsze nie chciał się narażać na docinki Maćka na temat wykorzystywania służbowych funduszy do prywatnych celów, a po drugie chciał uniknąć przedstawienia z radiowozem pod szkołą.

Odnalazł pokój nauczycielski i zapytał o panią Solską. Kiedyś poznał ją na jakiejś wywiadówce, ale nie bardzo pamiętał wygląd. Musiał poczekać parę minut na przerwę, a że nie chciał tkwić jak kołek wśród nieznanych mu osób, wyszedł na korytarz i stanął przy oknie.

Po chwili rozległ się dzwonek i z klas wysypała się rozkrzyczana młodzież. Przyglądał się tym dzieciakom i kompletnie nie potrafił odgadnąć, którzy to występowali dzień wcześniej, w tej samej szkolnej scenerii, w rolach dręczycieli jego córki i Wietnamczyka.

Zresztą policyjne doświadczenie nauczyło go w tym względzie pokory. Po pierwsze nawet w znacznie poważniejszych przypadkach przestępca nie wygląda na przestępcę, po drugie chyba nikt, nawet najgorszy zbrodniarz, nie jest przestępcą zawsze. Na ogół przestępcą się bywa: czasami, rzadko, raz albo dwa razy w życiu. Albo trzy. Między innymi czynnościami normalnej egzystencji.

Mój Boże, przecież to nie są przestępcy! – przywołał się do porządku. Tu jednak trzeba kliknąć na tryb „człowiek", a nie „policjant". Komisarz miał nadzieję, że nie wpadnie na niego Ala. Nie bardzo miał ochotę – akurat dziś, i to w trybie „człowiek" – patrzeć, jak córka radzi sobie wśród rówieśników.

Zaczęli się schodzić nauczyciele. Górzyański wypatrzył wśród nich niewysoką, tlenioną blondynkę, którą wytypował na wychowawczynię Ali. Podszedł bliżej.

– Przepraszam, pani Solska?

– Tak, słucham pana.

– Jerzy Górzyański. Jestem ojcem Ali Górzyańskiej, z trzeciej „a".

– A, Ali... Dzień dobry. Czym mogę służyć?

– Chciałem porozmawiać o wczorajszych wydarzeniach. Ala ciężko to przeżywa.

– Wczorajszych? – W głosie Solskiej zabrzmiało zdziwienie. – A co się wczoraj wydarzyło?

Górzyański spodziewał się kilku możliwych reakcji, ale akurat nie tej. Albo kobieta o niczym nie wie, albo udaje.

– To pani nic nie wie? O chłopcu z Wietnamu i o dręczeniu mojej córki?

Zrelacjonował w kilku zdaniach to, co tak długo opowiadała Ala.

– Rozumie pani chyba, przez co ona przeszła. Pani naprawdę o tym nie wiedziała?

– Proszę pana. – Tym razem głos blondynki był znudzony. – Czy pan myśli, że wiemy o każdym przypadku dokuczania albo o tym, że ktoś komuś coś powie? Przecież nie mamy takich możliwości. A poza tym, nie można we wszystko ingerować. Ala pewnie miała zły humor i wszystko wyolbrzymiła. A może ma kłopoty w domu?

Górzyański naprawdę nie spodziewał się takiego obrotu sprawy.

– Proszę pani. Ani ja nie jestem idiotą, ani moja córka nie postradała zmysłów. I nie ma szczególnych kłopotów w domu. Za to wy macie kłopot. W waszej szkole zdarzył się obrzydliwy przypadek zbiorowej agresji grupy uczniów skierowanej przeciwko koledze i koleżance. Nie pobito ich, ale dręczono dość okrutnie. Ta młodzież jest powierzona pani opiece, pani za nich odpowiada. I nie chce pani przyjąć do wiadomości, że wydarzyło się coś złego.

Narastające oburzenie w głosie komisarza musiało wywrzeć wpływ na jego rozmówczynię, bo pani Solska złagodziła nieco stanowisko.

– No dobrze. Spróbujemy ustalić, kto brał w tym udział. Będę musiała porozmawiać z Alą.

– Proszę pani, ja jestem policjantem i moja praca polega właściwie wyłącznie na tym, żeby ustalać, kto w czym brał udział. Ale tu mamy chyba inną sytuację. To jest szkoła. I tutaj moja córka nie powinna czuć się osamotniona i zdana na łaskę łobuzów tylko dlatego, że komuś chciała pomóc. A im ktoś powinien wytłumaczyć, dlaczego tak nie można robić, co jest w tym złego. No i żeby ten Wietnamczyk też czuł się tutaj bezpiecznie. To chyba jest najważniejsze, a nie ustalanie winnych.

– Proszę pana, nie mogę nikomu niczego wytłumaczyć, jeśli nie wiem, o kogo chodzi. To chyba oczywiste!

– Nie będę pani podpowiadał, jak to należy załatwić. To pani jest pedagogiem. Co by szkodziło zebrać parę starszych klas i porozmawiać o tym zdarzeniu? O dręczeniu słabszych, o stosunku do innych, o solidarności. Pani zresztą wie lepiej…

– No wie pan, łatwo tak mówić! Ja nie mogę, ot tak sobie, zbierać uczniów, odrywać ich od nauki, zakłócać toku pracy innym kolegom, organizować masówek. To wymaga zgody dyrekcji.

– A tolerować wśród uczniów takie postawy to pani może?! – Górzyański miał już dość pani Solskiej. – Patrzeć, jak porządne dzieci cierpią, a chuligaństwo triumfuje? To nie wymaga zgody dyrekcji? Nie zakłóca pani toku pracy?! Pani nie czuje się winna wobec mojej Ali i tego Nama czy jak mu tam?

Wokół rozmawiającej coraz głośniej pary dorosłych zaczęło się robić cicho. Niewielka grupka uczniów przystanęła w pobliżu i popatrywała na niecodzienną scenkę. Górzyański uświadomił sobie, że zaraz może się tu pojawić jego córka, którą ta sytuacja na pewno kosztowałaby znów dużo nerwów i upokorzenia. Opanował się.

– Proszę pani – powiedział, już spokojniej. – Wiem, że może być pani zaskoczona. My się tym gryźliśmy wczoraj przez całe popołudnie. Pozostawiam to pani pedagogicznemu sumieniu. Pani będzie wiedziała najlepiej, co zrobić. Ja chyba już sobie pójdę.

– Do widzenia. – Solska wyciągnęła rękę. – Wie pan, nie jest nam tu łatwo, z tym wszystkim. – Dodała, trochę już bardziej ludzkim tonem. – Ale ja pana rozumiem, ma pan rację. Coś trzeba zrobić. Porozmawiam z Alą, dyskretnie i po przyjacielsku.

Górzyański pokiwał głową; wymienili z wychowawczynią uścisk dłoni. Po chwili komisarz wychodził ze szkoły odprowadzany zaciekawionymi spojrzeniami młodych ludzi.

I co ja powiem Maćkowi, jak mnie zapyta o rezultat moich gawęd, pomyślał, przekraczając próg.

11:35

49. Skoro wakacje dobiegały końca, trzeba było na nowo wciągnąć się w codzienność. Koniec z nieodebranymi połączeniami i z embargiem na esemesy.

To był udany tydzień, pomyślała Funia i uśmiechnęła się z satysfakcją. Egon jadł jej z ręki. Niedawne obawy, że traci do niej cierpliwość i podryfuje w kierunku innych lądów – spraw, biznesów, pań – przez te kilka dni i nocy rozwiały się całkowicie. Wiedział doskonale, co dla niego zrobiła (wyobraziła sobie w tym momencie grymas Norberta i jego słowa: „Funiu, chyba zrobiliŚMY!"). Jej część przedsięwzięcia to wciąż jednak była perła w koronie (Norbert: „Funiu, chyba NASZA część!"). A jeśli chodzi o inne panie…

Wystarczyło wspomnienie kilku obrazków z kończącego się tygodnia na Pantellerii, by Funia – zamiast martwić się czymkolwiek – przymrużyła oczy. Jej twarz nabrała wyrazu sytości i zadowolenia z siebie (w tej akurat chwili wolała nie wyobrażać sobie reakcji Norberta).

Norbert. To chyba dobry moment. Była już spakowana i czekała na taksówkę, która miała ją zawieźć do portu, a stamtąd jacht z Lonią w roli kapitana zabrać ją w krótki rejs do Palermo. Wyjęła z torebki komórkę.

Odebrał prawie natychmiast.

– *Buongiorno*, Norbiś, tu twoja szefowa – powiedziała. Płytę z nagraniem tych słów powinno się zdeponować w siedzibie Międzynarodowego Biura Miar i Wag w Sèvres pod Paryżem, w szafce z napisem: „Głos pewnej siebie kobiety". – Co słychać w mojej knajpie? *Tutto bene*?

11:40

50. Siedzieli w beżowym nissanie już od paru minut. Grzegorz otworzył okna, żeby się nie podusili, i wyjął ze schowka paczkę jednorazowych chusteczek. Podawał Zosi kolejne płatki ligniny, w miarę jak je zużywała; tempo miała spore. Próbował ją uspokoić, a jednocześnie starał się złożyć przerywane szlochem zdania w jakąś logiczną opowieść.

Niedawny rozmówca Zosi, Waldek, był jej pierwszym chłopakiem, jeszcze z Koszęcina. Znali się od dziecka, mieszkali niedaleko siebie i chodzili do tej samej podstawówki. Po jej skończeniu żadne z nich nie miało zbyt wielkiego wyboru w kwestii dalszej nauki: dla kolejnych roczników młodziaków z okolicznych wsi i miasteczek tradycyjnym fundamentem, na którym wznosić się miały ich zawrotne kariery życiowe, była edukacja w pobliskim Lublińcu – powiatowej metropolii. Zosia wybrała technikum gastronomiczne, Waldek wylądował w tym samym zespole szkół. Też w gastronomiku, ale w innej klasie, o specjalizacji cukierniczej. Czternaście kilometrów między Koszęcinem a Lublińcem często pokonywali w tym samym pekaesie. Często też razem wracali do domu. Z tego wspólnego jeżdżenia zrobiło się w pewnej chwili – jak to między młodymi – wspólne chodzenie. Waldek bywał u Zosi w domu, jej matka go polubiła, chociaż pilnowała, rzecz jasna, żeby sprawy zbyt wcześnie nie zaszły za daleko. Nie upilnowała. Szkolna dyskoteka na zakończenie przedostatniego roku nauki, wspólny eksperyment z tanim winem, wspólny powrót po nocy do Koszęcina... Łąka nad miejscowym stawem nie po raz pierwszy stała się areną młodzieńczych premier erotycznych.

Waldka wzięło na dobre, Zosia natomiast podchodziła do tego związku raczej sceptycznie i na chłodno. W wakacje większość czasu wolnego od domowych zajęć spędzili razem. Waldek był zazdrosny o każdą chwilę, którą jego dziewczyna wolała poświęcić na leżenie z książką na kocu albo wygłupy z koleżankami niż na wysłuchiwanie jego miłosnych westchnień. Robił awantury, obrażał się o brak bliskości, choćby przez minutę. Zosi zaczęło to w końcu ciążyć, zresztą i tak nigdy nie była w nim mocno zakochana. Pod koniec wakacji zdecydowała o zerwaniu z coraz bardziej namolnym amantem.

Powiedziała mu o tym, a on wpadł w rozpacz. Szalał, płakał, zapowiadał samobójstwo, zaklinał, obiecywał złote góry i świetlaną przyszłość, a chwilę potem straszył bliżej nieokreślonym „doigraniem się" bądź „wypierdoleniem w kosmos". Zosi zrobiło się go żal. Dla świętego spokoju zgodziła się na ciąg dalszy, ale świętego spokoju nie osiągnęła. Chłopak coraz bardziej przygniatał ją rozmaitymi żądaniami, zazdrością, gwałtownymi emocjami; na jej szyi coraz mocniej zaciskała się obręcz. Więc Zosia się buntowała. A on rozpaczał, zapowiadał samobójstwo, obiecywał, groził.

Siedziała na tej huśtawce przez cały ostatni rok technikum, aż dostała mdłości. Przed maturą atmosfera stała się nie do wytrzymania. Waldek chyba przeczuwał, że nieuchronnie nadchodzące rozstanie z Lublińcem w naturalny sposób położy kres związkowi. Więc mu się jeszcze pogorszyło. Nie pozwalał Zosi oddalać się nawet o krok, choćby na minutę. Chciał o niej wiedzieć wszystko, kontrolować totalnie. Koleżanki namawiały ją do buntu, aż w końcu machnęły ręką, uznawszy za kompletną idiotkę. Właściwie przestała prowadzić jakiekolwiek życie, poza tym z Waldkiem. Nie miała nikogo, nie było się kogo poradzić, komu wyżalić. Jej matka czuła do Waldka dziwną słabość („Zagadać, zagada, nigdy wypity nie przychodzi, o urodzinach pamięta") i zwykle brała jego stronę. W końcu Zosia nawet uczyć się nie mogła i przez maturę ledwie się przeczołgała. Waldek egzamin zawalił.

Na tym mniej więcej etapie opowieści Grzegorzowi skończyły się zasoby pozwalające osuszać Zosine nos i oczy. Musiał sięgnąć do ostatnich rezerw: z kieszeni dżinsów wyciągnął pomięte opakowanie z dwiema czy trzema chusteczkami, które tkwiły tam od dość dawna i zdecydowanie przestały już wyglądać jak coś, co można zaproponować damie. Na szczęście opowieść Zosi była już spokojniejsza, a dziewczyna wyraźnie przestawała szlochać. Grzegorz odzyskał wiarę w zachowanie stanu tapicerki beżowego nissana. Na tych trzech rezerwowych chusteczkach powinni dojechać do mety.

Ostatnie koszęcińskie lato było dla Zosi właściwie ciągłym koszmarem. Z nastolatki, wahającej się, co począć z niefortunnym młodzieńczym związkiem, zmieniła się w osobę ściganą, w uciekinierkę, w tropione zwierzę. Nie miała już wątpliwości, że chce od Waldka uciec. Przestały w niej budzić litość jego groźby samobójcze, wrzaski, ataki histerii, dygot rąk, fantastyczne obietnice, łzy i łamiący się głos. Zaczęła się po prostu bać, tym bardziej że raz ją uderzył. A potem ponownie.

Postanowiła wyjechać do Zabrza. Miała tam jakąś ciotkę nie ciotkę, daleką krewną ojca zmarłego jeszcze w jej podstawówkowych czasach. Mogła się u niej na jakiś czas zatrzymać bez płacenia za mieszkanie. W którejś z zabrzańskich restauracji chciała poszukać swojej szansy na światową karierę szefowej kuchni, a mówiąc bardziej realistycznie – na spokojną wegetację z dala od rozchwianego hormonalnie i emocjonalnie chłopaka. Byłego chłopaka. Inaczej już o nim nie myślała.

Zabrze na początku wydawało się spełniać wszystkie jej oczekiwania. W starym, przedwojennym mieszkaniu ciotki nie ciotki Brygidy, pełnym domowników w nie do końca ustabilizowanej liczbie oraz jeszcze liczniejszych gości, panowała wesoła i swobodna atmosfera. Zosia dostała tam własny pokoik i zapewnienie, że nie musi się martwić o pieniądze: „Jak kuzynka będzie już zarabiać, to się dołoży, a jak nie, to trudno". Po mniej więcej dwóch tygodniach całodziennych spacerów z kartonową teczuszką pełną wydrukowanych CV i listów polecających z koszęcińskiej knajpy Starzyk (w której odbyła uczniowską praktykę) udało jej się znaleźć pracę w przyzwoitej restauracji Śląska Kluska. Nie miała pewności, w jakim stopniu na pozytywną decyzję menedżera lokalu wpłynęło jej dość cienkie lublinieckie świadectwo maturalne, a w jakiej duże, cielęce oczy i zgrabne nogi, dość, że została przyjęta. Płacono jej regularnie, obiecywano rozwój, awans. A ona uczyła się nowych rzeczy, poznawała nowe technologie. Wreszcie miała ciekawe życie, pełne nadziei. Szczęścia dopełniał pewien młody, ale już ważny informatyk, który najpierw ze trzy razy przyszedł do Kluski w porze lunchu z pobliskiego biurowca dla karbonadli z modrą kapustą, a potem ze trzydzieści razy już głównie dla Zosi, która kiedyś przy nim wychynęła w swoim podkuchennym kubraczku z kuchni na salę restauracyjną.

Świat znowu był piękny i kolorowy.

Aż zjawił się Waldek. I zaczął robić afery.

Naprowadzony przez matkę Zosi na ciotkę nie ciotkę, najpierw narozrabiał w wesołym gniazdku Brygidy („Wiesz, Zosiu, miło nam cię gościć, ale skoro masz takiego krewkiego chłopca... No, może w przyszłym miesiącu byście sobie coś znaleźli?"), potem wypłoszył ze Śląskiej Kluski informatyka („To co, rzuciłaś mnie dla tego ciula i myślisz, że się z tym pogodzę?!"). Wreszcie menedżer restauracji wezwał Zosię na poważną rozmowę.

– Zochna, ja nie wiem, o co to chodzi między wami, ale jak on w porze lunchu wchodzi i woła do gości: „Wszystkich was rozpierdolę, jak się nie odjebiecie od mojej dziewczyny", to my tracimy klientów. A zrobił to już dwa razy. Sama rozumiesz.

I tak w życiu Zosi skończyło się Zabrze, a na jego miejsce wprowadziła się Warszawa. Przeprowadzkowy manewr poprzedzony był zmianą operatora komórkowego (i numeru, rzecz jasna) oraz dwugodzinną rozmową z matką. Na koniec długich wyjaśnień i tłumaczeń Zosia obiecała rodzicielce, że ją najzwyczajniej w świecie udusi, jeśli jeszcze raz, kiedykolwiek, piśnie Waldkowi choć słowo na jej temat.

Po początkowej zmule, trwającej kilka tygodni, Warszawa zaczęła się w końcu okazywać wyzwaniem, z którym można sobie dać radę. Pokój znaleziony na serwisie Gumtree, knajpa Tutto Bene...

– No a w końcu teraz, widzisz, kiedy... kiedy... No, nie wiem, ale znów mam szansę... żeby ułożyć... To właśnie znowu mnie znalazł. I wszystko mi popsuje.

– Zosia dojeżdżała właśnie do granicy wytrzymałości trzeciej, ostatniej chusteczki z żelaznego zapasu Grzegorza. Została już tylko jego koszula.

– Zośka, czego ty się, kurwa, boisz? – odezwał się po raz pierwszy od dwudziestu minut.

11:45

51. Po godzinie i trzech kwadransach przesłuchania oboje chyba czuli, że właściwie kręcą się w koło. Jak udowodnić, że trochę ponad miesiąc temu, czternastego kwietnia, nie było się w Niemczech? To proste: trzeba wykazać, że było się w tym czasie w Polsce. Proste, ale Sylwia tego nie potrafiła. Ani z kalendarzyka, który wertowała nerwowo, ani z zapisków w kalendarzu telefonu komórkowego, ani z rejestru rozmów nie była w stanie wycisnąć rozstrzygającego dowodu, alibi na tamten dzień. Obecność w pracy? No tak, to był oczywiście czas, kiedy zasuwała w domu nad końcówką projektu i w ogóle mało z kim się kontaktowała. Pierwszy raz pożałowała, że nie podbija w agencji karty zegarowej ani nie podpisuje listy. Obejrzała podetknięte jej przez policjanta różne dokumenty. Przez pierwszą godzinę szamotała się, krzyczała, robiła sceny. Potem oklapła. Zrozumiała, że to jest walka na konkrety, a nie na zapewnienia i wymachiwanie rękami. No i szukała teraz tych konkretów. Trochę ponad miesiąc, około pięciu tygodni, jakieś trzydzieści pięć dni... Puzzle na trzydzieści pięć kawałków. Dokładnie na trzydzieści pięć. Trzydzieści

cztery nie wystarczały. Ten jeden, najważniejszy, wciąż nie mógł wskoczyć na miejsce.

– A dlaczego nie ustalicie u mojego operatora, czy byłam wtedy za granicą – przyszło jej do głowy. – Ten... no, roaming, na przykład.

– Proszę pani, mnie interesuje, gdzie była wtedy pani, a nie pani telefon. Jeśli ktoś chce, żeby nie było śladów po takiej wycieczce, zostawia telefon w domu – tłumaczył policjant jak dziecku.

Sylwia była już bardzo zmęczona i otępiała. Od pół godziny dręczyła ją przede wszystkim jedna myśl: czy on każe jej tu zostać na noc? Nie miała przy sobie niczego – szczoteczki do zębów, majtek na zmianę. A na nogach szpilki na budzącym respekt obcasie.

W końcu policjant po drugiej stronie biurka postanowił odnieść się do jej myśli, które, zważywszy na sytuację, nietrudno było odgadnąć.

– No dobrze, dalsza rozmowa na razie chyba nie posunie nas dalej. Niech pani idzie teraz do domu. Zgodnie z postanowieniem prokuratora rejonowego jest pani podejrzana w tej sprawie i toczy się przeciwko pani postępowanie przygotowawcze. O każdym zamiarze wyjazdu z Warszawy na dłużej niż siedem dni musi nas pani informować. Jeśli przypomni pani sobie jakieś fakty, które mogą mieć znaczenie w tej sprawie, albo jakichś świadków, proszę mnie natychmiast zawiadomić. Na pewno będzie pani jeszcze wzywana. Teraz proszę przeczytać i podpisać protokół z pani wyjaśnieniami. I na razie tyle.

– Na razie tyle... – powtórzyła machinalnie. Na razie będę mogła umyć zęby, pomyślała.

11:55

52. – O Boże! – Podskoczyła nagle. – Która jest?

– Dochodzi dwunasta. A co znowu? – Grzegorz był lekko oszołomiony nadmiarem Zosinych sensacji.

– Przecież miałam być piętnaście po na policji! U tego Górzyańskiego.

– O cholera, zapomnieliśmy.

W innych okolicznościach to „śmy" wzbudziłoby w niej euforię, ale teraz Zosia daleka była od jakichkolwiek stanów emocjonalnych powyżej zera. Zapłakana, rozmazana, z piekącą twarzą, przerażonym sercem i głową wypełnioną pewnością, że jej życie legło w gruzach... Waldek ją przecież załatwi! U Grzesia, w pracy, a może i w mieszkaniu. A na dodatek jeszcze to wezwanie na policję. Aresztują ją?

Grzegorz pracowicie wyszukiwał w telefonie numer Górzyańskiego. Po chwili podał Zosi komórkę.

– Powiedz mu, że się spóźnisz kwadrans – wyszeptał.

– Górzyański, słucham – zagadało w słuchawce.

– Dzień dobry, tu Zośka... Zofia Staszewska.

– Dzień dobry. Chyba niebawem się zobaczymy?

– No, ja właśnie w tej sprawie. Bardzo przepraszam, ale mi coś wypadło, coś nagłego. Nie dam rady, znaczy się, spóźnię się... Z piętnaście minut się spóźnię. Zaraz jadę.

– Dobrze, spokojnie, proszę się nie denerwować. Żeby wszyscy byli tacy słowni... Czekam na panią o wpół do pierwszej – powiedział Górzyański, ucieszony w duchu, że to nie on musi przepraszać.

Wracając ze szkoły Ali, oczywiście wpadł w korek, ale na wpół do pierwszej powinien się wyrobić. Poczciwa ta dziewucha…

12:00

53. Ponieważ Iwonka znów dziś wzięła auto, Rychu wybrał się autobusem. Droga z Ursynowa zajęła mu sporo czasu. Wreszcie wysiadł w Alejach Ujazdowskich i przeszedł niewielki odcinek do saloniku Stella na Kruczej. Musiał wyjaśnić sytuację. Być może wyjdzie na durnia, a wytłumaczenie faktu, że Iwona nie odbiera telefonów, okaże się całkiem prozaiczne. Ale musiał pojechać i sprawdzić. Ułożył sobie nawet historyjkę, że niby odwiedzał jakiegoś kumpla pracującego w jednej z licznych knajp na Kruczej, no i przy okazji… I tak na niczym nie potrafił się skupić – ani na telewizji, ani na gazecie, ani na gotowaniu. Wciąż tylko myślał o Iwonie. Robi go w konia czy nie?

W końcu stanął przed drzwiami Stelli i zajrzał przez szybę do środka, wypatrując młodej żony. Nowoczesne i czyste wnętrze wyglądało bardzo elegancko, ale Iwonki jakoś nie dostrzegł. Wszedł do środka.

– Dzień dobry. Czym możemy służyć? – Przywitała go mocno wymalowana dziewczyna, ufarbowana na kruczoczarno, w białym kitlu i obcisłych, też białych, dżinsach.

– Dzień dobry, czy zastałem Iwonkę? Znaczy: Iwonę Ciecierską, znaczy: Gajewską. Pracuje tu…

– Iwonkę? Ma pan pecha, dziś akurat wzięła wolne. Będzie jutro. Ale może ja mogę w czymś pomóc? – Profesjonalnie uprzejmy kruk z Kruczej stał się posłańcem tragicznej wiadomości.

– Wolne... Nie, dziękuję, to nic. Może przyjdę jutro. Albo zadzwonię.

– Jak pan sobie życzy. Przekazać coś jutro Iwonie?

– Nie, dziękuję. Ja sam. Do widzenia.

– Do widzenia. I zapraszamy ponownie – rzucił kruk na pożegnanie, poprawiając natapirowane włosy i błyskając przy okazji białymi tipsami.

12:05

54. Wyglądało to trochę jak slapstickowa komedia puszczona na szybkich obrotach: wypadają z nissana, bieg z powrotem do mieszkania Grzesia (Zosia, trochę przygięta od bolącego żebra, gubi klapek, cofa się), dopadają bramy, domofon – winda – klucze – zamki, ona wpada do łazienki (obmyć twarz, poprawić włosy), on szamocze się z guzikami przy dwóch koszulach (starej i świeżej), wybiegają z mieszkania, zamki – klucze – winda – domofon, bieg do nissana (Zosia, trochę przygięta od bolącego żebra, gubi klapek, cofa się), łapią za klamki, wskakują, Grzechu włącza silnik. Ruszają.

Spojrzeli po sobie, roześmieli się, a Zosia zarejestrowała ten wspólny śmiech jako znak, że mimo wszystko historia pokracznego romansu z Waldkiem nie zdruzgotała całkowicie jej wizerunku w oczach Grześka. A przynajmniej na razie, dopóki koszęciński Jożin z bażin nie rozwinie skrzydeł w stolicy.

– Zosiu, posłuchaj. Ty musisz o tym opowiedzieć na policji. Temu Górzyańskiemu. Po prostu musisz! – zaczął Grzegorz, gdy już trochę odsapnęli.

– No coś ty! Po co? A co to ma wspólnego z tą sprawą? Z Oksaną, ze Swietą? Po co mam to mówić?

– Po co? Po to, żeby się pozbyć tego świra! Żeby przestał się nad tobą znęcać. Stalking. Znasz takie słowo?

– Że jak?

– Stalking. Angielskie. Nękanie, dręczenie, śledzenie, namolne telefony, mejle, esemesy. Na to jest teraz paragraf w kodeksie.

– No coś ty... – Zosia najwyraźniej nie była na bieżąco z najnowszymi europejskimi trendami legislacyjnymi.

– Czytałem o tym w paru reportażach. Faceci po rozstaniu doprowadzali baby do samobójstwa, do różnych katastrof. Zresztą baby facetów też. Ludzie kompletnie niszczą sobie życie, że niby z miłości. A ten twój Waldi... Zupełnie jak wycięty z tych artykułów. To jest przestępstwo.

– Nieraz miałam ochotę go udusić. Jak mi tak szkodził. Jeszcze w szkole albo potem, w Zabrzu. Ale co, mam na policję iść ze skargą? Że były narzeczony namawia mnie, żebym do niego wróciła?

– Zosiu, nie lekceważ tego. Jeśli nie masz na to ochoty, jemu nie wolno cię nękać. Ani telefonami, ani przychodzeniem. Chyba że tę ochotę masz.

– No wiesz! Daj spokój, Grzesiek! To wariat. Nie może sobie dziewczyny znaleźć, to się mnie uczepił – odpowiedziała. Przejmuje się, zarejestrowała mimochodem.

– Wariat, no właśnie. Wariat. Zocha, to nie żarty. Już ci dość nabroił w życiorysie. Któregoś dnia zaczai się na ciebie z nożem albo i strzeli.

Zamilkł. Popatrzył na Zosię, a ona na niego.

Dojeżdżali do komendy.

12:15

55. Norbert obdzwaniał ekipę. Zwoływał personel na popołudnie. Mieli się spotkać w Tutto Bene o szesnastej i omówić otwarcie knajpy po trzydniowej przerwie.

– Koniec laby, wracamy do roboty! – oznajmiał wszystkim po kolei. Tych, z którymi był bliżej, informował, że wreszcie porozumiał się z Funią, że szefowa nic do tej pory nie wiedziała o Oksanie, że jest przerażona i że jutro wraca.

– Tym bardziej musimy się brać do roboty. Byłoby dobrze, żeby jutro, na powrót Funi, wszystko już działało normalnie.

Żadna z osób, do których – jak dotąd – udało mu się dodzwonić, nie odmówiła stawienia się o szesnastej w miejscu pracy.

Norbert czuł, że jest świetnym menedżerem.

12:30

56. Rozmowa z Górzyańskim przebiegała znacznie przyjemniej niż poprzednio. Komisarz zachowywał się grzecznie, wypytywał Zosię o stan żeber, o to, jak spała (dobrze, że nie pytał gdzie...), komplementował ją, że taka dzielna. Pyzatka podała im herbatę (nieufnie popatrując przy tym na zarumienioną pannicę, do której, jej zdaniem, szef zwyczajnie się mizdrzył), bo Górzyański niektóre przesłuchania starał się przeprowadzać w przyjacielskiej atmosferze, a poza tym po długiej eskapadzie do szkoły chciało mu się pić. W końcu wrócił na komendę trzy minuty przed przyjściem Zosi... No i był jeszcze jeden powód: najzwyczajniej polubił tę dziewczynę. Do tego stopnia, że podsuwając jej talerzyk na herbacianego wisielca, przymusił się, by kliknąć na tryb „policjant". To mimo wszystko miało być przesłuchanie, a nie pogawędka.

Jak zwał, tak zwał. I tak dowiedział się niewiele. Zocha powtórzyła – rzetelnie i drobiazgowo – wszystko to, co mówiła już wcześniej. O układach w Tutto Bene (oględnie), o swoich relacjach z Oksaną, o zachowaniu Ukrainki, o dziecku, które raz było, a raz nie. O poszukiwaniu Swiety (Biedna Gala, pomyślała. Ta to się dopiero przestraszy, jak przyjdzie policja!), o scenie w mieszkaniu prokuratora Gruszki, o Mięśniaku (już wiedziała od Górzyańskiego, że ma na imię Gienadij, czyli Giena), o tych strasznych minutach spędzonych obok zabitej Swiety do przyjścia Grzecha.

Komisarz czuł jednak przez skórę, że dziewczynie coś jeszcze leży na wątrobie. Starał się robić wszystko, żeby ją zachęcić do dalszych wynurzeń. Zupełnie nie jak przesłuchujący świadka gliniarz (choć cały czas w trybie „policjant"), do tego stopnia, że Pyzatka, która w pewnej chwili weszła do gabinetu z teczką opatrzoną etykietką: „Do podpisu", po wyjściu pozwoliła sobie westchnąć:

– Zgłupiał chłop.

W którymś momencie Górzyański zaczął nawet opowiadać Zosi o sytuacji w szkole. No i właśnie to podziałało.

– Panie komisarzu, ja bym jeszcze chciała... – Blokada puściła po kilku zdaniach o prześladowaniu wietnamskiego chłopca. No i jeszcze złożona Grzesiowi obietnica... Wraz z kilkoma pierwszymi łzami, zaraz zresztą powstrzymanymi (masz naprzeciwko obcego policjanta, a nie swojskiego Grzecha, więc weź się, dziewczyno, ogarnij!), z Zosi wylała się mocno skrócona wersja opowieści, którą niedawno przećwiczyła w beżowym nissanie.

Górzyański słuchał z rosnącym zainteresowaniem. W pewnym momencie zaczął nawet coś notować na leżącej przed nim kartce. Zadał kilka dodatkowych pytań. Kiedy Zosia doszła do krótkiego opisu szaleństw Waldka w zabrzańskiej Klusce i gróźb miotanych pod jej adresem (i właściwie pod wszelkimi adresami, jakie przyszły mu do głowy), tempo przesuwania długopisem po papierze wzrosło. Widać było, że policjant nie na żarty zaangażował się w opowieść. Gdy w końcu dziewczyna doszła do relacji z porannej rozmowy telefonicznej, przerwał jej w pół zdania.

– Przepraszam panią, proszę tu parę minut posiedzieć. Muszę z kimś porozmawiać. Proszę nie wychodzić – powiedział spokojnie, ale stanowczo. Opuścił pokój, pozostawiając szeroko otwarte drzwi.

Zosia nie była pewna, czy to efekt jej opowieści, ale po chwili uznała całą sytuację za całkiem zabawną: już drugi facet w tym samym dniu tak bardzo przejął się jej koszęcińskimi sprawami. Pozostawiona sama sobie, zaczęła się rozglądać po pokoju.

Górzyański tymczasem wszedł do kanciapy Pyzatki, podszedł do jej biurka i cichym głosem poprosił o szybkie połączenie z Andrzejem Zabiełłą.

– Andriusza? Przynieś mi te swoje wykresy balistyczne. No te, które pokazywałeś rano. Żadeckiego, tak, tak. Już chyba wiem, o co tam chodzi. Pośpiesz się, chłopie. No i Matulaka zawiadom, żeby był gotowy.

12:50

57. Pozostawiwszy Zosię na komendzie, Grzegorz po pierwsze otarł pot z czoła, a po drugie zastanowił się, którędy najlepiej dojechać na Saską Kępę. Już wczoraj przełożył wizytę u córki pana Julka i naprawdę głupio by wyszło, gdyby znów wystawił do wiatru sąsiada i jego latorośl.

Po z górą dwudziestu minutach od rozstania zaparkował w bocznej uliczce odchodzącej od Francuskiej, po czym pomknął w stronę kamienicy, pod którą tak często zostawiał pana Julka po wspólnej jeździe z Mokotowa.

Janeczka okazała się sympatyczną i pogodną kobietą. Była nieco drobniejszą, ale nieporównanie ładniejszą wersją ojca. Grzegorz nie mógł się nadziwić, rozpoznając w zgrabnej rozmówczyni gesty, miny, intonację i nawet powiedzonka sąsiada.

Po wstępnej wymianie uprzejmości zaproponowała przejście na ty, przecież znają się świetnie ze słyszenia. Zgodzili się oboje, że tak będzie prościej, i przystąpili do omawiania spraw związanych z przyjęciem. Grzegorz wyciągnął z kartonowej teczki swoje notatki dotyczące menu oraz listy zakupów i zaczęli je wspólnie przeglądać, dogadując rozmaite szczegóły.

– Nie wiem, jak ci dziękować – powiedziała w pewnej chwili Janeczka. – Sama bym tego nie wymyśliła. Kuchnia nie jest moją mocną stroną.

– Spokojnie. – Machnął ręką Grzegorz. – Żarcie i gotowanie to mój zawód. I lubię to.

– Chciałam ściągnąć tutaj tę dziewczynę, która ma mi pomagać w sobotę, żeby posłuchała twoich wskazówek. Była umówiona już wczoraj, na siódmą, tak jak mówiłeś, ale po szóstej zadzwoniła zdenerwowana, że coś jej nagle wyskoczyło i nie może przyjść. No nic, może po południu wszystko jej przekażę. To Ukrainka, bardzo fajna – dorzuciła Janeczka kolejne wyjaśnienie.

12:50

58. Zakurzony autobus, pamiętający być może Gierka i jego ekipę, podjechał na przystanek w Koszęcinie.

Waldek złapał leżący na ławce plecak i jako jeden z pierwszych pasażerów wsiadł do środka. Zapłacił za bilet i powędrował na tył. Idąc, potknął się o postawiony w przejściu wózek na zakupy Zejdlerowej (babki kolegi jeszcze z podstawówki, Poldka). Zahaczył nogą o kółko i poleciał dwa kroki do przodu, uderzył się w kolano i ledwo ledwo złapał balans. Wkurzony, zaklął szpetnie, odwrócił się i zamierzył, żeby kopnąć wózek. Powstrzymał się w ostatniej chwili.

– Pani uważa z tym wózkiem! Co to jest, pani prywatny autobus? – zapiszczał, trochę bez sensu, a dwie staruszki, zarówno Zejdlerowa, jak i ta, jak jej tam, Nowakowska (też ją znał), aż cofnęły się i jakby zapadły się w sobie. I Bogu dzięki. Waldek usiadł ciężko na miejscu tuż przy tylnych drzwiach i odetchnął głęboko. Co tu kryć, nerwy mu puszczają. Musi zrobić porządek z tą Zochą, bo inaczej się wykończy. Albo wykończy jeszcze parę osób, które mu wpadną w łapy. Westchnął głęboko, zaklął w duchu, splunął pomiędzy siedzenia i popatrzył na Zejdlerową, która wstała i właśnie przestawiała wózek, unikając jego wzroku. Po skurczonych ramionach i nienaturalnym zachowaniu widział, że się go boi.

Staruszce się wydaje, że jak na mnie nie patrzy, to mnie nie ma. A może kuma, że ja jej nie widzę, bo na mnie nie patrzy? Zarechotał. Głupia, stara krowa!

Wsadził łapę do plecaka i wyciągnął puszkę piwa. Odhaczył zamknięcie szerokim gestem i pociągnął spory łyk. Zejdlerowa już zniknęła za oparciem. Tej drugiej, Nowakowskiej, w ogóle nie było widać. Jakby się rozpłynęła w powietrzu.

No, z tą Zejdlerową to może, cholera, trochę głupio pograł. Poldek może mieć pretensje, że nakrzyczał na jego babkę. A Poldek z siłowni nie wychodzi i już mu się nawet udało ze dwa razy siedzieć, za pobicie i włam. Waldek znów upił łyk piwa i podjął decyzję: skończy wreszcie tę całą akcję z Zośką. Musi. Bo traci nerwy i zdrowie.

Dziś zrobię z tym koniec, postanowił solennie. Wyciągnął komórkę i zadzwonił.

12:50

59. Rychu szedł Jerozolimskimi, nie widząc niczego. Potrącał ludzi. Wrzała w nim furia. Ta mała suka grała z nim w gumę, kurna, a on dla niej by wszystko! Gdzie ta szmata się obraca? Jak ją dopadnie, to jej tak dopierdoli, że nie będzie co zbierać. Nie z nim takie numery, nie z nim!

Gdy już ze sobą pogadał jak mężczyzna z mężczyzną, poczuł głód jak cholera.

Coś by wrzucił na ruszt.

Rozejrzał się, już przytomniej, dokoła, i poszukał wzrokiem jakiejś knajpy. Gdzie by tu…? KFC? Może być i KFC. Wszedł do środka i zamówił megakubełek. Usiadł bardzo fajnie, przy stoliku tuż przy oknie, i zaczął szamać skrzydełka. Uwielbiał je. Te skrzydełka. Najlepszy panier na świecie. Bez dwóch zdań. Wolał to od wszelkich wellingtonów i karpacziów. Ta suka, jego żona, nie znała się na jedzeniu. Tylko by żarła sandacze albo coś. Pieprzona snobka. No, kurna, jakie to dobre, pomyślał, sięgając po kolejne skrzydełko. I odepchnął od siebie Iwonę. Nie chciał o niej myśleć, nie teraz. Teraz je. Jak zje, to pomyśli, jak jej dopierdolić. Oj, pomyśli. Mokra plama.

Pyszny ten coleslaw, tylko porcja mikra. Skąpiradła pieprzone! Może jeszcze jeden zamówić?

14:00

60. Przez niewielkie, zakratowane okna do pokoju przedostawało się niedużo światła. Nie było ono zresztą potrzebne, bo wewnątrz paliły się bezcieniowe lampy. Sala nie była wysoka, jak to zwykle w pomieszczeniach położonych poniżej parteru. Jak Amerykanie na to mówią? – doktor Olaf Korzanowski usiłował sobie przypomnieć uciekające słówko. A! *Basement*. No więc prosektorium znajdowało się „w basemencie". Brzmi to bez porównania lepiej niż „w piwnicy", pomyślał.

Panował tu, u niego, na Oczki, zawsze chłód, nawet w upalne lato. Wprawdzie kilka lat temu zamontowano klimatyzację w całym szpitalu, ale akurat w tym miejscu nie była ona szczególnie konieczna. Panował tu, jak mówią, trupi chłód, choć z tym, że trupi, można by polemizować. Według niego był to raczej przyjemny chłodek, zwłaszcza w upały. Doktor Korzanowski uważał, że jest tu u niego całkiem miło. Spokojnie i sterylnie. Zimno, to prawda. Ale on lubił taką temperaturę. No i klienci też lubili... Zakładając lateksowe rękawiczki, myślał, jaką ma świetną robotę. Był w niej, cokolwiek sobie ktoś myślał, pewien rodzaj przygody. Intelektualnej. Wyzwanie, brak monotonii, która, jak wiedział, po kilku latach pracy zaczynała doskwierać jego kolegom ze studiów na internie czy kardiologii. U niego rutyna była rzadkością, Bogu dzięki, niemal każdy przypadek był inny. Ciągłe poszerzanie wiedzy, czytanie naukowych publikacji, a dzięki Internetowi – możliwość oglądania co ciekawszych zarejestrowanych w sieci sekcji. Zresztą i on miał kamerę i nagrywał, gdy trafiło się coś interesującego. Klienci niemarudni, a i zaszkodzić im trudno. Same plusy dodatnie, co tu kryć.

Z niejakim trudem wciągnął rękawiczki.

– To kogo teraz mamy na tapecie, Franuś? – zwrócił się do asystentki.

Frania, która właśnie zakładała na głowę czepek, odrobiła lekcje, jak należało. Popatrzyła na leżącego na stole operacyjnym delikwenta.

– Henryk Rozalski, lat czterdzieści sześć, dwie rany postrzałowe z bliskiej odległości. Jurek Górzyański to prowadzi i prosi o pierwszeństwo.

– A! Jurek. On zawsze chce być pierwszy. A ty ulegasz...

– No nie, ale sam pan wie, że sprawy o morderstwo mają priorytet. Andrzej Zabiełło już ze dwa razy dzwonił z pytaniem.

– Jasne. Jasne. Dzwonił, bo chciał z tobą pogadać – powiedział Korzanowski i wziął do ręki dziesiątkę. Frania spłoniła się lekko, opuściła głowę i sięgnęła po szczypce.

Pierwsze cięcie było precyzyjne. Akurat takie, jak być powinno. Taka sekcja to, niestety, banał, pomyślał Korzanowski z lekkim żalem. Zaraz wyjmie te kulki i niewiele już zostanie do roboty.

Ranę wcześniej opisała Frania. Zrobiła też fotografie, które dołączą do akt.

Banał. Banał.

Ech. Szkoda, że tak rzadko zdarzają się truciciele. To dopiero interesujące przypadki!

Asystentka rozchyliła brzegi, a Korzanowski wprawnym ruchem sięgnął w kierunku serca.

14:00

61. Zosia wyszła z komendy lekko zszokowana. Nagle zaczęło jej wychodzić, że to może Waldek. Ten komisarz wyraźnie uchwycił się tej myśli. Ale czy to możliwe? Opowiedziała wszystko o swoich przebojach z chłopakiem i podała jego dane. Policja miała go, jak powiedział ten gliniarz, prześwietlić.

No, Waldek był szajbus, wyraźnie mu odbiło, ale żeby zaraz strzelać? Do niej? I do Sani? No nie, aż taki wariat z niego nie był. Chyba.

Sięgnęła do kieszeni i wyjęła komórkę, wyłączoną na czas przesłuchania. I zobaczyła, po wklepaniu PIN-u, że Waldek znów do niej dzwonił. Czternaście razy. Cholera! I jeszcze esemes od Norberta: dziś o szesnastej zbiórka w knajpie. Dobrze. Dość już miała tego śledztwa i w ogóle wszystkiego. Chciała normalności. Monotonii, takiej jak przedtem. Zakręciła do Grześka, ale nie odebrał. Zamyślona szła powoli ulicą. Czy to rzeczywiście mógł być Waldek? Skąd by miał broń? Przecież to nie takie łatwe. I czy naprawdę strzeliłby do niej?

Tak bez awantury? Eee, coś jej się nie widziało. Ale wszystko możliwe. Do spotkania w firmie jeszcze dwie godziny. Co by tu robić, zastanawiała się, aż wymyśliła. Pojedzie do Sani, do szpitala. Dawno już powinnam, pomyślała. Tylko jakoś tak wszystko kręciło się migiem. Nawet jeśli Oksana jest nieprzytomna, to może poczuje, że ktoś o niej pamięta. Kiedyś Zosia widziała taki film o śpiączce, na którym obecność bliskich, muzyka, gadanie pomagały. Pojedzie. Teraz zaraz.

Rozejrzała się po ulicy, zlokalizowała przystanek i przyłączyła się do niewielkiej grupki czekających na autobus osób.

Cztery metry od niej przystanął młody mężczyzna w granatowej koszuli, z konduktorką przewieszoną przez ramię. Nie spuszczał z Zosi oczu, schowany za tęgim facetem z gazetą pod pachą.

Miał nadzieję, że go nie zauważy.

14:15

62. Grzegorz siedział w domu i leniwie czytał wiadomości w laptopie. Ciągle się chłopcy naparzają. Euro by się lepiej zajęli. Albo drogami. Ten ich boks zaczynał się robić nudny.

Zbyt dużo rozrywki to też nuda, pomyślał. Kiedyś babcia recytowała mu taki okupacyjny wierszyk: „Po ulicy sobie tuptam, patrzę trup tu, patrzę trup tam”.

No, prorocze. Te Ukrainki, wczoraj i trzy dni temu. Oby to już był koniec. Trup tu, trup tam. Ściele się gęsto. A ja sobie tuptam.

Co za dużo, to niezdrowo. Zośka też już tego chyba nie wytrzymuje. Istna masakra. I ci gliniarze. Wygląda na to, że żadnego pomysłu na śledztwo nie mają.

Ten długopis, wczoraj, na przykład. Górzyański ledwie na niego uwagę zwrócił, a przecież to może być jakiś trop. Wrzucił go, nie przyjrzawszy mu się nawet, do plastikowego woreczka i schował do torby. I pewnie zaraz zapomniał. Grzegorz, nie wiedzieć czemu, przyczepił się do myśli o długopisie. Klasycznym śladzie.

Co tam było napisane? Spedpolukra. Powoli i z namysłem wstukał w okienko przeglądarki: www.spedpolukra.eu. I zaraz mu wyskoczyły na ekranie gigantyczne zielone litery.

Jest! Przyjrzał się uważnie. Żadnych rewelacji. Handel jak handel. Wiodący eksporter.

No tak, każdy tak pisze. W czym oni tak wiodą?

Artykuły spożywcze. O! Kawior mają. I jesiotra.

Muszę powiedzieć Zawijce, pomyślał. Dobry jesiotr nie jest zły, choć raczej słabo się ma do kuchni śródziemnomorskiej. Ale trochę mam już dość tej włoszczyzny. Jak to wszystko się skończy, to może znowu gdzieś powędruję, poszukam innej roboty. Mam dość. I włoszczyzny, i Zawijki. Rosyjska kuchnia też nie jest zła. Taki jesiotr. Albo bliny z kawiorem. Albo warenniki, solianka czy żarkoje, rozmarzył się. Tu stoję w miejscu i się nie rozwijam. Czas chyba na zmiany.

Grzegorz niechętnie powrócił do rzeczywistości i porzucił marzenia o karierze zawodowej. Wziął się do strony Spedpolukry.

Ależ nazwa! Aż zęby bolą. Popatrzmy jeszcze, kto tam pracuje. Nacisnął „Home", a potem „O nas" i ujrzał kilka zdjęć ze święcenia nowej chłodni. Ksiądz proboszcz, jakżeby inaczej, stał pośrodku grupki pracowników i szefostwa. Tuż obok niego Grzegorz zauważył znajomą sylwetkę.

Kto to może być? Pochylił się, a potem kliknął, by powiększyć zdjęcie. Ktoś, kogo zna. Bez dwóch zdań.

Nagły błysk. To chyba ten nowy kiciuś Funi! Tak, niedawno przyprowadziła go do Tutto Bene. No, no. Ciekawe. *Bene*, naprawdę *bene*.

Zerknął na podpis pod zdjęciem.

„Proboszcz Zawichowski z parafii Świętego Antoniego, Egon Schmidtke, współwłaściciel, i jego ukraiński partner Leonid Furmanow".

Brakuje tylko Gieny, pomyślał i zaklął szpetnie.

Gdzie oni siedzą?

Kliknął „Kontakt".

„Przemyśl, ul. Kazimierza Wielkiego 86/1".

Złapał za komórkę i wykręcił numer.

Do komisarza Górzyańskiego.

14:20

63. Tymczasem Jerzy badał dossier niejakiego Waldemara Ryszki, zamieszkałego w Koszęcinie, przy ulicy Jaśminowej sześć. Podesłali mu to koledzy

z tamtejszego posterunku, migiem (nie ma to jak Internet), niemniej jednak w papierach nie było nic interesującego. Raz zatrzymany za rozróbę po pijanemu pod dyskoteką w Lublińcu. No, standard w małych miasteczkach. Górzyański polecił Pyzasi, by wysłała do Koszęcina prośbę o wezwanie Ryszki na przesłuchanie. Najlepiej w poniedziałek. Ludek Chmiel będzie się musiał przejechać. Komisarz prosił też mejlowo o dyskretne wybadanie, co ten cały Walduś Kiepski koszęciński robił wieczorem w dniu zabójstwa i co tam o nim ciekawego mają do powiedzenia znajomi i kolesie.

Może to on jest człowiekiem, którego szukają? Komisarz raz jeszcze zerknął na szkic balistyczny. Wychodziło, że mordercą wcale nie musiał być ten koleś spod okna. Prawdziwy zabójca mógł zjawić się tuż przed jego wyjściem lub tuż po nim. Za jednym otwarciem drzwi. Stanął z boku, może, żeby tamtego przepuścić, i gdy tylko drzwi się zamknęły – strzelił. Pomysł z Waldkiem trzymałby się kupy, gdyby nie śmierć Rozalskiego. To była egzekucja, po prostu. Walduś z Koszęcina, owszem, mógł wparować do knajpy i wygarnąć cały magazynek w byłą dziewczynę, ale tamten koleś załatwiał rzeczy na zimno. Wypalił dwa razy, raz do kelnerki, drugi raz do Staszewskiej – albo w odwrotnej kolejności – co też wyglądało na egzekucję.

A to oznaczało podobieństwo. Oba morderstwa popełnił prawdopodobnie ten sam człowiek. Tak mówiła Górzyańskiemu zarówno intuicja, jak i policyjne doświadczenie, którego zwykł nie lekceważyć.

Mógł postawić dolary przeciwko orzechom, że policyjny profiler, który na jutro ma przygotować swój raport, też zauważy analogię.

Ale może ten cały Waldemar Ryszko to taki właśnie zimny drań? Kto wie? Trzeba mu się uważnie przyjrzeć, ale na razie nie ma go co obsadzać w roli zabójcy. Henryk Rozalski nic mu przecież nie zrobił.

Choć, jeśliby się poszukało, może i znalazłoby się coś, co by połączyło obu panów. Komisarz Górzyański widywał nie takie rzeczy. Scenariusze pisane przez życie bywały często dużo bardziej zaskakujące niż te tworzone przez filmowców. Coś może ten Walduś zobaczył, na przykład wychodzącą z Rozalskim z pracy Zosię, co mu się nie spodobało? Taki wariant wydawał się całkiem możliwy.

Niemniej jednak lepiej nie gdybać, tylko spokojnie czekać i szukać. W końcu coś nam w sieci wpadnie, uspokajał sam siebie. Inna sprawa z tą Swietłaną Szewczyczyną. Dzwoniła do niego. Zatem była jakoś powiązana ze sprawą. Chciała mu o czymś powiedzieć. Ale jej zabójstwo wyglądało raczej na wypadek (powiedzmy: przy pracy). Za mocno koleś uderzył. Tak czy inaczej i ona, i ten Giena mieli z wydarzeniami w Tutto Bene coś wspólnego, więc nie należało lekceważyć żadnego tropu.

Po pierwsze ta Swieta kłamała w sprawie dziecka, a po drugie... Skąd wiedziała, że zostało popełnione przestępstwo?

Skoro dzwoniła, to wiedziała. Skąd? Trzeba ustalić, z kim miała kontakt. Niech nad tym Andrzej popracuje.

Kolejna sprawa. Wołczanow dał nogę za granicę. Ludek już się tego dowiedział. Na Ukrainie trudniej go będzie zdybać, ale nie ma rzeczy niemożliwych. Chmiel właśnie pocił się nad listem gończym dla ukraińskich kolegów.

Prokurator Lisiecki zaraz mu to klepnie. Sprawa jest oczywista. Teraz ten długopis.

Komisarz Górzyański otworzył szufladę w biurku i wyciągnął plastikową torebeczkę. Technicy już zdjęli odciski palców i okazało się, że przedmiot rzeczywiście należał do Gieny Wołczanowa. Spedpolukra. Zobaczmy, co to za firma.

Zaczął właśnie wklepywać w komputer adres rejestru firm, gdy zadzwonił telefon na biurku. Pyzatka zaanonsowała Grzegorza Dolana. Coś koleś mnie polubił, pomyślał Górzyański, ale zgodził się podjąć rozmowę.

14:30

64. Sylwia Ryng siedziała na zgrabnym foteliku w eleganckim biurze mecenasa Mirosława Sobeckiego. Było to jedno z najładniejszych wnętrz, jakie ostatnio widziała w Warszawie. Bardzo elegancka imitacja modernizmu. Połączenie czerni i stali. Gdzieniegdzie akcent bieli. Tuż za jej plecami stała na niewielkim postumencie metalowa rzeźba, przypominająca skręconą tuleję czy ślimaka. Przedmiot efektowny, oryginalny i znakomicie komponujący się z resztą wyposażenia. Zerknęła na nazwisko autora: Horyna,

tytuł: *Lukrecja*. Słyszała o Horynie, nawet ona, ale nazwa Lukrecja nic jej nie mówiła. No, chyba że chodzi o Borgię. Ponownie przyjrzała się rzeźbie. No może... Trudno dojść, co autor miał na myśli, pomyślała i powróciła do lustrowania gabinetu. Jak wiedziała, wystrój zaprojektowała sama Hanna Rychter; Sylwia oglądała już wcześniej fotki jej realizacji w „Interiorze", luksusowym magazynie z najwyższej półki, dla rozpuszczonych snobów.

Mirosław Sobecki, który właśnie pojawił się w drzwiach, niezbyt przystawał do tego wnętrza. W rozchełstanej koszuli z zawilgniętymi pachami, czerwony i spocony, spóźnił się na spotkanie dobre dwa kwadranse. Szczęśliwie sekretarka zaprowadziła ją najpierw do przytulnego saloniku, równie wypasionego jak gabinet, z tym że tam królowała biel w postaci przede wszystkim dwóch lekko kanciastych kanap, a z kolei czerń była zaledwie akcentem. Sylwia napiła się w saloniku kawy, żałując, że nie dają tu jeść, bo głodna była potwornie. Rano nie miała czasu niczego przełknąć, zresztą cały tydzień była jak w gorączce (akurat wykańczali w firmie projekt). A w dodatku dziś, jakby na zwieńczenie tego koszmarnego zapieprzu, przytrafiła jej się sprawa z wypożyczeniem auta i musiała, chcąc nie chcąc, iść na policję. A tam taki bings, że natychmiast zażądała, żeby Miro ją przyjął w trybie pilnym.

Teraz, przeprowadzona już przez recepcjonistkę do gabinetu, patrzyła na Sobeckiego, kompletnie niepasującego do tego jego – jak ona napisała, ta dziennikarka? – interioru. Sylwia nigdy jeszcze nie miała okazji odwiedzić Mirka w biurze, choć byli parą od dwóch miesięcy. No, może „parą" to za dużo powiedziane. Podsypiali ze sobą. Od czasu do czasu. Ani Mirek nie był jedynym jej kochankiem, ani, jak podejrzewała, ona nie była jego jedyną – jak się ongiś mawiało – flamą.

Lubiła takie trochę wyszukane słówka. To akurat oznaczało po francusku i kochankę, i płomień.

Znali się od kilku lat, łączyli ich wspólni znajomi i życie towarzyskie, ale do niedawna nic więcej. No i kiedyś, po ostro zakrapianej imprezie w klubie, wyszli razem i niewiele gadając, pojechali do niej. Noc była pełna wrażeń, a Mirosław, który na pozór wydawał się gamoniowatym facetem, okazał się bardzo utalentowanym kochankiem. Więc powtórzyli raz czy dwa manewry miłosne. Sylwia musiała przyznać, że były warte zapamiętania.

Ale cały romans w tym się zamykał.

Miro był ponoć zdolnym prawnikiem, sama sprawdziła, że świetnym kochankiem, ale przy okazji – niezłym burakiem. Jego dowcipy powodowały, że miała ochotę zanurkować pod stół, a czułości, tak ostentacyjnych i nachalnych, nie powstydziłby się wiejski parobek. Dlatego unikała, jak mogła, wspólnych wyjść do ludzi, do znajomych. Miro był po prostu kompromitujący, ot co. Więc pozostawał w ukrytej sferze jej życia. Rzadko wychodziła z nim na przyjęcia, odmawiała konsekwentnie spotkań w większym gronie, natomiast od czasu do czasu dzwoniła i zapraszała go na kolacyjkę. Do siebie. Pan mecenas jakby nie załapał, że ona się go po prostu wstydzi, najwyraźniej uznał w swojej prostoduszności (prostocie, prostactwie?), że Sylwia ma taki styl i zaakceptował fakt, że jest w jej życiu boczną ścieżką. Zresztą może jemu taki układ odpowiadał, bo przecież miewał na pewno i inne kobiety. I to zapewne bez liku. W końcu był dziany i bywały.

Dziś jednak potrzebowała go naprawdę. Po półgodzinie w dizajnerskim saloniku wreszcie się doczekała. Siedziała vis-á-vis w gabinecie i relacjonowała mu przebieg przesłuchania. Założyła nogę na nogę, czarne okulary zsunęła na czoło; podtrzymywały jej blond fryzurę, a wyglądała w nich trochę tak, jakby zeszła z kortu. Biała bluzka z podwiniętymi rękawami, lekka opalenizna i te czarne okulary. D&G.

Ale to nie ona, a właśnie Mirek wrócił z tenisa. Rzucił się z impetem na fotel.

– Kawy! – zawołał do sekretarki.

– Mów, Sylvie. – Tym razem zwrócił się do gościa. – Mam dokładnie dwadzieścia pięć minut dla ciebie. Potem idę na zebranie, a jeszcze przedtem muszę wziąć prysznic. Więc mów.

15:00

65. Zosia powoli szła szpitalnym korytarzem, szukając intensywnej terapii. Wiedziała, że Oksana jest pilnowana przez policjanta, ale liczyła, że jakoś jej się uda wejść do sali. Kiedy dotarła do szklanych drzwi z napisem „OIOM", minęła je, bacznie przyglądając się siedzącemu tuż obok facetowi. Zapewne gliniarz, choć nie wyglądał.

Siedział i czytał gazetę, zasłonięty płachtą „Faktu", tak że nie było go widać. Ciekawe, czy to zgodne z procedurą?

Dziewczyna podeszła do dyżurki pielęgniarek i zerknęła na listę chorych wypisaną na kawałku papieru przypiętego do korkowej tablicy tuż obok drzwi. Według listy na OIOM-ie nie było Oksany. A powinna. Widziała ją przez mgnienie oka przez szybę, bladą, jakby pozbawioną krwi, podłączoną rurkami i kabelkami do aparatury o nieznanym Zosi przeznaczeniu.

Przyjrzała się dokładniej i zauważyła nazwisko Stasińska. Podobne do mojego, pomyślała. Może odwiedzę tę Stasińską i zerknę na Sanię z bliska? Jak pomyślała, tak zrobiła. Z duszą na ramieniu zbliżyła się do drzwi, ale mężczyzna (może wcale nie policjant?) ani drgnął. Po cichutku otworzyła i weszła. Na jej widok pielęgniarka siedząca nieco z boku spojrzała pytająco.

– Dzień dobry. Ja do pani Stasińskiej. Gdzie ona leży?

– Dzień dobry – odparła pielęgniarka, wpisując coś do leżącego przed nią formularza i spoglądając spod oka. – A pani kto?

– Bratanica – odpowiedziała Zosia szybciej, niż pomyślała i patrząc kobiecie w oczy, dodała: – Gdzie ciocia leży?

Pielęgniarka wskazała brodą na okno i łóżko obok.

– Tam – stwierdziła lakonicznie i sięgnęła po kolejny druczek do wypełnienia.

Bardzo zadowolona z siebie Zochna podeszła do pacjentki podobnie jak Oksana okablowanej, ale przytomnej i wpatrzonej w sufit. Starej kobiety, ubranej we flanelowy kaftanik z wzorem w ohydnie różową krateczkę. Zapadnięte policzki wskazywały na kompletny brak zębów, a pokrytą plamami wątrobowymi twarz dodatkowo dekorował czarny otok wąsika wokół górnej wargi i siwe, krzaczaste brwi. Skojarzyła się Zosi z Babą-Jagą (nie było to zbyt błyskotliwe skojarzenie, bo kobieta rzeczywiście wyglądała jak czarownica). Gorzej nie mogłam trafić, pomyślała Zosia. Ciotuchna, że strach.

– Dzień dobry, ciociu – wyjąkała cichutko, licząc rozpaczliwie, że kobieta, podobnie jak Sańka, jest jednak nieprzytomna lub choćby nadgryziona alzheimerem. Złudna nadzieja. Staruszka powoli odwróciła wzrok od sufitu i skierowała wprost na przybyłą swoją sępią twarz.

Przyjrzała się uważnie.

– Co mi przyniosłaś? – zapytała głosem skrzeczącym i ostrym jak brzytwa.

Zapadła cisza. Wpatrywały się w siebie intensywnie. Kobieta po chwili milczenia dodała:

– Bratanico!

Nie dość, że przytomna, to jeszcze słuch ma jak sowa!

Zosia westchnęła. Nie miała niczego, co nadawałoby się na prezent. Dobrze, że przynajmniej straszna ciotuchna nie podniosła wrzasku na jej widok.

Rozejrzała się bezradnie.

– Nic – wyszeptała.

Pomilczała chwilę, wpatrzona jak zahipnotyzowana w oczy starszej pani. Gorączkowo myślała, jak wybrnąć z tej sytuacji.

– Pomyślałam... – powiedziała z ociąganiem. – Pomyślałam, że kupię cioci co potrzeba w szpitalnym sklepiku.

Patrzyła błagalnie na kobietę, a ta, o dziwo, z aprobatą skinęła głową.

– Rozsądnie. Bardzo mi tu brakuje gazet. To idź i przynieś mi „Politykę", „Wprost", ,,Newsweeka", „Gazetę". I może sok pomarańczowy. Tak. I jeszcze czekoladę. Pewnie pamiętasz, że najbardziej lubię miętową, więc gdyby była...

Oczy jej się zaświeciły ciut złośliwie, słowa padały jak z jakiejś katiuszy. Tylko co Zosia mogła zrobić?

– Dobrze – kiwnęła głową i położywszy uszy po sobie, wycofała się tyłem z sali, niemal potykając się o zalegające na podłodze kable.

Wychodząc, przytomnie zerknęła na Sanię. Ukrainka leżała tuż obok straszliwej babci w stanie dokładnie takim, o jakim mówili policjanci: nieprzytomna i ledwie oddychająca. Ale kreska na jej monitorze wciąż drgała.

Już w drzwiach Zosia wpadła na kolejną pielęgniarkę, starszą i chyba ważniejszą, wchodzącą z naręczem pieluch.

– Pani do kogo?

Policjant (czy kto to był) podniósł głowę.

– Byłam u cioci, Stasińskiej Marty – odparła.

– O? – zdziwiła się pielęgniarka. – Wreszcie ktoś do niej przyszedł. Długo wam zeszło. Od tygodnia dzwonię i dzwonię do was, a nikt z rodziny się nie pokazał. A chora prosi...

– Nie było mnie – wyszeptała skruszonym głosem Zosia. – Teraz będę przychodziła regularnie.

– No. Dobrze by było, ciotka tu leży jak jakiś łazarz. Do innych rodziny przychodzą, siedzą, obsługują, różności przynoszą, a u cioci nikogo. A ten, co tak na mnie krzyczał w telefonie, to kto to jest?

Zosia zamarła. Cóż, mówi się trudno.

– To... kuzyn cioci – brnęła. – Ale my z nim nic nie mamy. Dopiero nam powiedzieli, że ciocia tu. My się poprawimy, będziemy przychodzić! – obiecała solennie, z przekonaniem w oczach.

Pielęgniarka skinęła głową i otworzywszy sobie łokciem drzwi, weszła do sali, z powątpiewaniem mamrocząc pod nosem:

– No, zobaczymy, jak to będzie...

Zniknęła za drzwiami, a policjant (czy nie policjant), który podsłuchiwał tę rozmowę, za płachtą gazety. Zosia zjechała piętro niżej, do kiosku. Kupiła wszystko, czego sobie staruszka życzyła, a dla siebie batona, którego zjadła błyskawicznie w windzie, wjeżdżając ponownie na piętro i myśląc, że trafiła na niezwykle cwaną sztukę.

Tym razem, obładowana fantami, weszła bez przeszkód na salę i podeszła prosto do łóżka świeżo zaadoptowanej ciotki, rzucając przy okazji okiem na Sanię. Oksana wciąż leżała w tej samej pozycji, a siostra, ta sama, która wygłaszała w drzwiach umoralniające gadki, akurat sprawdzała poziom płynu w kroplówce.

Zosia położyła przyniesione rzeczy na stoliku starszej pani.

– Proszę, ciociu, mam wszystko, o co prosiłaś – powiedziała. I jeszcze kupiłam ci krem, bo pewnie nie masz, a tu strasznie suche powietrze.

Już wiedziała, że przekupstwo bywa kluczem do sukcesu.

Pani Stasińska zerknęła na nią uważnie i poważnie skinęła głową.

– Dziękuję ci, dziecko.

– Nie ma za co. To ja dziękuję – odparła grzecznie Zosia, jak na porządną bratanicę przystało.

– Posiedzisz chwilkę? – starsza pani rozejrzała się czujnie dokoła. – Przypomnij mi, dziecko, jak masz na imię – wyszeptała.

– Zosia. Nie mogę dłużej zostać, ciociu. Zaraz mam zebranie w pracy. Ale wkrótce postaram się wpaść. Może coś przynieść?

– Gazetki, dziecko, gazetki. Najbardziej mi ich brakuje. Ja zwierz polityczny jestem – wyznała staruszka.

Zosia popatrzyła lekko oniemiała.

– To może ja bym takie małe radyjko ze słuchawkami przyniosła – zapytała po chwili. – Akurat mam. I nigdy nie używam.

– Naprawdę byś mogła?

– Bez problemu! – wykrzyknęła dziarsko, ciut jednak za głośno.

– Ciszej, proszę! – szepnęła pielęgniarka, właśnie poprawiająca Sani poduszki. Zosia natychmiast zamilkła, ale zauważyła, że na dźwięk jej głosu Oksana jakby się poruszyła. Wyraźnie się poruszyła! Ale może to tylko przypadek?

15:15

66. – Jest pan pewien? – zapytał Górzyański, przenosząc wzrok z ekranu komputera na swojego rozmówcę.

– Wie pan, widziałem go raz w życiu, a to zdjęcie nie jest superwyraźne. Jednak jestem… no, prawie pewien, że to on. – Grzegorz starał się być rzeczowy i powściągliwy, ale tak naprawdę nie miał wątpliwości, że sfotografowany podczas święcenia chłodni współwłaściciel Spedpolukry to najnowsza zdobycz Funi. Gdyby je miał, nie gnałby do komisarza na złamanie karku, żeby podzielić się swoim odkryciem.

Komisarz był pod wrażeniem przenikliwości Dolana. Widać ci nażelowani też miewają równo pod sufitem. Pod żelem właściwie.

Przyniesiony trop należy natychmiast poddać dalszej obróbce. Przede wszystkim trzeba wysłać kolejne zapytanie do Bundespolizei. Tym razem zadanie było dużo prostsze, bo komisarz dysponował imieniem i nazwiskiem oraz fotką faceta.

A swoją drogą… Święcenie chłodni Spedpolukry! Górzyański pamiętał przecież czasy, kiedy nie dało się włączyć radia ani telewizora, żeby nie natrafić na „święcenie chłodni" przez któregoś z sekretarzy szczebla odpowiedniego do kubatury obiektu. Dlatego zawsze nim trzepało, gdy widział, jak te bizantyjskie upodobania, które wówczas wszyscy interpretowali jako przywiezione z Moskwy, teraz demonstrowali ludzie do niczego, wydawałoby się, nieprzymuszani.

Może go Niemcy namierzą na tej Krecie? Albo gdzie indziej. Czuł, że bez Funi, właścicielki Tutto Bene, parę kluczowych zagadek pozostanie niewyjaśnionych.

Znów popatrzył na Dolana. Musiał przyznać, że dzisiaj już po raz drugi za sprawą tego faceta śledztwo nabierało przyśpieszenia. Raz, kiedy namówił tę dziewczynę, Staszewską, żeby opowiedziała policji o Waldku. Właściwie dopiero dzięki tej historii skrystalizowało się w komisarzu przekonanie, poprzednio zaledwie gdzieś podsypiające (niczym Pedro pod krzesłem Kamili): do kelnerki wcale nie strzelał klient spod okna, tylko ktoś, kto stanął w drzwiach restauracji chwilę po tym, jak tamten wyszedł. I że postrzelona Ukrainka wcale nie musiała być ani jedynym, ani głównym celem ataku. No a teraz Dolan przyniósł mu jeszcze na tacy tego święconego Egona.

– Jeszcze jedna informacja, która pana może zainteresować... – zaczął Grzegorz po chwili milczenia.

– Co takiego?

– Dzisiaj na czwartą nasz menedżer zwołał zebranie personelu. Kiedy dzwonił do mnie w tej sprawie, powiedział, że Funia... to jest szefowa... dopiero dzisiaj dowiedziała się od niego przez telefon o strzelaninie, no i że wraca jutro do Warszawy. Ma być w ciągu dnia w restauracji.

– O, to rzeczywiście ważna wiadomość – odpowiedział Górzyański. A w duchu zaklął, bo wyglądało na to, że ten facet za chwilę skończy za niego całe śledztwo i rozwiąże wszystkie zagadki. Funi to już nawet nie trzeba przez Niemców szukać. Chociaż i tak warto się od nich dowiedzieć, czy wyjeżdżała z Egonem. I dokąd. No i co to za jeden, ten Egon Schmidtke.

– Panie komisarzu, ja chciałem jeszcze o czymś porozmawiać…

– Jeszcze o czymś? – Jerzego na dobre opanowało przekonanie, że facet zna odpowiedzi na wszystkie pytania. Jak ten znany macher od teleturniejów, co to kilka razy wygrywał „Wielką grę" i „Miliard w rozumie". Tylko kiedy to było, sto lat temu chyba? – Proszę mówić.

– Tak. Nie wiem, co panu powiedziała Zosia… Zofia Staszewska znaczy, o tym swoim wielbicielu. Bardzo nie chciała panu tym głowy zawracać, ja ją właściwie zmusiłem. Powiedziała?

Górzyański potwierdził zdawkowym „tak", czekając na ciąg dalszy.

– Nie będę panu mówił, co pan ma myśleć. Ale moim zdaniem to naprawdę groźny facet. I Zosia, Zofia znaczy, strasznie się go boi. Parę razy dużo jej w życiu napsuł. Nie chciałbym, żeby było jakieś nieszczęście…

– Proszę pana. – Górzyański postarał się wyeliminować z głosu wszelką opryskliwość. – Wezwaliśmy go już i będziemy z nim rozmawiać. Nie mam na razie podstaw, żeby zrobić cokolwiek więcej. On pani Staszewskiej nawet ostatnio nie straszył. Nie było gróźb, molestowania. Zaledwie kilka telefonów. Ja tego nie lekceważę, ale… Musimy zbadać jego ewentualny udział w zdarzeniu sprzed paru dni. Zgodnie z prawem, nic więcej nie możemy zrobić. Trochę cierpliwości, proszę.

– No tak, ale jak dziewczynie się coś stanie? – rzucił Grzegorz ponuro, wstając z krzesła.

Komisarz również wstał i podał mu rękę.

– Dziękuję panu, bardzo pan nam pomógł.

Dolan pokiwał głową i ruszył w stronę drzwi. Górzyański odprowadził go wzrokiem.

Zosia, Zofia znaczy… Jak ja się znam na medycynie, to albo już cię, chłopie, łamie w kościach, albo niedługo połamie, pomyślał.

15:30

67. Zosia, zjeżdżając szpitalną windą, myślała o samotnej staruszce na OIOM-ie. Okropnie jest zostać tak zupełnie samą. I mieć taką podłą rodzinę, dodała w myślach. Może i ze starszej pani jest straszna cholera, ale, jak się zdaje, jej głowa i inteligencja funkcjonowały prawidłowo.

Ciekawe, co jej jest, bo wygląda całkiem nieźle, pomyślała Zosia. Nie to co Oksana. Przyjdę tu jutro, jak mnie Norbert zwolni, przyniosę radyjko, popatrzę, co z Sańką, i zapytam lekarza o panią Stasińską, postanowiła, wychodząc ze szpitala.

Tłumy ludzi z kwiatami, wyładowanymi po brzegi torbami i troską lub obojętnością w oczach dosłownie koło niej przepływały. Po dziedzińcu spacerowali pacjenci w szlafrokach, pogrążeni w rozmowach z rodzinami. Biegały dzieci, panował nastrój nieco festyniarski. Tylko cukrowej waty brakuje, pomyślała Zosia.

W tym pstrokatym tłumie szedł wprost na nią mężczyzna. Duży i zwalisty, w kolorowym podkoszulku z napisem Hawaii Club.

Rychu Gajewski.

Skąd on tu? – zacukała się zdumiona Zosia. Ale on ją minął, pogrążony w myślach, choć stała mu na drodze.

Obejrzała się i zobaczyła, jak Rychu znika w drzwiach szpitala.

Po co tu przyszedł, zastanowiła się przelotnie. Może jak ja, przyszedł dowiedzieć się, co z Sanią? Porządny z niego chłop – pomyślała, ale nie miała czasu na dłuższe rozważania.

Na jej komórce była już piętnasta czterdzieści pięć i trzeba było mknąć na zebranie do Tutto Bene.

16:10

68. Norbert był w swoim żywiole. Mógł objawić menedżerską rzutkość wszystkim pracownikom restauracji. No, prawie wszystkim. Minus dwoje (Oksana i Henio, którego numer wciąż nie odpowiadał), do tego minus sprzątaczka Kamecka (powiedziała przez telefon, że popołudnia ma, jak zawsze, zajęte w drugiej pracy, ale jutro rano przyjdzie o dziewiątej i weźmie się do sprzątania). No i jeszcze minus Rychu, który obiecał, że przyjdzie, ale nie przyszedł.

Zawijka podsumował sytuację: Oksana wciąż bardziej martwa niż żywa, Heniek pewnie się zachlewa, skoro ma wolniznę. Trzeba do niego pójść, bo Funia wraca jutro i już się wścieka, że knajpa przez parę dni była zamknięta. A co dopiero, jak nie będzie połowy personelu! Bąkała coś nawet o potrącaniu z pensji, ale Norbert jej wyperswadował, że to nie wina ludzi, tylko policja wszystkich maglowała i węszyła w lokalu.

– Załatwiłem z nią, że nie będzie żadnych potrąceń – informował, dumny jak paw. – Ale od jutra działamy normalnie, od jedenastej trzydzieści restauracja ma być otwarta. Zacząłem szukać nowej kelnerki, jutro przyjdzie parę dziewczyn na rozmowę. Na razie musimy opracować grafik awaryjny. Siądę za chwilę z Grześkiem i ustawimy kucharzy, a z kobitkami zrobię grafik kelnerek i personelu pomocniczego. Jutro wszystko się musi kręcić jak gdyby nigdy nic.

Patrząc na Norberta, można było pomyśleć, że oto Steve Jobs prezentuje światu najnowszy model iPada.

– A, i jeszcze jedno: żadnego informowania klientów, co się stało. Wymyśliłem wersję oficjalną. Policja prowadziła śledztwo, bo któryś z klientów Tutto Bene okazał się w coś zaplątany. Nie wiemy w co. Dlatego musieliśmy zamknąć.

– Na trzy dni? To nie brzmi wiarygodnie – odezwał się Grzegorz.

– Brzmi, nie brzmi – tak macie mówić. Niech wierzą albo nie, ale ani słowa o strzelaninie i ofierze. Ludzie tu przychodzą jeść i pić.

– A jak ktoś się będzie dziwił, że nie ma Sani? – zapytała Lucyna. – Nią się często faceci interesują.

– Już tu nie pracuje. I tyle. Żadnych szczegółów.

Steve Jobs też bywał bezwzględny dla dziennikarzy.

17:50

69. W sumie w knajpie zeszło im sporo czasu. Ustalanie grafików, sprawdzanie zapasów, układanie zamówień i menu na jutro. Na szczęście Rychu, choć spóźniony, zjawił się w końcu i zrobiło się nieco łatwiej. Norbert, oczywiście, nie omieszkał trochę po nim pojechać za to spóźnienie, ale Rychu – jak to on – sprawiał wrażenie tak zaaferowanego własnymi sprawami, że kompletnie nie było po nim widać, żeby się przejął.

W końcu wszystko było już ustalone, plany na następny dzień omówione i można się było rozejść do domów. Grzegorz przez całą tę naradę nie bardzo miał okazję myśleć o zajętej swoimi zadaniami restauracyjnymi Zosi i o planach na wieczór (a jakoś podświadomie oba te tematy plątały się ze sobą w jego głowie, jak dwa wiatry z wiersza Tuwima, który często czytywał mu w dzieciństwie ojciec). Kiedy w końcu zaczął się zbierać do wyjścia, dopijając nalaną przez barmana Miśka wodę, poczuł... poczuł... Coś dziwnego. Prawdę mówiąc, musiał na moment przystanąć przy barze i spędził tak kilka sekund, zmagając się z dziwnym naporem emocji i nie całkiem świadomych refleksji. Zdarzyło mu się to w życiu już kilka razy, jak chyba każdemu: nagły błysk słońca albo przywiany skądś zapach, krzyk mewy czy nieokreślone wspomnienie ni z tego, ni z owego wywołujące w człowieku taki atak silnego żalu, tak paraliżującej tęsknoty za niespełnioną nadzieją, za zmarnowaną szansą...A może była w tym radość? I oczekiwanie? Choć zewnętrzna forma, jaką nadał swojemu chwilowemu oszołomieniu, okazała się nader skromna. Sprowadzała się do dwóch, wypowiedzianych szeptem i z przymkniętymi oczami, słów: „Ja pierdzielę". Mimo to kryła się pod nią prawdziwa nawałnica emocji, o której nie miała pojęcia reszta personelu. A wszystko tak naprawdę można było sprowadzić do trzech pytań, które z wigorem znanych tabletek do czyszczenia protez kotłowały się w głowie stojącego przy barze Grzegorza: Czemu ja tak marnuję życie? Co mam zrobić z Gośką? Gdzie jest Zosia? Gośki nie było pod ręką, życie nie dawało się ogarnąć, więc siłą rzeczy skrupiło się na Zosi. Uświadomił sobie, że ostatnie dwadzieścia cztery godziny – z krótkimi przerwami – spędził z dziewczyną, o której istnieniu poprzednio, owszem, wiedział, ale właściwie niekoniecznie. Z którą nie spał, nie pocałował jej nawet, a zbliżenie fizyczne przeżył głównie z jej zasmarkanym nosem. I która... No właśnie. Gdzie ona jest? Całe niedawne, kilkusekundowe spięcie emocjonalne sprowadzało się obecnie do tego jedynego pytania. Myśl, że miałby wyjść z Tutto Bene sam, wsiąść do beżowego nissana, pojechać na Mokotów i spędzić wieczór, oglądając – zależnie od wyboru pokoleniowego – Scarlett Johansson albo Julię Roberts, albo pana Julka, ewentualnie w którymś z niedalekich klubów wikłać się w gorzałę i jakąś obcą, całkiem niezośkową kobiecość, wydała się Grzegorzowi równie absurdalna, jak pomysł, żeby upiec pizzę w eskimoskim igloo. I równie straceńcza.

Zośka. Gdzie ona jest? Nie był na nią jakoś szczególnie napalony. Ale pomyślał, że gdyby wyszli stąd razem, gdyby mieli coś wspólnie przedsięwziąć, cokolwiek... Nabrałyby sensu i beżowy nissan, i pan Julek dwa piętra wyżej, i kieliszek wódki, i zastanawianie się nad kolacją. A nawet film z Julią Roberts. I nawet ta poranna katastrofa z ulubioną filiżanką w roli głównej.

Ta refleksja trwała może dziesięć sekund. Wystarczająco, żeby nikt nic nie zauważył, a Zosia – już po całej akcji – mogła zaszczebiotać:

– Zostajesz jeszcze? Bo ja bym już wyszła.

17:55

70. – Czarek? No, pewnie, że Czarek! Niech ja skonam! Czarek Lisiecki! Czarek, poznajesz mnie?

– Zaraz... Chyba... Janek? Jasio... Kucharski? Kuchnowski?

– Kuchczyński! Jak się masz, chłopie?

Mężczyźni serdecznie uścisnęli sobie dłonie. Nie widzieli się od dobrych paru lat, właściwie od uroczystości rozdania dyplomów.

Wpadli na siebie w gmachu sądów, na jednym z długich korytarzy ogromnego budynku na Lesznie. Obaj szli w stronę wyjścia.

– No proszę, Czarek Lisiecki, chluba naszego roku, nadzieja polskiej karnistyki! Nic się nie zmieniłeś. Co porabiasz?

– Normalnie, nudny życiorys. Ja właściwie zawsze wiedziałem, co chcę robić. Zdałem egzamin prokuratorski, byłem asesorem. Od paru lat pracuję w prokuraturze okręgowej.

– No tak, trudno sobie tam wyobrazić kogoś bardziej na miejscu. Żona, dzieci?

– Tak, tak. Żona, dwóch synów. Sześć i trzy lata.

– Żona też prawniczka?

– Nie, no co ty! Ktoś w rodzinie musi być mniej poukładany. Malarka.

– Ho, ho!

– No a ty jak? Też się dobrze zapowiadałeś, Jasiu. Co z ciebie wyrosło?

– Też nic oryginalnego. Podchodziłem do aplikacji adwokackiej, ale trzy razy się wyłożyłem na egzaminie. Wkurzyłem się w końcu i zdałem radcowski. A po aplikacji załapałem się w takiej jednej firmie australijskiej.

– No to kasę tłuczesz.

Doszli do wyjścia. Strażnik sądowy zasalutował Lisieckiemu.

– Do widzenia, panie prokuratorze.

– No, no, znany z ciebie człowiek – skomentował to z przekąsem Janek Kuchczyński, kiedy stanęli na schodach opadających na chodnik alei Solidarności. – Czy wypada pana prokuratora zaprosić na kawę? Ja nie występuję w sprawach karnych, więc chyba nie ma problemu. Piwa nie śmiem proponować.

– Dobra, chodźmy na kawę. Za godzinę jestem umówiony z żoną na placu Bankowym. Możemy chwilę pogadać.

Przeszli kilkadziesiąt metrów i Lisiecki wskazał na boczną uliczkę.

– Tu zaraz jest taka miła knajpka, Kodeks. Dają dobrą kawę i kanapki po katalońsku – powiedział.

– A co też takiego to jest? Te kanapki po katalońsku – zdziwił się jego kolega.

– Też myślałem, że to kit, ale jak byłem ostatnio w Barcelonie, to się dowiedziałem, że rzeczywiście... Tam często smarują chleb pomidorem, jak u nas masłem. Jest nawet taka specjalna odmiana pomidorów, droższa niż inne i ma dużo miąższu. Można nią wysmarować bagietkę. Kropla oliwy, a na to ser albo szynka katalońska i kanapka gotowa.

Doszli do knajpki i usiedli na zewnątrz, pod jednym z trzech białych parasoli przyozdobionych czarnymi znakami paragrafu.

– Polecam zestaw o nazwie „Paragraf 23". – Czarek występował w roli mentora. – *Cafe cortado* i bagietka po katalońsku.

Janek skinął głową. Podeszła kelnerka, a Lisiecki zamówił dwa „Paragrafy 23".

– A co robiłeś w Barcelonie? – zapytał Kuchczyński. – Wakacje?

– Nie, byłem służbowo. Unijna konferencja na temat zwalczania nowych form przestępczości zorganizowanej. To teraz mój konik. Za dużo nie mogę gadać, ale parę anegdot ci opowiem. Nie tylko o hiszpańskich kanapkach.

18:10

71. Gośka. Najostrzejsza jazda w jego życiu.

Kiedy w to życie weszła – drapieżnie, z buciorami, na swoich prawach – miał za sobą jedną szaloną a niespełnioną miłość szkolną, jedno narzeczeństwo trwające prawie trzy lata i sporo czysto rozrywkowych przygód przystojnego, lubiącego się bawić faceta. Gośka też wydawała się na początku rozrywkową przygodą na jedną noc, no może na dwa tygodnie. Ale to, co wydawało się Grzegorzowi, okazało się całkiem nieważne. Ważne było to, co wydawało się jej.

Początek był całkiem standardowy. Modny warszawski klub, parę drinków, atrakcyjna dziewczyna, wygibasy na parkiecie. Była w jakimś towarzystwie. Zwrócił na nią uwagę, bo trudno było nie zwrócić, i od razu zauważył, że w grupie, w której się bawiła, wszystko kręciło się wokół niej. Pozostałe dwie czy trzy dziewczyny były walutą całkowicie wymienialną. Ona nie. Paru facetów krążyło wokół jak ćmy wokół płomienia. Banalne porównanie, ale Grzegorz nie mógł się oprzeć wrażeniu, że próba nadmiernego skrócenia dystansu do tego ognia może się skończyć właśnie tak jak w przypadku ćmy i świecy.

Mimo to spróbował. Po kolejnej wódce odważył się do niej zagadać. Zareagowała miło. Tańczyli razem przez parę minut, potem stanęła z nim przy barze. Sprawiała sympatyczne, dość ciepłe nawet wrażenie, ale Grzegorz nie mógł się oprzeć wrażeniu, że od czasu do czasu widzi w dużych, czarnych oczach błysk sztyletu. Może przesadzał z tym sztyletem, ale w pewnej chwili błysnęło wyraźnie.

– Stoję tu z tobą od piętnastu minut – przerwała mu jakąś kwestię w pół zdania. – A tam czeka na mnie moje towarzystwo i chyba z sześciu facetów, którzy grzeją się od paru godzin. Czy możesz mi podać jakiś powód, dla którego miałabym stać tu dalej? – zapytała zimno.

Grzegorz zgłupiał. Wszystkie: „Bo jestem fajniejszy", „Bo ci się bardziej podobam", „Bo nam się fajnie gada", wydały się nagle propozycjami kompletnie idiotycznymi. Zmiana temperatury, która nastąpiła w dziewczynie, odebrała mu mowę. Poczuł, że się czerwieni, choć w klubowej scenerii pewnie nie dało się tego zauważyć.

– Tak myślałam – powiedziała i odwróciła się na pięcie.

Wróciła do swoich.

W zasadzie był ugotowany. Jak makaron, którego tony przerzucał w pracy. Gdyby wykazał się większą przytomnością i przeanalizował sytuację w kategoriach sztuki kulinarnej, uznałby, że na razie osiągnął konsystencję *al dente*, ale istniało realne niebezpieczeństwo, że wkrótce rozgotuje się na niejadalną papkę. Coś jednak było na rzeczy z tym płomieniem…

Przez kolejną godzinę popijał, z kimś gadał, ale nie mógł się powstrzymać od popatrywania w jej stronę. Czasem odwzajemniała spojrzenie. Znowu wydawała się miła.

W pewnej chwili zaczął się przedzierać do toalety. Trwało to trochę, aż nagle, w jakimś załomie korytarza, poczuł lekkie stuknięcie w ramię. Odwrócił się.

– No co, namyśliłeś się? – zapytała z miłym uśmiechem. – Dlaczego to masz być ty?

– Wiesz, szczerze mówiąc, to nie wiem. Wiem tylko, że bym chciał – dodał dość bezradnie.

– No to zamów taksówkę i czekaj na mnie przy drzwiach za kwadrans – powiedziała rzeczowo, jakby byli małżeństwem od czterech lat.

Znowu błysnęło.

– Mam nadzieję, że doceniasz to, co robię. Zostawiam swoje towarzystwo i wszystkich tych facetów, którzy za mną mlaskają oczami, i jadę się upić z nieznanym, śmiesznym gostkiem. Doceniasz?

Już wiedział, że to nie będzie przygoda na jedną noc. A w każdym razie nie tylko on o tym zdecyduje.

Dalej było tylko coraz ciekawiej. Pojechali do niej. Najpierw rozmawiali, pili wino, słuchali muzyki. Gośka okazała się inteligentną dziewczyną z poczuciem humoru. Z nocną wizytą po klubowej zabawie; Grzegorz naprawdę nie po raz pierwszy znalazł się w takiej sytuacji. Liczba dostępnych scenariuszy była ograniczona, a właściwie obowiązywał jeden scenariusz, z podwariantami. Ale tym razem czuł się zupełnie inaczej, jak nowicjusz, niepewnie, nerwowo. To ona wyznaczała rytm tej rozmowy, tej znajomości, tej nocy. Póki chciała pić wino, pili wino. Kiedy zachciało się jej słuchania heavy metalu, słuchali heavy metalu. Kiedy chciała, żeby opowiadał żarty, opowiadał żarty. A kiedy miała ochotę na seks, był seks. A właściwie aktywność sejsmiczna, niosąca ze sobą ryzyko katastrofy budowlanej. Doświadczony kucharz takich potraw jeszcze nie kosztował. Wszystkie dotychczasowe przeżycia w tej dziedzinie wydały mu się dorobkiem małego Grzesia, a nie Grzecha. Grzech był teraz. Z Gośką, która robiła, co chciała.

Rano uśmiechnęła się do niego sympatycznie.

– Możesz zjeść ze mną śniadanie, a potem jedziesz do siebie – powiedziała. – A ja sobie jeszcze pośpię.

– A... A co dalej? – zapytał już po śniadaniu, trzymając w ręku klamkę.

– Tego nie wiesz ani ty, ani ja. Jak już będę wiedziała, to ci powiem.

Wspięła się na palce, pocałowała go i kładąc swoją dłoń na jego dłoni, otworzyła drzwi.

Coraz dalej – coraz ciekawiej. Gośka pojawiła się po paru dniach (to znaczy po paru dniach wreszcie odpowiedziała na jego telefony). Umówiła się z nim na mieście, w kawiarni. Na spotkanie przyszła punktualnie jak szwajcarski zegarek.

– Tym razem jedziemy do ciebie – poinformowała go, zanim usiadła. – Masz auto czy zamawiasz taksówkę?

Miał auto.

Kolejna groźba katastrofy budowlanej – tym razem w jego domu na Mokotowie – przekonała go, że z Gośką to naprawdę poważna sprawa. Wschodząca gwiazda warszawskiej sceny kulinarnej, Grzegorz D., nie miał najmniejszej ochoty rezygnować z poznawanych z mozołem nowych potraw, ale Gośka była w stanie zagwarantować mu tylko jedno: ciągłą jazdę kolejką górską.

Jeździli tak prawie rok. Zjawiała się, kiedy chciała, wychodziła bez choćby buzi na do widzenia, telefony odbierała lub nie, zależnie od kaprysu, wzywała w nocy śmiertelnie zmęczonego po harówie w Tutto Bene Grzecha na grzeszne sesje, za nic mając polskie prawo pracy i wytyczne unijne, nie odpowiadała na pytania, odmawiała rozmowy na temat jutra albo przyszłego miesiąca („Poczekaj, a zobaczysz"), nie reagowała na prośby, apele ani zażalenia („Wiesz, jesteśmy pełnoletni, nikt tu nikogo do niczego nie zmusza"). Jednym słowem: jeździła na nim jak na starej kobyle. A on to lubił. Rozgotował się na papkę.

Co robiła? Nie wiedział. Czy miała jeszcze kogoś? Nie miał pojęcia. Gdzie się urodziła? W Warszawie na Bielanach (to akurat wyznała mu kiedyś podczas kolacji u niej w domu). Jaki był jej zawód? To i owo. Z czego żyła? Gdybym chciała, to z głupich facetów. A że nie zawsze chcę, to tak różnie. Pójdziesz ze mną do przyjaciół na imieniny w przyszłym tygodniu? Nie wiem, co będzie w przyszłym tygodniu. Czemu ty się w ogóle ze mną spotykasz? No widzisz, od pierwszego wieczoru się nad tym zastanawiam. Pytałam cię przecież. Czy ty mnie nie robisz w konia? Jesteś dużym chłopcem, sam oceń.

Pojawiała się. Znikała. Pojawiała się. Znikała. Poj…

Miał jej dość i nie mógł się od niej oderwać. Czekał na telefon albo wizytę i przyzwyczajał do tygodni bez niej. Zapijał ją wódką, zamazywał kobietami, zapracowywał knajpą. No i było fajnie. Dopóki się nie odezwała. Rzucał wódkę, rzucał kobiety, rzucał knajpę (chociaż tak naprawdę Gośka nigdy nie stała w kontrze do jego obowiązków zawodowych). I było mu z nią dobrze. Jak nigdy.

W górę, w dół, w lewo, w prawo… Dzwoniła, esemesowała, mejlowała; w swoje grzeszne sprawki wprzęgli wszystkie techniki komunikacji. A on czekał, żył po swojemu, wracał do niej, odchodził od niej wściekły (po cichu), cieszył się nią (głośno). I zostawał sam, do najbliższego mejla, telefonu, esemesa. Takiego choćby, jak ten właśnie teraz: „Małe piwo i coś jeszcze wieczorem?”. Tekst widoczny na ekranie telefonu mieszał mu się z odgłosem kroków idącej obok niego Zosi i z historią o dziwacznym zachowaniu Rycha podczas dzisiejszego spotkania w Tutto Bene, którą przed chwilą skończyła mu opowiadać, z wieczornymi odgłosami miasta i – nie wiadomo dlaczego – ze wspomnieniem dziwacznego kosza na parasole stojącego w przedpokoju Gośki.

– Nic nie mówisz. – Ni to stwierdziła, ni to zapytała Zosia.

– A co ja mam powiedzieć. – Ni to zapytał, ni to stwierdził Grzegorz.

18:20

72. Dziecko płakało w głos, aż puchły uszy. Kobieta podeszła bliżej i z odległości dwóch kroków popatrzyła na załzawioną buźkę i wygięte w spazmatycznym szlochu ciało.

Jak taką diablicę uspokoić? Próbowała wszystkiego, w końcu zostawiła ją ryczącą na pół godziny, licząc, że zmęczona mała zaśnie sama. Ale nic z tego. Darła się i darła.

Jak nie przestanie, to ją uduszę poduszką, pomyślała kobieta ze złością.

– Jak mamę kocham!

Jej wzrok powędrował w kierunku puchatej poduchy, która dumnie dekorowała łóżko stojące w rogu pokoju, pod świętym obrazem oświetlonym małą, migającą lampką. Słonia by nią można było, nie tylko taką zafajdaną smarkulę, stwierdziła.

18:30

73. Od dłuższej chwili szli z Grześkiem powoli, obok siebie, nic nie mówiąc. Zosia czuła, że dzieje się coś złego. Budowana niemal nieprzerwanie od kilkudziesięciu godzin więź nagle się załamała. Jakby ten cały czas nigdy się nie zdarzył. Zrobiło się smutno. Nie chciała tak, przecież aż rosła, ciesząc się z coraz większej bliskości... A było zupełnie tak, jakby kogoś nawykłego do zatłoczonej, cuchnącej komunikacji autobusowej powożono przez dwa dni najnowszym mercedesem, a potem kazano mu się przesiąść z powrotem do autobusu. Myślała gorączkowo.

– Gdzieś wstąpimy? Na chwilę? – zagadała, gapiąc się na Grzegorza niepewnym wzrokiem spod rozczochranej z lekka grzywki.

– Dziś są moje imieniny – dorzuciła niepewnie i z wahaniem. Prosząco. Zła była na siebie, ale tak bardzo chciała przedłużyć ten wieczór. I to wszystko w ogóle.

– Boże! No tak, Zośka, piętnasty! O rany, ale ze mnie kretyn. Czemu nie mówiłaś wcześniej, jakieś kwiaty bym... – Zafrasował się Grzegorz, również zajęty przez ostatnie kilka minut milczącego spaceru gorączkowym rozmyślaniem.

Zaczął gwałtownie kombinować. Był zmęczony, głodny i śpiący, i wcale nie miał ochoty włóczyć się po knajpach i barach. Telefon z tkwiącym w nim esemesem od Gośki, pozostawionym na razie bez odpowiedzi, niemal parzył go w kieszeni. Do domu. A może ja się starzeję, przeraził się i wzdrygnął na samą myśl. Never! Popatrzył na Zosię, jakby się właśnie obudził. Będzie, co będzie, z esemesem czy bez.

– A może do mnie podjedziemy? Zrobię jakiś makaron i napijemy się wina – zaproponował, z nadzieją, że nie odrzuci planu minimum.

– Super... – Dziewczyna aż się zachłysnęła.

Załadowali się do nissana i ruszyli w kierunku Mokotowa, gadając o Sani, o wizycie Zosi w szpitalu i o Rychu. Jakoś się Grzegorzowi nie wydawało, że Rysiek znalazł się w szpitalu z dobroci serca.

Rychu? Raczej nie. Nie te klimaty.

19:05

74. Funia rzuciła klucze od mieszkania na półkę pod lustrem, walizkę postawiła przy drzwiach i przeszła się po parterze, zapalając kolejno światła w każdym pomieszczeniu. Przejrzała się w lustrze w hallu. Mimo długiej podróży wyglądała nienagannie. Opalona, smukła... No, zniewalająca. Zbliżyła twarz do lustra. Ani śladu zmęczenia. Zdjęła biały szal,

zarzucony niedbale na beżowy spodnium z czystego lnu, odwiesiła go na wieszak i zajrzała do salonu.

Wszystko było tak, jak zostawiła. Ład, porządek i nawet grama kurzu. Poza kartką.

Na kanapie leżał spłachetek białego papieru, niedbale oddarty z większego arkusza.

Podeszła bliżej i spojrzała.

19:15

75. Rychu lał na zebranie ciepłym moczem. Cały dzień miał kompletnie do tyłu. W szpitalu nic nie załatwił, Iwonka nie odbierała telefonów, a głupi Zawijka wydzwaniał jak... No, jak głupi. A Rychu w dupie miał knajpę i zebrania. I w ogóle wszystko.

Mam wszystko w dupie, powtarzał w myślach jak mantrę.

Otworzył drzwi do domu, pewien, że Iwonka już jest, a tu też dupa, tyle że blada. Z ulicy widział światło w oknie, które, owszem, było, ale Iwonki ani śladu. Cisza. Cisza. Cisza. Przeszedł się po obu pokojach, zajrzał do kuchni, a potem do sypialni. Szafa stała otworem. Na pierwszy rzut oka brakowało jakichś rzeczy.

– Gdzie ta suka pojechała? – Walnął z furią ręką w drzwi szafy. Szkło rozprysło się na milion kawałków i poleciało wzdłuż dłoni na podłogę, na dywan. W ślad za szkłem trysnęła krew. Zaczęła płynąć wartkim strumyczkiem, ale Rychu tego nie zauważył. Rzucił się, brocząc posoką jak zarzynany kurak, do szafki pod oknem. Wyszarpnął szufladę; zawartość rozsypała się na białym dywanie. Krew plamiła i dywan, i papiery, ale on, nie zwracając na nic uwagi, klęcząc na podłodze, przerzucał zakrwawionymi dłońmi wszystko, co leżało na niewielkim, pokrwawionym stosiku. Aż znalazł. Paszport. Na miejscu. Odetchnął z ulgą.

Paszportu by nie zostawiła. To wiedział na pewno. W głowie jej były wyłącznie Maroka i Krety. Ciągle go mękoliła, żeby pojechali gdzieś, gdziekolwiek. Jak mówiła: „Gdzie słoneczko". Solarium jej, kurna, nie wystarczało.

Może nie uciekła. Może tylko gdzieś pojechała. Niedaleko. Uspokoił się nieco. Z kompletnie zakrwawioną ręką podniósł się z podłogi i poszukał wzrokiem czegoś, w co mógłby owinąć dłoń. Z oparcia krzesła zwisała biała, śnieżnobiała bluzka Iwony, więc złapał ją i okręcił nią ranę, ale cieniutki materiał nasiąkał błyskawicznie. Rychu uczynił wysiłek, by oprzytomnieć, odwrócić myśli od Iwony i tego, gdzie ona jest.

Skupić się na ranie. Co robić, myślał intensywnie. Rozejrzał się za telefonem, ale dzwonienie i wykręcanie numeru lewą ręką było chwilowo ponad jego siły. Było mu zresztą jakoś tak... słabo. Mdliło go. Bezradnie gapił się to na rękę, to na podłogę, gdzie tworzyła się kolejna krwawa plama, aż w końcu wytoczył się z mieszkania i zaczął walić zdrową dłonią w drzwi sąsiadów. Adamczyków, których szczerze nienawidził. Za nic konkretnego, za całokształt. No. Nie pasowali mu i już, dupki takie. Zanim jednak otworzyli, poczuł, że naprawdę coś z nim nie tak. Jego nogi zrobiły się miękkie, jak z waty, i powoli, jak na zwolnionym filmie, opadł na wycieraczkę. Przykleił się do framugi.

Plama powiększała się niepokojąco.

Wreszcie szczęknęły drzwi. Zanim jeszcze Rychu odpłynął w niebyt, usłyszał krzyk. Przeraźliwy krzyk małego Adamczyka.

– Mamooo!

Stracił przytomność.

21:30

76. Górzyański się zastanawiał. Ta cała sprawa... Co takiego mogły zrobić kelnerki, jedna albo druga, że ktoś je chciał załatwić – no i dlaczego załatwiono też tego Henia Rozalskiego?

Na jego nos Zośka o niczym nie wiedziała. No, chyba że to ten Waldek. Ale Rozalski? Raczej jednak chodziło o Oksanę. I o Rozalskiego.

Co ich łączyło? Knajpa i wątek ukraiński? Może tam jest coś na rzeczy. Jutro powinienem mieć już dane na temat tego Schmidtkego i jego biznesów, no i wszystko, co się znajdzie na temat Spedpolukry, pomyślał. Nie ma co kombinować na sucho, rzeczy same się z czasem rozwiązują, zwłaszcza gdy są jakieś nitki. A tu były.

Do pokoju zajrzała Kamila i spojrzała na męża, leżącego na łóżku z rękami pod głową, zagapionego w żyrandol. Zapytała jak zawsze:

– Zjesz coś?

– Nie, dzięki. Jak tam Ala?

Weszła do pokoju i przysiadła obok Jerzego na brzegu łóżka.

– Dziś nic się nie wydarzyło. Wygląda, że sprawa przysycha – powiedziała.

– Wolałbym, żeby nie przysychała. Te młotki powinny dostać jakąś lekcję.

Już wcześniej opowiedział żonie o porannej rozmowie z wychowawczynią, ale Kamila nie miała zbyt wielkiej wiary w to, że pani Solska zaangażuje się w sprawę ich córki.

– Powinna, ale nie licz na wiele. – Podzieliła się z mężem swoim sceptycyzmem. – To polonistka, a w tym roku Ala miała z polskiego wszystkiego dwie prace pisemne i już raczej więcej mieć nie będzie. Solskiej nic się nie chce. Sprawdzać, uczyć, wychowywać. Słyszę ją na wywiadówkach. Tylko marudzi, że jej przeszkadzają. No pewnie, przeszkadzają, ale ma to w pakiecie razem z wakacjami i Kartą nauczyciela. Bez tego się nie da. Ona z siebie nie daje nic, poza tym, co konieczne.

– To po co taka idzie do szkoły?

– Żartujesz? Niezła płaca, mało godzin, dużo urlopu. Żyć, nie umierać.

– Daj spokój. Przecież słucham, co nauczyciele opowiadają o tej robocie. Chyba nie idą do szkoły dla przywilejów socjalnych?

– Może się do niczego innego nie nadawała? Kiedyś tak było, do szkoły szli słabi. Jak pojechałam z klasą Ali na wycieczkę do Zakopanego, sama słyszałam, jak Solska mówi, że Witkiewiczówkę zbudował Witkacy.

– Brednie dzieciom wciska. Ech... – westchnął Górzyański. – Coś jej powiedziałaś?

– Nie miałam odwagi. No, ale nie wszyscy są tacy. – Zreflektowała się Kamila. – Matematyczka jest świetna, historyk z prawdziwą pasją. Tylko ta polonistka. Taka... pańcia. Wyjdziesz z Pedrem? – Zmieniła temat.

– Tak. Muszę trochę tlenu złapać i pomyśleć.

– Jak sprawa?

– Interesująca i zaczyna się układać – odparł.

Usiadł na łóżku, przez chwilę przytulił się do żony, po czym wyszedł do przedpokoju po adidasy. Przerażony Pedro, zauważywszy buty w rękach pana, natychmiast zanurkował pod kredens w jadalni.

Minutę później komisarz Górzyański leżał na podłodze, machając ręką pod meblem.

– Pedro, proszę, nie wygłupiaj się – próbował negocjować. – Wyłaź. Wyłaź w tej chwili!

Przechodzący ze swojego pokoju do kuchni Maciek rzucił pod nosem:

– Otwierać! Policja!

21:45

77. W pierwszej butelce pokazało się dno. Grzegorz sięgnął do stojaka po kolejne wino i przyjrzał się etykietce. Szekszárd. Okej. Lubił węgierskie, w które po dobrej cenie zaopatrywał go kumpel winiarz.

Najbardziej kochał mineralne, białe z Somló. Ale i te ciemnoczerwone, mocno garbnikowe z Szekszárd były w porządku. Zośce, pomyślał, chyba lepiej nie powiem, co otwieram, pomyślał. Węgrzy jeszcze długo będą się wygrzebywać z wizerunkowej zapaści po ekscesach z tak zwanym egri bikaver.

Nie wydawało się jednak, żeby Zośka rozmyślała o winie. Siedziała na kanapie z podwiniętymi nogami i sączyła wprawdzie resztki ze swojego kieliszka, ale... Co pewien czas rzucała w stronę Grzegorza spojrzenie, jakiego jeszcze u niej nie widział. Uważne, spokojne i jakieś... Jakieś takie... Gwałtownie szukał pomysłu i słowa, żeby je nazwać. Rozebrane, przyszło mu do głowy. Tak jakby dziewczyna odłożyła na bok wszystkie maski, pozy, gry i patrzyła na niego z samego środka duszy. Nie odzywała się, patrzyła tylko przez chwilę, a potem powracała do siebie. Grzegorza nieco przerażała ta sytuacja, całkiem niecodzienna, inna niż wszystko, co do tej pory było między nimi. Rozmowa się nie kleiła.

Zaczął majstrować przy butelce obcinaczem do folii i korkociągiem, zerkając na siedzącą na kanapie zagadkę. No właśnie, co ona tam kombinuje za tymi rozebranymi oczami?

A co tak naprawdę do tej pory było między nimi? Albo obojętność, albo szok wywołany tragediami i łamigłówkami, na które się natykali razem, albo próby ich rozwikłania, albo... Przypomniał sobie tę drżącą kupkę nieszczęścia, która się do niego przykleiła w mieszkaniu na Karolkowej, jej telefon z wołaniem o pomoc, strumyki słonej wody wylewające się w nissanie z jej oczu, tych samych, które teraz... Przypomniał sobie ogarniającą go falę czułości, kiedy poczuł przytuloną do niego i dygoczącą jak zbity pies dziewczynę. A teraz jeszcze to dziwne, nagie spojrzenie. Jakby coś przebiegało od niej do niego, bezpośrednio, bez udziału jej woli. Jakaś nagle odkryta prawda?

– Zosiu, makaron ci smakował? – zapytał cicho i niezbyt pewnie, uporawszy się już z węgierskim korkiem.

– Pyszny był – odpowiedziała spokojnie, wyciągając rękę z pustym kieliszkiem w kierunku wina, które właśnie odzyskało wolność w ojczyźnie Józefa Bema.

To był już jej drugi wieczór u niego w domu. Grzegorz naprawdę nie był nowicjuszem. Kolacja, wino, dziewczyna na kanapie. Zwykle wiedział, co wtedy robić. Ale teraz, przez cały wieczór, było jakoś inaczej. Koleżanka z pracy? Zośka? A Gośka? Co z tamtą? Jak ma się jedna do drugiej? Roller-coaster kontra przemoczone chusteczki. W ciągu ostatnich kilkudziesięciu godzin Zosia zmieniała się stopniowo z koleżanki z pracy w... W dobrą koleżankę z pracy. No i w atrakcyjną dziewczynę. Ale przecież... Nie wiedział.

Potrzebne było jeszcze jedno, dokładnie jedno, takie jej spojrzenie: pełne odzyskanego spokoju, nagle osiągniętej pewności siebie. I tak dziwnie obnażone. Kiedy rzuciła je w jego stronę, już wiedział. Odstawił kieliszek, wstał z fotela.

– Przepraszam – powiedział.

I wyszedł do łazienki. Zamknąwszy za sobą drzwi, wyjął z kieszeni telefon i zaczął wystukiwać esemesa. Wysłał go, wrócił do salonu, usiadł obok Zosi. Wyjął kieliszek z jej dłoni i zaczął ją całować. A ona jego.

21:50

78. Mimo późnej pory Norbert stawił się na wezwanie Funi bez gadania. Czekał na jej sygnał przez całe popołudnie. O strzelaninie w Tutto Bene opowiedział jej przez telefon, kiedy jeszcze była w podróży. Ale wiedział, że kartka, którą zostawił na kanapie, skłoni ją do szybkiego kontaktu jeszcze tego samego dnia. Zadzwoniła zaraz po wejściu do domu i przeczytaniu kilku naskrobanych przez niego słów. „Psy wąchają w Spedp. Mogą chodzić za Eg.". Przyjechał do Funi około dziewiątej wieczorem, zastając opanowaną zwykle kobietę wyraźnie zdenerwowaną. Czekając, musiała chyba łyknąć parę wódek (piła najchętniej niechłodzoną czystą, porcjami po pięćdziesiąt gramów, z tradycyjnej angielki; nawyk wyrobiony przez gastronomię w Nowym Warpnie, którego nie zatarły późniejsze doświadczenia z bardziej wyrafinowanymi formami pijaństwa), co zdradzał zapach z ust i lekko rozmaślona mowa.

– Skąd to wiesz? – zapytała, machając kartką i brutalnie przerywając Norbertowi rytuał powitalny, w ramach którego zaczynał już rozpinać jej stanik.

– Chłopaki we Lwowie mają zblatowanego oficera milicji, który ich ostrzegł, że polska policja pyta o Spedpolukrę i konkretnie o Egona. Czy byli w coś zamieszani, czy ktoś był za coś skazany, czy prowadzone są jakieś postępowania. Nasi napisali do tamtych, że to w ramach prowadzonego przez Komendę Stołeczną dochodzenia w sprawie zabójstwa. No i Furmanem też się interesowali. Kto i co, i za co.

– Jasna cholera, jak oni to skojarzyli z tą strzelaniną u nas? Przez Sanię? Ale jakim cudem? Przecież nie ma żadnych oficjalnych powiązań między Spedpolukrą a nami. Egona też chyba nikt w knajpie nie kojarzy z Ukrainą.

Zamilkła. Podniosła oczy na Norberta.

– Poza tobą – rzuciła.

– Zwariowałaś?! – żachnął się. – To pewnie przez tego durnia Gienę.

– A z nim co znowu? – zapytała.

Norbert uświadomił sobie, że Funia nie miała jeszcze szansy dowiedzieć się o przedwczorajszym wyczynie odmóżdżonego Ukraińca. Opowiedział jej, co od niego usłyszał w sprawie wydarzeń na Karolkowej. Jak można było przewidzieć, jeszcze przed końcem opowieści w Funię wstąpiła furia. Cały zastęp furii. Dziedzictwo Nowego Warpna dało o sobie znać. Tym razem w postaci kilku wielopiętrowych bluzgów.

– Kurwa, Norbi, czy ja nie mogę na parę dni wyjechać, żebyście wszystkiego nie spierdolili?! – wrzeszczała właścicielka Tutto Bene, miotając się po kanapie jak wściekła i nie bacząc na swoje lniane ciuchy, co było jawnym dowodem najwyższego uniesienia.

Norbert zaczął ją uspokajać. Naprawdę bał się jej. Takiej.

– Nie wygłupiaj się, co byś tu pomogła? Myślisz, że upilnowałabyś tego kretyna? Wypił o ćwiartkę za dużo i *wzbiesiłsia*. Walnął dziewuchę tak, że już nie wstała, a nawet się nie zorientował. Bo wpuściła do domu jakąś obcą laskę. Dopiero jak trochę ochłonął, to wrócił sprawdzić, co narobił. No i zobaczył pod domem radiowóz i karetkę. Gliniarze właśnie szli z noszami i czarnym workiem. No to się, debil, zorientował i do mnie zadzwonił. Cud, że zdążyłem go wyprawić z Polski, zanim gliny go zidentyfikowały. Ty też byś wiele więcej nie zdziałała. U siebie się gdzieś schował i go nie znajdą.

– A chuj z tym, czy go znajdą, czy nie! I tak już wszystko rozjebane! – rzuciła Funia-furia, rozgniatając w popielniczce wypalonego do połowy papierosa.

– Nie przesadzaj. Zastanawiałem się już, co on tak naprawdę wiedział i do kogo mogą za nim trafić. Nie ma o tobie pojęcia. – Norbert próbował zachować spokój, choć był mocno zdenerwowany, że wokół niego robiło się gęsto. Gęściej nawet niż wokół niej. – Znał mnie i kilka pionków – powiedział niby od niechcenia.

Wyczerpana wściekłością Funia usiadła przy stole, zamknęła oczy i z niedowierzaniem kręciła podpartą dłońmi głową. Norbert podszedł do niej i zaczął głaskać po włosach. Chwyciła jego dłoń.

– Norbert, co się stało? Nic z tego nie rozumiem. Wszystko było dobrze ustawione, naoliwione, działało. I nagle... Kilka dni i trupy, policja, dochodzenia.

– Podniosła głowę i odwróciła twarz w stronę Zawijki. – No dobrze, powiedzmy, że Giena załatwił tamtą kurewkę przypadkiem. Ale kto załatwił kelnerkę w Tutto Bene? I dlaczego? – zapytała.

– No właśnie nie wiem – powiedział cicho i uspokajająco Norbert, pochylając twarz ku jej szyi.

16 maja, sobota

3:45

79. Wślizgnęła się po cichutku, mając nadzieję, że będzie spał i nie usłyszy. Wiedziała, że to najtrudniejszy moment. Później, jak już będzie w łóżku, poradzi sobie. Doskonale znała jego słabości. Wystająca spod kołdry stopa, łydka... Historyjka, którą wymyśliła, mogła nie mieć wiele sensu, ale wzmocniona kawałkiem odsłoniętej piersi da radę.

Zamknęła drzwi wejściowe. W mieszkaniu było ciemno. Słyszała miarowy oddech Rycha. Spojrzała z przedpokoju w kierunku łóżka, ale w ciemności dostrzegła tylko zarys leżącej sylwetki. Na palcach przeszła do salonu i umościła sobie posłanie na kanapie. Jeśli rano ją tutaj zastanie, moment powrotu do domu jeszcze bardziej się rozmyje. Najgorsze minęło. Reszta to sprawa kompetencji, których Iwonce nigdy nie brakowało.

6:30

80. Górzyański przyzwyczaił się już, że jego telefon dzwoni o najdziwniejszych porach. Właściwie przestało mu nawet przeszkadzać, że budzono go na przykład o piątej rano w pierwszy dzień Bożego Narodzenia (chociaż tak naprawdę musiałby pomyśleć, czy coś takiego kiedyś się zdarzyło). Kiedy więc usłyszał dzwonek i sięgając po telefon, zobaczył, że jest wpół do siódmej rano, stwierdził, że to w gruncie rzeczy nic takiego. Najwyżej wstanie trochę wcześniej, wyjdzie z psem. To właściwie jedyna pora, kiedy z Pedrem nie było kłopotów. Wypełniony pęcherz robił swoje; psiak nawet czekał w korytarzu z przekrzywionym łebkiem, nasłuchując i popatrując, kto pierwszy pojawi się przy wieszaku. Pójdą we dwóch po bułki, a potem on może zaparzy kawę dla siebie i Kamili... Chwilę trwało, zanim przez resztki snu do Jerzego przebiła się świadomość, że to nie budzik, ale telefon z komendy.

– Górzyański. Co jest? – starał się mówić jak najciszej, bo Kamila wcale jeszcze nie miała ochoty na kawę, tylko usiłowała oszukać samą siebie, że nadal śpi.

– Aspirant Rybak, dyżurny komendy... – Zaczęła się recytacja w telefonie.

– Co jest, Rybak, cożeś złowił tak rano? – przerwał mu komisarz.

– Przepraszam, panie komisarzu, ale chyba powinien pan wiedzieć... Właśnie dzwonili ze szpitala na Wołoskiej. Około piątej nad ranem zmarła u nich na OIOM-ie Oksana Łuczynko, Ukrainka postrzelona we wtorek w restauracji Tutto Bene. Od początku podobno miała małe szanse. Pan się tym zajmuje, więc musiałem...

– Dobrze zrobiłeś – przerwał mu Górzyański. – Dziękuję. Przed południem będę w firmie. – Jasna cholera! – wymamrotał, odkładając telefon.

– Co się stało? – Kamila skończyła zabawę w oszukiwanie.

– Ech, kolejny nieboszczyk. W Tutto Bene. Ta kelnerka. Miałem nadzieję, że jednak się wywinie. Ale się nie wywinęła. No i chyba przybyła na świecie nowa sierota. A ja nawet nie jestem pewien, czy ona istnieje.

W takich chwilach Górzyański bardzo potrzebował bliskości żony. Przysunął się do niej i objął mocno. Oczywiście, wcześniej przełączając się z trybu „policjant" na tryb „człowiek".

7:10

81. Zośka otworzyła oczy, wyrwana ze snu przeczuciem, że coś jest nie tak. Pierwszą rzeczą, którą zobaczyła w ten sobotni poranek, były wpatrzone w nią oczy Grześka. A nie, wszystko w porządku, pomyślała, błogo uspokojona. Tylko co on się tak gapi? – przyszło jej do głowy chwilę potem.

– Co ty robisz? – zapytała, unosząc głowę znad poduszki.

– Patrzę na ciebie.

– Długo tak?

– A z pół godziny – odpowiedział i roześmiał się, zdając sobie sprawę, że choć mówi szczerą prawdę, jego słowa brzmią całkiem idiotycznie.

– I co sobie ze mnie jaja robisz? – zapytała, przeciągając się, jak mówiła jej matka, do naderwania, wysuwając przy tym to i owo spod kołdry. Przed oczami stanęły jej różne sceny z kończącej się właśnie nocy. Jemu chyba też stanęły, bo przyciągnął ją do siebie i... Po dobrej półgodzince do kolekcji doszło im jeszcze parę miłych wspomnień.

Zosia pierwsza pogodziła się z myślą, że w końcu kiedyś trzeba wstać. Chciała do wydarzeń minionych godzin uzyskać choćby tyle dystansu, ile mogło dać zamknięcie się na dziesięć minut w łazience Grześka.

Zaraz potem rozpoczął się dziwny taniec mijania się i wpadania na siebie między łóżkiem, łazienką, kuchnią, przedpokojem, salonem. Codzienne poranne ćwiczenia z przyrządami, wykonywane w niezbyt jeszcze zgranym duecie (koszule, szczoteczki, guziki, sprzączki, szampony i mydła, butelki i kieliszki, majtki, krany, pościel, tosty, ekspres do kawy, spodnie, dezodoranty), które tego akurat dnia jakoś oboje zawstydzały, żenowały. Na szczęście od czasu do czasu, pośród tych podrygów, któreś wyciągało rękę ku drugiemu. Przytulali się, całowali i skrępowanie na chwilę ustępowało.

Przy śniadaniu nie wiedzieli, o czym mówić. A raczej jak.

– Co będziesz robić? – zapytał w końcu Grzegorz.

– Wiesz, przed pracą chciałabym jeszcze pójść do Sani, do szpitala – odpowiedziała, nie mając pewności, czy chodzi mu o dzisiejsze przedpołudnie, czy o resztę życia.

– Przecież cię do niej nie dopuszczą.

– Ale może czegoś się dowiem. A poza tym tam leży... No, tam jest ta pani Stasińska. Ta staruszka, mówiłam ci. Jakoś... Chciałabym ją odwiedzić. Obiecałam jej przynieść parę rzeczy.

– Ja bym z kolei potrzebował zajrzeć na Saską Kępę, do jednej znajomej. Robi dziś przyjęcie, a ja...

Opowiedział krótko o panu Julku i cateringowych problemach Janeczki.

– Więc mógłbym cię najpierw zawieźć na Wołoską do szpitala, a potem pojechać do Janeczki. I spotkamy się w knajpie.

– Dobrze, Grzesiu, tyle że ja najpierw do siebie, do domu muszę – odpowiedziała cicho, sięgając po jego dłoń. – Czy my tak naprawdę...?

– Zawiozę cię i tu, i tu. Inaczej nie dasz rady oblecieć wszystkiego. – Popatrzył na rozczochraną grzywkę i niepewne oczy. – No pewnie, że naprawdę – dodał. – A jak by to miało być? Na niby? – zapytał zadziornie, ale jego zuchowatość nie robiła wrażenia towaru pierwszej świeżości.

Rozległ się dzwonek do drzwi. Zosia się spłoszyła, a Grzegorz, potoczywszy oczami po suficie, wyszeptał:

– Pan Julek się niecierpliwi. Może i jego zabierzemy? Pewnie się wybiera do Janeczki.

Dziewczyna zrobiła niepewną minę, a gospodarz poszedł otworzyć drzwi, rzucając jeszcze okiem, czy w mieszkaniu nie ma jakichś kompromitujących śladów po wczorajszym. Było już posprzątane. Dla pełnej sterylności obrazu należałoby pewnie wpakować Zosię do szafy, ale wiadomo było, że akurat tego rodzaju ślad wzbudzi w oczach sąsiada wyłącznie błysk uznania i zazdrości.

– Witam – powiedział wesoło, otwierając szeroko drzwi.

I wtedy zrozumiał, że Gośki się nie zostawia.

8:00

82. Cały plan szlag trafił przez Adamczykową.

Z samego rana Iwonkę obudził dzwonek do drzwi, a chwilę potem odgłos kilkakrotnie naciskanej klamki. I znowu dzwonek.

Iwonka, zaniepokojona poranną sobotnią wizytą, owinęła się ciaśniej szlafrokiem i poszła otworzyć. Zdumiała ją twarz sąsiadki w wizjerze. Majstrując przy zamku, usłyszała, że Rysiek też się obudził i zaczął się gramolić z łóżka. Po chwili Iwonka stała już twarzą w twarz z Adamczykową, której sylwetka wynurzała się z seledynowego tła pomalowanych na olejno ścian klatki schodowej. Nie lubiła jej. Ani zmęczonej twarzy matki Polki niewolnicy, ani wąsika pod nosem, ani wzroku nieustannie analizującego u reszty ludzkości albo długość nóg i rozmiar biustu, albo zasobność portfela, w zależności od płci.

– O, jest pani – stwierdziła sąsiadka ponuro. Analityczne spojrzenie omiotło rozczochraną i wymiętą Iwonkę.

– No, jestem, a co mam nie być? Co pani tak rano?

– Bo wczoraj to pani nie było, jak się mężowi to stało. – Adamczykowa lekko podkręciła gaz.

– Stało? A co stało? Się?

Do przedpokoju przyczłapał Rychu w piżamie z jednym podwiniętym rękawem. Iwonka spojrzała i dostrzegła bandaż spowijający prawą dłoń i przedramię męża.

– Jezu! Co jest, Rysiu?

– Pani Tereso. – Rychu zwrócił się do sąsiadki. – Nie podziękowałem pani wczoraj za pomoc. I nie przeprosiłem za cały bajzel. Ale jak ci z pogotowia dali mi ten zastrzyk, kurna, to zaraz żem zasnął i dopiero przed chwilą się obudziłem.

– Z pogotowia…? – Iwonka spoglądała to na męża, to na sąsiadkę, to na bandaż, nic nie rozumiejąc.

– To pani nic nie wie? Tyle krwi, pogotowie wezwane, a pani nic nie wie? – Rozkręcała się Adamczykowa.

– Nic żonie nie mówiłem, żeby jej nie martwić. Dziękuję pani. Wszystko w porządku. – Rychu zamykał drzwi, jednoznacznie sugerując Adamczykowej, po której ich stronie ma się znaleźć. – Dziękuję pani, już sobie damy radę. Do widzenia.

– Nie zauważyła. Mało się chłop nie wykrwawił. Pogotowie i wszystko… – bulgotała Adamczykowa, znikając za skajową tapicerką wyciszonych drzwi wejściowych do mieszkania Rycha i Iwonki.

Stali naprzeciwko siebie w przedpokoju. Wściekłe spojrzenie Rycha nie pozostawiało złudzeń: strategia „łydka-biuścik” legła w gruzach.

– O której wróciłaś? I gdzie byłaś? – zapytał mało przyjaźnie.
– Ale co ci się stało? Co za pogotowie?
– Gdzieś ty była?! – ryknął Rychu, ku uciesze Adamczykowej, przedłużającej swój pobyt pośród seledynowych żywiołów korytarza w oczekiwaniu atrakcji.
– Rysiu, już ci mówię, ale co z twoją ręką?
– Gdzie, kurna, byłaś?!
– No, Rysiu, tłumaczyłam ci, że ciotka...
– Nie pierdol mi tu z ciotką! Wiem, że w ogóle nie poszłaś wczoraj do pracy!
– A skąd to... Rysiu, już ci mówię, to nic takiego...
– Z kim ty się zabawiasz? Kto to jest?! W chuja ze mną lecisz?
– Uspokój się! Zwariowałeś?
– Mów, kurna, bo... Gdzie ty ciągle tyle jeździsz? No gdzie?!

8:30

83. Lisiecki rozłączył się właśnie po rozmowie z Górzyańskim. Komisarz zadzwonił, żeby poinformować go o śmierci Oksany. A to zmieniało dość zasadniczo kwalifikację czynu, choć do śledztwa wnosiło niewiele.

Wrócił do stojącej na biurku porannej kawy. Lubił te ostatnie chwile sobotniego spokoju, zanim cała gromada się ożywi i zacznie harcować. Bo wszyscy jeszcze spali. Prokurator Lisiecki mógł przez chwilę pozajmować się swoimi sprawami.

Lubił pracować z Górzyańskim. Cenił jego doświadczenie, spokój, inteligencję. W obecnych planach Lisieckiego komisarz mógł odegrać dość istotną rolę. Widział dla niego miejsce w grupie specjalnej, swoim oczku w głowie. Ostatnio postanowił ją trochę zreformować i powierzyć właśnie Górzyańskiemu stanowisko szefa. Wróć! Zastępcy szefa do spraw operacyjnych. No, bo szefem będzie przecież on sam. Szkoda Jerzego na ganianie za wariatami, co strzelają do kelnerek, myślał, popijając kawę i przeglądając wyciągnięte z neseseru foldery z papierami. Jak mi się uda go namówić, to i on będzie mógł rozwinąć skrzydełka i pofrunąć w górę. Górzyański w górze... Czemu on się właściwie tak dziwnie nazywa? Lisiecki czuł, że we dwóch z komisarzem stworzą dobry zespół.

Znalazł teczkę, której szukał, wyciągnął z niej papiery, odchylił się w fotelu i zaczął czytać. Fajnie było w tej Barcelonie.

9:15

84. Krew była na wszystkim. Na rozgrzebanym łóżku, na białym dywanie, z którego była taka dumna, na podłodze i w przedpokoju. Jej ukochana biała bluzka leżała o dwa kroki od niej na podłodze i wyglądała jak gliniana rzeźba jakiegoś awangardowego artysty: zwinięty sztywny, jakby wykrochmalony, sterczący kłębek bawełny z przewagą ciemnoczerwonego. Iwonka dopiero teraz, za dnia, rozejrzała się

po mieszkaniu, szukając w meblach inspiracji, jak rozegrać sprawę ze spienionym maksymalnie Ryśkiem.

– Moja najlepsza bluzka! – zapiszczała cienko, ale i przeraźliwie. – Coś ty z nią zrobił? I z całym tym domem? Co to ma być?

Podniosła z podłogi zwiniętą szmatę, za którą, jak pamiętała, zapłaciła całe cztery stówki (i nigdy nie żałowała), i wpatrywała się w nią osłupiałym wzrokiem.

A potem, wymachując nią przed nosem Rycha, wydarła się na niego:

– Rysiek! – złapała powietrze. – Co tu się porobiło? Mów mi zaraz!

Rysiek popatrzył na wkurzoną Iwonkę, która aż się gotowała, i nie wiedzieć czemu całkiem odebrało mu mowę. Ale narozrabiał z tą bluzką!

Powinien uważać, w co łapę owija.

– No, wiesz... – zaczął się jąkać, tłumacząc nieskładnie. – Walnąłem się w szafę i tak krew siknęła, że sam nie wiedziałem, co robić. No to chwyciłem, co było. Akurat twoja bluzka...

– Idiota. No, zawsze mówiłam, że idiota! – warknęła rozwścieczona Iwona.

Nie da się ukryć, że miała swoją rację.

9:25

85. Gośka wyminęła Grzegorza z gracją godną gazeli. Była na piętnastocentymetrowych obcasach i w nienagannym kostiumie w kolorze błękitu paryskiego. Kiedy pojawiła się w drzwiach, Zosia oniemiała.

Wydawało jej się przez moment, że pośrodku Grzesiowego salonu, prosto z pokładu lotowskiego samolotu, wylądowała jakaś stewardesa. Zapewne przyszło jej to do głowy z powodu koloru i kroju; widziała kiedyś film ze stewardesami we wdziankach w tym samym odcieniu, tylko, o ile dobrze pamiętała, mniej połyskliwych. Zsunęła się niezgrabnie z wysokiego barowego stołka, na którym spokojnie i szczęśliwie siedziała, sącząc poranną kawę, i powiedziała, nader grzecznie, bo tak ogólnie była grzeczną dziewczyną:

– Dzień dobry pani!

Pani „dzień dobry" nie odpowiedziała, ale Zosia tego nie zauważyła. Przyglądała się z niejakim zadziwieniem zmierzającej wprost na nią eleganckiej kobiecie. Za plecami damy majaczyła sylwetka Grześka. Coś w jego twarzy, w mowie ciała, zasygnalizowało Zosi, że jest nie halo. Ale nie zdążyła jeszcze dobrze połapać, gdy olśniewający kostium i twarz o urodzie pierwszej damy, i to na przykład francuskiej, już były przy niej. Stewardesa sięgnęła gdzieś za Zosine plecy i nagle na jasnych spodniach dziewczyny pojawiła się wielka, czarna plama, a ona poczuła ciepło na udach i zdała siebie sprawę, że oto ta pierwsza dama wylała na nią ledwo napoczętą kawę. Zatkało ją kompletnie. Patrzyła na zmianę to na plamę, to na Grześka, to na kobietę z dość cielęcym zdumieniem.

Grzegorz, blady jak ściana, złapał agresorkę za ramię.

– Gośka... No co ty...? – jęknął.

Ale Gośka ani myślała skończyć. Trzymała już w ręce drugi kubek, z którego chlusnęła z kolei na męskie spodnie. Nawet nie spojrzała na efekt swoich poczynań.

– Bujaj się... – powiedziała. I dodała: – Chuju.

Po czym odwróciła się i, kołysząc biodrami z wdziękiem godnym wybiegu w Mediolanie, opuściła mieszkanie, a zapewne i życie, Grzegorza Dolana.

9:35

86. Na peron Dworca Centralnego wjechał pociąg pośpieszny relacji Kraków–Warszawa. Wylał się z niego tłum podróżnych i szeroką strugą zaczął przemieszczać w kierunku ruchomych schodów. Ruda dziewczyna w bojówkach i koszuli w dynamiczną kratkę, objuczona plecakiem większym niemal od niej samej, z trudem przeciskała się w kierunku windy. Wyglądała, jakby właśnie wracała z Murowańca albo innego tatrzańskiego schroniska.

Nikt po nią nie wyszedł, jako że nieroztropnie nikogo nie zawiadomiła o powrocie, musiała więc samodzielnie nieść na grzbiecie to wszystko, co w przypływie szaleństwa kupiła dla mamy, brata, a nawet kota. Oscypki, bundz, ciupagę i rydze, osobiście zamarynowane w ilościach półprzemysłowych. Kot dostanie śmieszną zabaweczkę z piórek.

Poniosło ją nieco przy tych zakupach, czuła to teraz bardzo wyraźnie. Ledwie mogła unieść wypakowany na maksa plecak. Szła pochylona, patrząc pod nogi i marząc o bliskiej lokalizacji windy. Jednak zanim doturlała się do zbawczego dźwigu, ktoś znienacka potrącił ją z taką siłą, że aż się zatoczyła w kierunku torowiska. Poleciała jak kula armatnia do przodu, wpadając z rozpędu na starszawego jegomościa, który szedł przed nią, mozolnie ciągnąc za sobą walizkę. Trochę wytraciła pęd, jednak za przyczyną walizki, przez którą przefrunęła, zahaczając nogami, oraz plecaka obciążającego ją ponad wszelką miarę, nie odzyskała sterowności i stoczyła się na tory tuż przy kołach pociągu, który akurat zamierzał wystartować. Wszyscy wokół zamarli w pół ruchu, tylko sprawca zamieszania nie zatrzymał się ani na sekundę. Biegł, dopóki nie znalazł się na ruchomych schodach. Tam dopiero przystanął i odjeżdżając w górę, gapił się z wysoka na przestraszonych ludzi, ostrożnie podchodzących do torów i z przerażeniem zerkających, co się stało. Patrzył, jak obsługa pociągu i służba peronowa pędzi w kierunku miejsca wypadku. Jak ktoś krzyczy dramatycznie, a starsza kobieta łapie kurczowo męża za rękę. Chłopak wzruszył tylko ramionami z pogardą, zachichotał pod nosem i odwrócił wzrok. Trzeba spadać, zanim mnie dorwą, pomyślał. Szkoda, że ten pociąg stoi, ale tak czy siak czas spadać, domyślał do końca i zaczął żwawo przepychać się ku górze.

Całą noc spędził na peronie i teraz miał ochotę na kawę. Najlepiej w Tutto Bene.

10:20

87. Szparagi, białe i zielone, leżały na blacie w kuchni. Lucyna wkładała do zlewu całe ich wiązki

i za pomocą wężyka myła je z wprawą świadczącą o wieloletnim doświadczeniu byłej podkuchennej. W gastronomii przeszła wszystkie stopnie wtajemniczenia i jak trzeba było, to przecież i ugotować potrafiła. Tuż obok niej Norbert Zawijka, na wpół siedząc oparty o blat, nie robił nic. Tylko wściekał się od dobrego kwadransa.

– Czy ktoś urok na nas rzucił? Przekleństwo jakieś? Co tu się dzieje, do jasnej ciasnej?

Gdzie oni wszyscy się podziewają?

Nic już w nim nie było ze Steve'a Jobsa. Raczej przypominał Lucynie ciotkę Danusię, której wciąż trzeba było walerianę podawać, bo dostawała histerii przy każdym niestandardowym wydarzeniu.

– Pan się uspokoi, panie Norbercie! – tonowała szefa, wkładając do miski kolejną porcję umytych szparagów. – Przyjdą. Czemu mieliby nie przyjść? Przyjdą. Ani chybi zaraz tu będą.

W tym momencie zadzwoniła komórka. Norbert, jak oparzony, wyrwał ją z kieszeni.

– Tak. Co? Kurrr... Co? Co ty? Jak? No żeż... – Dobrze. Trudno. Niech... Cześć!

– No i co? – zagadała Lucyna, gdy tylko się rozłączył i zamilkł, gapiąc się w przestrzeń.

– Rychu nie przyjdzie – wycedził Zawijka po chwili milczenia. – Wpadł na drzwi, jołop. Rozwalił sobie prawą rękę, przeciął jakąś żyłę czy tętnicę i ma zwolnienie. Tydzień. Na dzień dobry.

– No, to rzeczywiście... – zaczęła Lucyna, ale nie zdążyła skończyć, ponieważ jego komórka ponownie zagwizdała jak lokomotywa (taki dowcipny sygnał sobie ustawił). Zawijka nie miał okazji poznać refleksji personelu, bez wątpienia głębokiej.

– Tak? Co? No żesz, co wy? Tak. Dobrze. Tylko migiem. Bo tu sajgon. Nikogo nie ma. Tylko Lucyna.

Norbert wyłączył aparat, postąpił dwa kroki do przodu i popatrzył ze zgrozą na Lucynę, która właśnie uporała się ze szparagami i pomaszerowała do lodówki, skąd wyjęła boczek. Miała przygotować wszystkie produkty do szparagów w sosie holenderskim. Teraz przyszła kolej na krojenie wędzonego boczku. Potem weźmie się do sosu.

– Dzwonił Grzesiek. Spóźni się. Powiedział, że Zośka też później przyjedzie. Oni coś kręcą razem? – zagadnął znienacka, zaciekawiony.

Lucyna przerwała wykładanie boczku na deskę i przyjrzała się Zawijce z zainteresowaniem.

– Grzesiek i Zośka? No, nic nie wiem. Z tym że ona to by była chętna. Może?

Znów nie zdążyła dokończyć, bo w kieszeni Norberta po raz kolejny odezwała się lokomotywa. Ponownie wyszarpnął komórkę.

– Tak? Słucham. Dzień dobry. Tak. Co? Dobrze. Trudno. Jak pan musi… Proszę przyjechać. Czekamy…

Rozłączył się i popatrzył na aparat z przerażeniem.

– No, cholera, jeszcze i to! Zaraz tu będzie ten pies Górzyański. Ma nam coś do zakomunikowania. Może znaleźli tego łobuza i szlus? Dobrze by było, ale potrzebny on w tym zamęcie jak drugi grzyb w barszczu. Niech to szlag! Muszę do Heńka… Kompletnie się facet pod ziemię zapadł.

I zaczął wykręcać numer.

11:00

88. Lucy przysiadła na stołku barowym i zagapiła się przez otwarte drzwi knajpki na przechodzących ludzi. Norbert otworzył restaurację, mimo że nie było ani jednego kucharza, tylko Misiek i ona. No i Helenka, ale ta zaraz wychodzi do drugiej roboty. Misiek, znudzony, polerował wyjęte z wyparzarki szkło i wyraźnie, jak nie on, miał ochotę pogawędzić.

Często zaraz po przyjściu do pracy bywał trochę rozdrażniony. Wprawiała go w taki stan podróż z Komorowa. Ze względów oszczędnościowych – i z powodu korków – na ogół rezygnował z jazdy swoim zdezelowanym peugeotem i wsiadał do kolejki WKD. Teoretycznie po trzydziestu minutach czytania książki był już na dworcu Śródmieście, skąd na Saską Kępę miał tyle co nic. Ale te pół godziny zawsze było loterią. Nigdy nie wiedział, jakie towarzystwo się trafi. Bywało spokojnie, bywało bardzo nieprzyjemnie. Najgorsze zaś ekscesy zdarzały się wieczorami. Jazda w jednym wagonie z pięcioma podpitymi drechami była nie lada wyzwaniem. Często go zaczepiali. Wyczuwali? „Te, ziomal, co tak, kurwa, studiujesz?". To była najłagodniejsza zaczepka. A nawet jak się do niego nie przychrzaniali, przeżywał męki, słuchając ich chamskich komentarzy na temat innych pasażerów, obserwując wulgarne zaczepki wobec dziewczyn albo demolowanie wagonu. Nierzadko miał ochotę wysiąść na pierwszej lepszej stacji i podróżować dalej choćby na piechotę, byle tych łachów nie oglądać. Najgorsze upokorzenie to bezsilność.

Dziś było nie najgorzej. W sobotnie poranki kolejką jechało sporo ludzi, a i napity jeszcze mało kto był. Nie licząc dwóch kolesiów w koszulkach z charakterystycznymi trójkolorowymi emblematami na piersiach, przerzucających się pomysłami, co by zrobili z poszczególnymi zawodnikami Polonii Warszawa. Ogólnie podróż minęła bez przeszkód. Misiek zdołał nawet przeczytać parę stron. Marcin polecił mu niedawno *Buszującego w zbożu* Salingera. Podobało mu się. Do knajpy przybył w całkiem niezłym humorze, myśląc bez odrazy o czekających go godzinach za barem.

– Ciekawe, co szef wymyśli, jak już klienci się pojawią? – zagadnął Lucynę, która właśnie przekazała mu najświeższe wiadomości. – Ten gliniarz też nam tu potrzebny jak dziura w moście. Totalny bajzel, Lucy. Czego on chce? Może już złapali tego mordercę. Kto wie?

– Akurat, złapali. – Lucy nie miała za grosz zaufania do organów władzy. – Nigdy nie złapią, mówię ci, Misiek. To lebiegi…

Misiek sięgał po kolejną szklankę, a tymczasem w drzwiach Tutto Bene pojawił się pierwszy klient: chłopak z plecakiem przewieszonym przez ramię. Barman, jak to barman, miał oko do ludzi. Ten koleś nie wyglądał mu na standardowego bywalca włoskich knajp.

Rozczochrany, nieogolony. Wręcz brudny. Phi. W życiu bym się do niego nie dotknął, wydął wargi Misiek. I jeszcze ten trądzik. Fuj! Odwrócił się i starannie odstawił szklankę. Klient rozejrzał się po wnętrzu i podszedł do stolika pod oknem. Do tego stolika. Postawił wypchany plecak na krześle, a sam usiadł na miejscu. No, na tym miejscu.

Lucyna zamarła na moment, ale że była z niej kobieta rozsądna i niehisteryczna, otrząsnęła się szybko z pierwszego wrażenia i dzielnie podeszła do chłopaka z kartą w ręku. Stanęła tuż koło niego, położyła na stoliku szarobłękitne menu.

– Czym mogę panu służyć? – zapytała.

Po czym spojrzała na niego uważniej i zdrętwiała.

11: 45

89. Zaraz po przyjściu do pracy komisarz Górzyański znalazł na biurku duży plik raportów z obu miejsc zbrodni. Sam sobie zrobił kawę, bo Pyzasia nie miała dyżurów w soboty. On właściwie też mógłby dziś sobie odpuścić posiadówkę w zakładzie, ale coś go ciągnęło do firmy. Ciekawość? Może nadzieja na przełom w śledztwie, wynikający z nowych odkryć? Wiedział, że dziś powinny przyjść wyniki badań, i rzeczywiście. Na biurku leżały nowe teczuszki. Kusiło go, żeby je natychmiast otworzyć, ale wiedział, że jak zacznie czytać, to zapomni zarówno o kawie, jak i o bożym świecie. Zatem najpierw zrobił sobie neskę, czarną jak diabeł (trzy łyżeczki, jego miarka), i zaczął studiować papierzyska. Po kwadransie już wiedział: niewiele wnosiły. Cóż z tego, że wyrysowano starannie, gdzie stał zabójca, że wyodrębniono włókna z krzesła i stolika, że opisano dokładnie rany od kul? Tu nie

znajdzie rozwiązania. Przynajmniej na razie. Kiedyś może przyda się ten raport jako potwierdzenie, ale na tym etapie to wyłącznie poszlaki.

W parku też nie znaleziono nic ciekawego. Owszem, były ślady butów, ale nie wyglądało, by miały znaczenie dla sprawy. Zeznania świadków: nikt nic nie widział.

Czyli i tam nie było nitki, która by doprowadziła do sprawcy. Westchnąwszy głęboko, komisarz otworzył komputer. Może tu znajdzie się coś interesującego? Zaczął, oczywiście, od poczty.

Niemcy, jak zwykle, okazali się niezawodni. Tym razem napisali po angielsku.

Egon Schmidtke, lat sześćdziesiąt cztery, niekarany, mąż i ojciec, a jakże. Biznesmen podejrzanej konduity. Robi interesy z Ukrainą, handluje to tym, to owym, właśnie za pomocą owej Spedpolukry, która wydaje się lukratywnym biznesem. Jak podawali niemieccy koledzy, sądząc po stylu życia, biznesy Egona idą znakomicie, choć nie wskazują na to odprowadzane podatki. Od jakiegoś czasu Schmidtke jest już monitorowany przez niemieckie służby skarbowe, ale na razie jeszcze nie udało się ustalić, skąd płyną pieniądze.

„Tak, pomyślał Górzyański. Macher od lewych interesów. Ale ostrożny. Tacy raczej nie mordują. Chociaż złożenie zlecenia na wyeliminowanie kogoś jest dość prawdopodobne. Stop. Oba zabójstwa wyglądały na egzekucje. Tak. W dodatku na personelu jednej, niedużej firmy. Takie przypadki raczej się nie zdarzają.

Co łączyło Henryka Rozalskiego i Oksanę Łuczynko z Egonem Schmidtke?

Interesy? Romans? Może coś z tym dzieckiem? Pośrednikiem między Niemcem a tą parką musiał być ktoś z Tutto Bene. Kto? Funia? Zawijka? Oboje może? No, ciekawe, w co ta gromadka była, czy raczej jest, zamieszana. Koło wtorku, środy powinny być pierwsze ustalenia z Przemyśla. Prokurator zlecił prześwietlenie Spedpolukry. W poniedziałek wkroczą tam wszelkie możliwe służby, na czele ze skarbówką. Spocą się koledzy Egona. Ale na razie, dopóki nie rozpętała się zawierucha, czas wpaść do Tutto. Powiedzmy, że na dobre, włoskie espresso. Już czas oznajmić reszcie, że jeden z kucharzy przeniósł się do innego, lepszego być może, świata. Podobnie jak kelnerka.

12:00

90. Plany spełzły na niczym. Zosia, po przejściu huraganu „Gośka", najpierw na parę sekund zamilkła, a potem zaatakowała. Grześka, rzecz jasna. A on stał jak skamieniały i gapił się tylko to na swoje spodnie z czarną plamą w kroku, to na spodnie Zośki. Na tych drugich widniała plama kształtem przypominająca Afrykę i niemal dorównująca jej wielkością. Spodnie były do wyrzucenia.

– Grzesiek! Kto to? Co to było? Rany!

Zosi plamy nie interesowały. Patrzyła na Grzecha. Ten zamrugał oczami, jakby właśnie budził się ze snu.

– To była Gośka... – odparł powoli. – Po prostu Gośka...

Ni w pięć, ni w dziewięć zachichotał, czym wkurzył dziewczynę.

– Ciebie to bawi? – krzyknęła i wskazała swoje spodnie. – To moje najlepsze! Były. I kim ona jest? Dla ciebie. Kim jest?

Gapiła się na niego tymi szeroko otwartymi ślepiami i wyglądała... Znów wyglądała jak kupka nieszczęścia.

– Nikim. I nikim nie była – powiedział Grzegorz stanowczo. – Sypialiśmy ze sobą – dodał. – I tyle.

– I była nikim? Dla ciebie laski, z którymi sypiasz, są nikim? – zasyczała Zosia. Czuła, że zaraz eksploduje, że jej świat po raz kolejny zmierza do zagłady. – Dobrze wiedzieć!

– To nie tak. Zochna! Mówię, że Gośka była nikim, bo to był taki układ. Bez zobowiązań.

– I dała ten pokaz, bo to dla niej nieważne? Bez zobowiązań? Chyba jednak ważne, skoro zasponsorowała taką jazdę!

– Dała pokaz, bo lubi. Spektakle, adrenalinę i ostre dania. To ją kręci. No, może ją coś zakłuło. Bo wczoraj nie chciałem się z nią spotkać. A potem zobaczyła tu ciebie. Więc poczuła się porzucona. Ale to sprawa ambicji. Nie serca.

– Nie chciałeś się spotkać? Porzucona? To znaczy, że... to twoja dziewczyna?

– Tak bym nie powiedział. Chociaż... Spotykaliśmy się od czasu do czasu, zawsze na jej warunkach, kiedy ona chciała. Spędzaliśmy razem trochę czasu, szliśmy do łóżka. Żadnych planów, żadnych rozmów o przyszłości, żadnych związków. Obojgu nam było z tym wygodnie, ale ja już... Ja teraz...

– Kiedy ona chciała... A ty, biedaczku, nie chciałeś!? Zmuszała cię, czy jak?

– O Boże, Zochna, poczekaj. Wszystko ci wytłumaczę, ale na razie musimy coś zrobić z tym. – Grzegorz wskazał szerokim gestem plamy i zalaną kawą podłogę.

Wyciągnął z pojemnika kilka papierowych ręczników, przyklęknął u stóp Zosi i szybkimi ruchami zlikwidował plamę na posadzce. Dziewczyna stała i patrzyła na czubek jego głowy. Jeszcze szybsze niż ruchy Grześka były myśli fruwające po jej mózgu. Oszukuje? Przecież... Udawał? Ale... Nie chciał się z nią spotkać. Chciał mnie zaliczyć? A może ją rzucił? Tę Gośkę. Dla mnie rzucił? W co ja się znowu... Bo jeśli rzucił... Czy naprawdę? Ale Gośka...

Stała tak i kombinowała, a tymczasem Grzegorz wywalił ręczniki do śmieci i pobiegł do sypialni, skąd wynurzył się w nowej koszuli i nowych dżinsach. Aż ją zatkało, tak ładnie wyglądał.

– Lecimy – powiedział i złapał Zosię za rękę.

– Gdzie lecimy?

– Do ciebie lecimy. No chyba że masz zamiar cały dzień w tych spodniach biegać.

– Ale musimy to wszystko...

– Proszę cię, uwierz. Porozmawiamy, ale to nie jest takie proste, żeby w dwie minuty... Opowiem, wyjaśnię. Wiem, że to ci się może... Zosiu, z Gośką nie ma sprawy. Zaufaj mi.

Wobec jego spojrzenia była bezradna. I wobec tego tonu, jednocześnie i spokojnego, i stanowczego, i czułego... No a poza tym musiała przecież zmienić te cholerne spodnie!

Wyrwali więc z kopyta z domu i spod domu. Zmiana ciuchów zajęła Zosi kilka minut. Zdążyła jeszcze złapać niewielkie radyjko, które od lat walało się po jej szufladach, a do szpitala było jak znalazł. Dla pani Stasińskiej. Wiedziała, że przez tę całą głupią Gośkę przed pracą już nie zdąży tam dojechać, ale jakby co, była przygotowana.

Wślizgnęła się do samochodu w chwili, gdy Grzesiek kończył rozmowę z Norbertem.

– Teraz grzejemy prosto do firmy. Nikt się nie stawił dziś w robocie. Tylko Lucy. Zawijka jest w takiej furii, że nawet nie klnie. Cedzi.

Zosia wiedziała, że cedzenie słów przez Norberta oznacza najwyższy stopień wściekłości. Ewentualnie pozostawało jeszcze chwycenie za nóż.

– A ta Gośka... Długo z nią byłeś?

Grzegorz oderwał wzrok od jezdni i spojrzał na łypiącą nań spod oka dziewczynę.

– Zosiu, proszę cię, zaczekaj, aż będzie można spokojnie pogadać. Wszystko ci opowiem. Ja cię nie oszukuję. Ale proszę, na razie daj spokój...

– Daj spokój? – rzuciła. – No chyba mam prawo... – Ugryzła się w język. I żeby zagadać to coś dziwnego, co zazgrzytało, dodała: – No, ciekawa jestem...

– Pół roku, może trochę więcej – odpowiedział spokojnie Grzegorz, zmieniając pas ruchu. – Ale to naprawdę nie było nic...

– ...poważnego? Dla niej chyba było, skoro...

– Dla niej też nie – przerwał, już trochę wkurzony. – To taki typ, po prostu.

– Jaki typ?

– Zdobywczyni? Kolekcjonerki? – odpowiedział po chwili.

– A ty co? Motylek na szpilce? Wazonik na półeczce? Tak mówisz o kobiecie, z którą byłeś? To o mnie też tak będziesz?! – zapytała dramatycznie.

Zdecydowanie nie był to jej najlepszy dzień.

Już podjeżdżali pod Tutto Bene. Szczęśliwie – w sprawie parkingu przynajmniej – i płynnie zajęli zwalniające się akurat miejsce vis-á-vis drzwi.

– Zależy, jak się będziesz sprawować – palnął Grzegorz i zdał sobie sprawę, że poziomem żartu ulokował się kilka metrów pod dnem.

Zosia aż poczerwieniała z wściekłości. Męski pyszałek! Łajdak! No proszę, jednak.

– Jesteś... Jesteś potworem!

Naprawdę musieli już iść. Nachylił się, pocałował ją czule w usta.

– Też cię kocham. Wysiadaj...

12:15

91. Z Przemyśla trzeba było jechać Sanocką, a potem jeszcze kilkanaście kilometrów dwudziestką ósemką. Po półgodzinie Egon zaparkował czarne audi na olbrzymim placu przed zajazdem U Wincentego. Miejsce porażało absurdalną skalą: przydrożna knajpa

w szponach straszliwego *elephantiasis*. Nie dość, że główna bryła budynku była gigantyczna, to jeszcze podoklejano do niej niezliczone wieżyczki, nadbudówki, przybudówki, moduły i skrzydła. Na oko całość kubaturą mogła konkurować z Pałacem Kultury. Parking powierzchnią wygrywał chyba z placem Świętego Piotra. Ale, co dziwne, wypełniony był niemal po brzegi autokarami, TIR-ami i samochodami osobowymi. Nad wszystkim górowała neonowa postać św. Wincentego – przemyskiego patrona.

Egon wszedł do środka, do restauracji. Właściwie należałoby powiedzieć: do kompleksu restauracyjnego. Między poszczególnymi przybytkami gastronomicznymi, rozlokowanymi po okręgu, poruszały się na wrotkach hostessy. Rodziny spierały się, czy stanąć w kolejce do Wiejskiej Karczmy, Pizzy Corleone, Rybnego Stawu, Słodkiego Raju, czy zgoła do English Tea Gallery (albo jeszcze czegoś innego). Popularnością cieszyły się długie lady przysmaków regionalnych, gdzie można było kupić na wynos różne kiełbasy, sery, chleby i brzozowe soki (a wszystko „jak u babuni", „prosto od sołtysa", „z przemyskiej zagrody" albo „wedle prastarej receptury"). Dzieci wrzeszczały, mężowie darli się na żony, żony nadwerężały nerwy mężów. „Mamo, siku!", „Elżuniu, przecież ja już zamówiłem!", „Nie, drugiego ci nie kupię, bo się pochorujesz", „No weź, Bożena, mnie nie osłabiaj!", „Zajmijcie miejsca tam, tam przy ścianie!". Ochroniarze nadawali przez radia, TIR-owcy w plastikowych wiatrówkach pochłaniali karkówkę z grilla, lokalne tipsiary komentowały wzajemnie swoje balejaże.

Miejsce odpowiadało Egonowi idealnie. Można było tu zniknąć w tłumie i odbyć spotkanie anonimowo.

Tyle że znalezienie Furmanowa wcale nie było rzeczą prostą. Mniej więcej w połowie pierwszego okrążenia Schmidtke dostrzegł Leonida w okolicach szyldu „Uczta u Przemysła". Ukrainiec (a właściwie Rosjanin, przeflancowany do Lwowa z Rostowa nad Donem) machał do niego ręką i śmiał się tą swoją pucołowatą, rumianą twarzą nadciśnieniowca.

Uścisnęli sobie dłonie, a Furmanow, serwetką otarłszy usta z tłuszczyku golonki, zainicjował niedźwiadka. Chwilę po serdecznościach siedzieli już obaj przy stole i rozmawiali po niemiecku. Choć Leonid nie był w tym języku mocarzem, spokojnie sobie radził.

– Egon, będziesz coś jadł? – zapytał wspólnika. – Mają tu dobrą golonkę. Właściwie taką, jak wszędzie, czyli dobrą. – Roześmiał się od ucha do ucha. – Tylko wódki nie dają. Ani nawet piwa.

– Dobra, kończ swoją, mnie się nie chce jeść. Dopiero co jestem po śniadaniu w hotelu. – Niemiec rozejrzał się po wielkiej hali. – Mój Boże, trzeba mieć górę pieniędzy, żeby coś takiego wystawić! Ale wygląda, że ruch na tej trasie jest taki, że się opłaca. Właściciel to jakiś twój kumpel?

– Oj, Egon, Egon. Wszystko byś chciał wiedzieć. – Furmanow zaciekle usiłował dobrać się widelcem do kawałka mięsa ukrytego między kośćmi. – Powiedzmy, że Spedpolukra ma tu swoje udziały. A miejsce na spotkanie świetne, sam widzisz.

Chciałeś anonimowo, masz anonimowo. Zwłaszcza w weekendy zawsze tu pełno.

– Przypominam ci, że Spedpolukra to także ja, więc wolałbym wiedzieć, w co ją pakujesz. Ale dobra, na razie pies trącał te twoje golonki. Nie chcesz, to nie mów. Do rzeczy. Mogliśmy się zobaczyć w firmie, tu albo u was, ale akurat teraz może i lepiej nie rzucać się w oczy ze spotkaniami. Możesz mi wytłumaczyć, co się dzieje i czemu rozrabiacie? – Tu Egon spróbował zmierzyć się z dźwięcznym powiedzonkiem *job waszu mat'*, ale nie wyszło mu najlepiej.

– Egon, ciągniesz mnie na tę stronę granicy, a wiesz, że za każdym razem muszę prosić kolegów pograniczników o pomoc, a to i koszty są zawsze jakieś, pilnie chcesz się spotykać, więc ja, prosty, ruski chłopak, myślę, że coś ciekawego masz mi do powiedzenia. Na przykład: co się dzieje i co wy tam wyrabiacie, *job waszu mat'*! – Furmanow zademonstrował, jak to się robi prawidłowo. – A ty mnie pytasz, co się dzieje.

Egon Schmidtke przyglądał się rozmówcy, usiłując dostrzec w jego spojrzeniu i mimice jakiekolwiek oznaki pozwalające stwierdzić, czy ten gra z nim szczerze, czy nie. Wiedział, na czym zbudowane są ich relacje i czego się może spodziewać, ale jednak… Tak całkiem po ludzku go lubił. A poza tym, nie chciało mu się długo bawić w korowody.

– No dobra, Leonid. Ty jesteś niby szeroka słowiańska dusza, a ja tępy Prusak, ale coś ci powiem, wspólniku: albo się dogadamy i szybko wyjaśnimy sobie, kto tu komu usiłuje rozpalić ogień pod dupą, albo wspólnie spalimy całkiem dobry biznes. I wszystkie inne, które możemy razem robić. Wiesz, że nie jesteś w stanie mnie wyślizgać. Wiesz czy nie?

– Ty beze mnie też nie dasz rady. Wiesz czy nie?

– Po coście narobili tego zamieszania w Warszawie? Po co była ta strzelanina, trupy? Nie można było inaczej? Usiłujesz mnie wpędzić w kłopoty i przejąć interes? – Egon mówił cicho i spokojnie, ale w jego głosie wyczuwało się napięcie.

– O czym ty mówisz, do cholery, *bratok*, jakie trupy? W jakiej Warszawie? W Warszawie to ja byłem ostatnio ze cztery lata temu.

– Nie rób ze mnie idioty! – Od pięści Egona zadrżał stolik. Na talerzu Furmanowa zadzwoniły odłożone przed chwilą sztućce. – Mało masz tam swoich?

– Ano mam swoich. I ci moi mi mówią, że w Warszawie mój wspólnik usiłuje nas wpędzić w kłopoty i przejąć interes.

– Człowieku, nie wygłupiaj się. – Egon spróbował wrócić do poprzedniego, spokojnego tonu. – Chcesz mi powiedzieć, że polska policja węszy koło mnie i koło naszej wspólnej firmy bez twojego udziału?

– Egon, ja może jestem człowiek prosty, ale nie idiota. Dlaczego miałbym napuszczać polską policję na ciebie i na to, co z takim trudem zbudowaliśmy? I to właśnie teraz, kiedy wszystko zaczęło się tak dobrze kręcić...?

Egon nadal nie wiedział, czy ma wierzyć Furmanowowi, czy nie. Ale nawet jeśli za warszawskimi wydarzeniami ostatnich dni stał ten lwowski amator golonek, i tak z niego nic nie wydobędzie. Tak czy owak, dalsza rozmowa była stratą czasu.

– Dobra, niech będzie, że nic nie wiesz. I ja nic nie wiem. A tak samo jak ty chciałbym to wyjaśnić.

– Egon, jeśli ty nic nie wiesz i ja nic nie wiem, to co za sukinsyn w tej firmie nas obu robi w konia, *job jewo mat'*? Czeka nas chyba sporo pracy, żeby zrobić porządek.

– Pewnie tak. Wracam jeszcze na parę dni do Warszawy. Dowiem się, co to za sukinsyn. Wolałbym, żebyś mi pomógł.

– Co? Też mam jechać do Warszawy?!

– Nie o to chodzi. Ale żebyśmy grali w jednej drużynie. Pogadaj ze swoimi i dowiedz się, ile możesz. Jak ja coś będę wiedział, to też ci powiem. A co do Warszawy... Wiesz, może i fajnie by było. Zjedlibyśmy coś lepszego niż golonka przy szosie, poznałbym cię z pięknymi kobietami, zobaczyłbyś parę miejsc, których nie było cztery lata temu, odetchnąłbyś...

– Ech, Egon, po co mi te twoje wspaniałości? Ja naprawdę jestem prosty chłopak. Dla mnie najlepsze przyjęcie to, wiesz, jak to śpiewają: „*russkaja wodka, cziornyj chlieb, sieliodka*". Proste i czyste. Jak interesy między przyjaciółmi. Bo inaczej... Inaczej tylko głowa boli na drugi dzień.

12:15

92. Zosia siekała. Raz po raz na zerkała na Grzesia, usiłując sobie poukładać w głowie to wszystko, co się

wydarzyło dziś i wczoraj, i przedwczoraj. Rzecz nie była łatwa, za dużo się działo. Szum informacyjny, gonitwa myśli... Dobrze, że miała zajęcie, dobrze też, że łatwe. Caponata to łatwizna, nie wymaga nadmiernego skupienia. Zosia wzięła się do niej od razu po wejściu do kuchni. Rzuciła torbę na zapleczu, wdziała bluzę, umyła ręce i stanęła przy blacie. Podobnie jak Grzegorz, który też zabrał się do roboty, nie czekając nawet na pojawienie się Zawijki. Norbert bowiem na chwilę gdzieś zniknął. Zosia zaczęła od pokrojenia bakłażana w zgrabne kawałki. Posoliła je i teraz siekała seler naciowy. Grzesiek wykombinował specjalnie dla Tutto Bene przepis, caponatę San Corrado i jak dziewczyna z zachwytem przyznawała, było to coś więcej niż zwykła słodko-kwaśna caponata. Danie wzbogacone gorzką czekoladą (efekt rozmowy ze znajomym Sycylijczykiem, który opowiedział, że jego babcia zawsze dodawała do caponaty trochę kakaowego proszku), migdałami i balsamico smakowało po prostu genialnie. Zosia zresztą uwielbiała i caponatę, i Grześka, więc siekała z wrodzonym entuzjazmem, choć cały czas rozmyślała o ostatnich wydarzeniach. Sama nie wiedziała, czy się cieszyć, czy martwić. Uczucie było dla niej całkiem nowe. Pogrążona w pracy nie zauważyła Lucyny, która stanęła w drzwiach kuchni i spłoszonym wzrokiem omiotła wnętrze. Podskoczyła ku Zosi z okrzykiem ulgi:

– No, wreszcie jesteś!

Zosia, zajęta po raz kolejny strojem Gośki (nie jej styl) i jej fryzurą (odważna!), nie zobaczyła ani nie usłyszała koleżanki, więc gdy poczuła uderzenie w ramię, podskoczyła jak na sprężynie. Podniosła na Lucy nieprzytomny wzrok.

– Co się dzieje?! – wykrztusiła przestraszona, odrywając się niechętnie od myśli i od pracy.

– On tu jest! – krzyknęła Lucy, cała rozemocjonowana.

– Kto?

– Ten... No ten, którego mi pokazywałaś. Tu jest.

– Kto? Ten?! – Zosia aż podskoczyła z przerażenia.

– Tak, ten ze zdjęć. Siedzi tam, wiesz, pod oknem. Dokładnie tam.

12:35

93. Choć była sobota, terenowy opel Sylwii z trudem przebijał się przez Śródmieście. Część ulic zamknięto ze względu na rozgrywany tego dnia bieg Banku Westfalsko-Hanowerskiego (o czym informowały porozwieszane tu i ówdzie banery z hasłem „Biegaj z BeWuHa – z kasą, lecz bez brzucha!"), jedna padła ofiarą weekendowego remontu, a reszty dokonały wspólnymi siłami budowa drugiej linii metra oraz stłuczka na którymś z mostów. Sylwia była spóźniona. Wiedziała, że Miro się wścieknie, w końcu uprzedzał, że nie ma zbyt wiele czasu. Na dodatek nie mogła się do niego dodzwonić. Wciskała uparcie przycisk ponownego wybierania, ale pan mecenas albo nie odbierał, albo było zajęte. Z rozpaczą dostrzegła na drodze kolejnego policjanta, pokazującego, że zamiast jechać prosto, musi w lewo.

– Jak ja sobie chcę pobiegać, to nikomu nie blokuję ulic! – rzuciła wściekle w jego stronę i z impetem skręciła we wskazanym kierunku. W tej samej chwili usłyszała dźwięk telefonu. Miro wreszcie oddzwaniał. Obejrzała się, czy akurat żaden z gęsto rozstawionych funkcjonariuszy nie patrzy i przyłożyła komórkę do ucha.

– No co z tobą, Sylweczku? – usłyszała. Z ulgą stwierdziła, że pan mecenas jest w dobrym humorze.

– Cholera, wpadłam w jakiś kocioł i nie mogę się przebić. Nie przypuszczałam, że w centrum dzisiaj taka masakra. Potrzebuję jeszcze z dziesięć minut.

– A gdzie jesteś?

– Dojeżdżam do palmy.

– Wiesz co... – zastanowił się Miro. – To w takim razie nie przyjeżdżaj do mnie, tylko pojedź Poniatowskim na Saską Kępę. Pamiętasz taką włoską knajpę, w której Kłosek urządzał kiedyś urodziny? Tak, w bok od Francuskiej. Jakoś tak... Tutti Frutti?

– No, pamiętam – przytaknęła, żeby skrócić te gadki. Wszędzie było pełno policji.

– Spotkajmy się w niej za pół godziny. Mam tam akurat niedaleko jedną sprawę do załatwienia, ty sobie spokojnie dojedziesz. A potem pogadamy.

– Dobrze. Sorry, Miro, ale nie wiedziałam, że będzie taki bajzel.

– Nie przejmuj się, Sylwuś. Jak dotrzesz przede mną, to zamów sobie na moje konto kawusię i dobre ciacho, odsapnij. Pędzę do ciebie, Sylvie. Do zobaczenia w Tutti Frutti!

Dżizas, co za prostak, pomyślała Sylwia, odkładając komórkę. Wspólny pobyt w knajpie zapowiadał mnóstwo burackich atrakcji. Ale teraz potrzebowała rady Mira. I pomocy. Skręciła w kierunku mostu.

Wciąż nie mogła się przyzwyczaić do bryły Stadionu Narodowego po lewej.

12:45

94. Jadąc swoim prywatnym autem na Saską Kępę, Górzyański zastanawiał się nad tym, co usłyszał przed paroma godzinami od Lisieckiego. Facet, pnący się ostatnio w górę po szczeblach prokuratorskiej drabiny, którego znał z wielu wspólnie prowadzonych spraw, roztoczył przed nim dość interesującą wizję. Nie po raz pierwszy zresztą. To prawda, pojawiały się coraz to nowe formy przestępczości, głównie związane z Internetem i zastosowaniem technik informatycznych w handlu, bankowości i w życiu w ogóle. Lisiecki miał idée fixe: uważał, że wymiar sprawiedliwości w Polsce nie nadąża za tymi zjawiskami i kilka lat temu zaproponował utworzenie dodatkowej specgrupy od takich spraw. Paru prokuratorów, policjantów, a jako konsultanci – informatycy, prawnicy, bankowcy. Lisiecki był szefem. Najwyraźniej chciał na tym wypłynąć na szerokie wody. Bardzo szerokie. Podkreślał, że to problemy całej Europy, a właściwie całego świata, że FBI, że Interpol, że Scotland Yard... Miał zdecydowanie głowę na karku, bo w tym, co mówił – oprócz wizji jego własnej kariery – było dużo sensu i rozsądnych rzeczy. A poza tym najwyraźniej sporo na ten temat wiedział i potrafił ciekawie opowiadać.

Ze dwa tygodnie temu – przy okazji jakiegoś służbowego spotkania – uśmiechnięty wręczył Górzyańskiemu cienką teczkę zatytułowaną *Współczesne formy przestępczości związane z zastosowaniem technologii informatycznych*. Prosił, żeby przeczytać, powiedzieć, co myśli.

Komisarz przypomniał sobie, nie wiedzieć czemu, plasterek kiszonego ogórka, który zawstydzonej Pyzatce wypadł z kanapki prosto na służbowe papiery. Teczuszka Lisieckiego wciąż tkwiła w górnej szufladzie biurka w komendzie.

No dobra, pora się brać do swojej roboty, pomyślał, rozglądając się za miejscem do zaparkowania w pobliżu opisywanego ostatnio we wszystkich warszawskich przewodnikach gastronomicznych Tutto Bene.

12:55

95. Wiadomość przekazała siostra oddziałowa.

– No, pani Stasińska, dosyć wakacji u nas. Wraca pani na internę. Doktor Kanabus zdecydowała, że zagrożenie minęło i nie ma co pani tutaj trzymać. Cieszy się pani? Będzie pani mogła znowu chodzić.

Starsza pani pokiwała głową.

– No widzi pani, siostro... Tamta była o tyle od mnie młodsza. – Tu pani Stasińska wskazała brodą odgrodzony parawanem kąt sali, z którego dziś o świcie wywieziono pacjentkę przykrytą białym prześcieradłem. – A wyjechała pod obrusem. A ja, taka stara, mam jeszcze chodzić...

– To pani zauważyła rano…

– Dziecko, ja dużo rzeczy widzę, chociaż wyglądam na beznadziejną staruchę. Oglądała pani *Co się zdarzyło Baby Jane?* siostro?

– Nie, chyba nie – odparła pielęgniarka, wpisując coś do karty wiszącej na poręczy łóżka.

– Mniejsza z tym. Pozory mylą. Starzy nieraz by mogli młodych zaskoczyć. Zawsze to synowi powtarzam.

– To pani ma syna? Nigdy nie widziałam u pani żadnego mężczyzny. – Siostra odwiesiła kartę na miejsce.

– A, bo on okropnie zajęty. Wie pani, bardzo dużo pracuje. W telewizji! – powiedziała staruszka znacząco i uśmiechnęła się, lekko zażenowana. – Na pewno zna go pani z twarzy.

Siostra oddziałowa zmarszczyła czoło z zastanowieniem.

– Zaraz, Stasińska, Stasińska… Stasiński… Wielisław Stasiński? Ten? *Bez przerywania*? To pani syn? – zapytała zdumiona.

– No tak. To mój Sławek.

– Ale… – Pielęgniarka nie przestawała z niedowierzaniem potrząsać głową. Kontrast między opuszczoną staruszką a przystojnym czterdziestolatkiem w nienagannie skrojonych garniturach, co drugi wieczór bezlitośnie przepytującym na oczach całej Polski ludzi z pierwszych stron gazet, był zbyt duży, żeby tak od razu uwierzyć. – Ale… On pani nie odwiedza? Pani tutaj nawet chyba telefonu nie ma. Matka Wielisława Stasińskiego?

Starsza pani odwróciła twarz do ściany, za chwilę jednak ponownie spojrzała na siostrę z niezbyt przekonującą wesołością.

– A tam, telefony – powiedziała. – Mówią, że raka się od tego dostaje. A Sławek nie przychodzi, bo... bo ma dużo pracy. Ciągle się tylko przygotowuje do tych wywiadów. Czasem mu nawet pomagam. Jak miał rozmawiać z Pilchem, to prosił, żebym mu streściła wszystkie jego książki. I z żoną ma... Też musi pobyć... Ale wszystko o mnie wie i się interesuje. Przez kuzynkę naszą. Zosię.

– To ta panna, co tu wczoraj była? – zapytała oddziałowa, pamiętając wymianę zdań ze skruszoną dziewczyną, która poprzedniego dnia po raz pierwszy zawitała na OIOM. „Cioci kuzyn", powiedziała o facecie, który zrobił pielęgniarce dyżurnej awanturę przez telefon, zapytany, czy się nie wybiera do starszej pani. To jego numer Stasińska podała na pytanie o kogoś z rodziny. Kuzyn... A może ja coś źle zrozumiałam, pomyślała.

– Tak, to właśnie Zosia – odparła Stasińska energicznie. – Ładniutka, prawda? Porządna z niej dziewczynka.

Oddziałowa pokiwała głową.

– Niedługo tu przyjdzie Irek, pielęgniarz z interny – powiedziała. – I panią zabierze tam do nich. Może niech pani rzeczy... – Rzuciła okiem na skromny dobytek pacjentki. – On pani zresztą pomoże – dodała, otrząsnąwszy się z refleksji, i skierowała się w stronę drzwi.

– Siostro, ale Zosi pani powie, gdzie jestem? Żeby się nie denerwowała? Na pewno dziś przyjdzie. Na pewno – mówiła z niezbitą pewnością starsza pani.

– Powiem, pewnie, że powiem – odparła pielęgniarka i wyszła na korytarz.

13:00

96. Bardak był obezwładniający, ale Rychu nie miał zamiaru sprzątać. Czuł się słabo. Było to uczucie zupełnie mu obce. Leżał na rozbełtanym łóżku, wokół którego walały się porozrzucane wczoraj i dzisiaj rzeczy, i nie miał siły się zwlec z barłogu. Nie myślał specjalnie o niczym, bo o czym tu myśleć. Iwonka... No cóż, przyobiecała wrócić wcześniej, ale tylko zrobiła mu na śniadanie jajecznicę, oczywiście zbyt suchą, i wymaszerowała do pracy. Jajecznica stała na stoliku nocnym obok zimnej herbaty w szklance i wyglądała naprawdę odrażająco. On takiego byle czego jeść nie będzie, za Chiny Ludowe. Zresztą... Jakoś nie jestem głodny, uświadomił sobie ze zdziwieniem.

Iwonka...

Znów mówiła, że była u matki, że matka źle się poczuła i zadzwoniła, żeby przyszła natychmiast. Takie tam. Sranie w banie. Czy to prawda – nie wiedział. Ale się dowie. Na razie jednak z nim nie halo. Tylko by spał. Może to ta krew, co się z niego wylała? Nie będzie się na razie spinał. Dość już się naspinał, namęczył, nawalczył i nastarał. Teraz po prostu się prześpi. Ustaliwszy plan działania, Rychu przewrócił się na bok, tak by łapy, Boże broń!, nie urazić, i zasnął zdrowym i głębokim snem spokojnego człowieka.

Nie miał żadnych koszmarów. Czuł, zasypiając, że wszystko na pewno się wyjaśni i będzie dobrze. Tak czuł.

13:00

97. Żona zaś, jego Iwonka, w dziesięciocentymetrowych szpilkach i białych spodniach tak obcisłych, że milimetr mniej i by pękły, wysiadała właśnie na Gocławiu z golfa w kolorze błękitnego ptasiego jaja, zmierzając prosto do mieszkania na pierwszym piętrze, gdzie miała szczery i solenny zamiar poważnie porozmawiać ze swoim szefem. Dalej już w to nie pójdzie, żeby nie wiadomo co. Tak mu właśnie powie. Potknęła się na wyboistym chodniku, zadrżała, ale złapała pion i pomaszerowała dalej, kręcąc rozkosznie pupą. Aż idący za nią facet westchnął ciężko, pomyślawszy o siedzeniu swojej żony…

Nie był to dla niego najłatwiejszy moment.

13:10

98. Zośka zerknęła przez uchylone drzwi i w pierwszej chwili nie uwierzyła własnym oczom. Siedział tam i pił herbatę. Zupełnie jak nie on.

Jak człowiek… cywilizowany. Obok niego zaś siedział, ni mniej, ni więcej, Norbert Zawijka i coś nadawał z dużym zaangażowaniem. O! Teraz poklepał go po plecach, jak najlepszego przyjaciela, a Waldek, bo to był bez dwóch zdań Waldek, wykrzywił się w przyjaznym uśmiechu. Zośce zrobiło się ciemno przed oczami i gdyby nie stojąca tuż za nią Lucyna może by i zasłabła. Oparła się o ścianę, nerwowo powtarzając w myśli: „Co ja mam zrobić? Co mam zrobić? Co mam…”.

Już nic nigdy nie będzie dobrze. Nigdy. Wszystko się rozleci. Na zawsze. Straciła równowagę i całym ciałem opadła na wahadłowe drzwi, a te pod jej ciężarem dość hałaśliwie otworzyły się na salę. Spojrzenia wszystkich gości restauracji Tutto Bene skupiły się na bladej, przerażonej, usiłującej odzyskać balans dziewczynie.

13:20

99. Iwonka schodziła po schodach zła jak osa. Norbiego już nie było w domu. Komórki nie odbierał. Na chwilę przykleiła się do drzwi i miała wrażenie, że słyszy za nimi jakieś szmery czy dźwięki, ale gdy pukała, znów panowała cisza. Popodsłuchiwałaby chętnie trochę dłużej, aby mieć pewność, czy się aby facio przed nią nie ukrywa, ale przypałętała się jakaś matka z dzieckiem w wózku, mieszkająca tuż obok. Pod czujnym spojrzeniem kobiety, stukając po raz ostatni, Iwonka musiała odejść jak niepyszna.

Ale kicha, pomyślała. Pójdę do Stelli na trochę, ale tak czy inaczej muszę dziś złapać Norberta. Do domu teraz nie wrócę. Za Chiny Ludowe, jak mówi Rychu.

13:21

100. Kiedy poczuła na sobie wszystkie oczy, Zosia stwierdziła, że oto przyszła pora na działanie. Wyszła z zaplecza i odważnie pomaszerowała naprzeciw Waldkowi, który podniósł się z krzesła i zrobił krok w jej stronę.

– Hej, Zocha! – wykrzyknął radośnie, jak gdyby nigdy nic. Gęba mu się śmiała od ucha do ucha. Zosię zemdliło ponownie. – Cześć! Właśnie miałem do ciebie iść na zaplecze. Nie uwierzysz! – Odwrócił się do stojącego tuż obok zdziwionego Zawijki i wskazując na niego palcem, powiedział: – Właśnie pan Norbert mnie tu do pracy przyjął. Cieszysz się?

13:22

101. Górzyański nie mógł znaleźć miejsca do zaparkowania. Kręcił się po uliczkach kilka minut, zanim wypatrzył lukę. Przecież sobota, powinno być luźniej, pomarudził w myślach. A jest kompletnie zapchane. Zamknął drzwiczki i udał się w kierunku Tutto Bene, marząc o dobrym, prawdziwym espresso. Zamaszyście otworzył drzwi restauracji i jego oczom ukazał się niespodziewany widok. Zamiast ludzi oddających się konsumpcji w miłej atmosferze i pośród zapachu włoskich potraw, zobaczył pod oknem tę sympatyczną Zosię Staszewską w seledynowej bluzie kuchennej, szarpiącą się z dwoma facetami, z których znał przynajmniej jednego.

Wiesiek Matulak z komendy. Drugiego chyba nigdy nie widział na oczy. Niedaleko stał jeszcze znany Górzyańskiemu menedżer Norbert Zawijka. Na widok komisarza Matulak bynajmniej nie zaprzestał działania, tylko zdecydowanym ruchem odsunął swego czerwonego jak arbuz adwersarza od dziewczyny, przewracając przy okazji stojące przy stoliku krzesło. Poruszona sceną para w średnim wieku odłożyła noże i widelce, przyglądając się z zadziwieniem teatrowi pod oknem. Kilkoro pozostałych gości też obserwowało z uwagą przedstawienie nawiązujące klimatem bardziej do gospody ludowej niż do modnej warszawskiej miejscówki dla gurmandów.

Z drzwi kuchni wyszła zdenerwowana Lucyna i zagarnęła Zosię ramieniem w stronę zaplecza. Zawijka zaś, odsunąwszy się nieco od mężczyzn (Matulak zdołał tymczasem obezwładnić tego drugiego stosownym chwytem), prosił o spokój i groził wezwaniem policji. Swą groźbę wzmacniał, wymachując komórką wielkości biletu tramwajowego.

– Policja już tu jest – powiedział Górzyański, ale jego głos zginął w ogólnym harmidrze. Widząc, że jego kolega z komendy do spółki z Lucyną jakoś opanowali sytuację, komisarz zaczął się zastanawiać, przy którym stoliku zasiąść do espresso. Nie chciał – o ile nie okaże się to konieczne – ujawniać swojej znajomości z Matulakiem. Tamten dobrze odczytał jego intencje.

Górzyański zignorował dalszy ciąg wydarzeń pod oknem i rozejrzał się za kelnerką.

13:30

102. Kiedy Miro dotarł wreszcie na spotkanie, lekko rozbawiona Sylwia opowiedziała mu scenę, która rozegrała się w restauracji tuż przed jego przyjściem.

– Skojarzyło mi się z westernem, wiesz: bijatyka w saloonie, klienci wpadają głowami między butelki w barze. Jakaś kucharka wyszła z zaplecza i jak nie walnie jednego chłopaka przy stoliku! Tamten jej chciał oddać, ale zaraz go obezwładnił drugi, który pokazał odznakę policyjną. Dobrze, że się tu akurat znalazł. A po wszystkim menedżer wyszedł na środek i zapowiedział, że w ramach przeprosin za zamieszanie firma stawia każdemu dowolnego drinka – powiedziała, wskazując koktajlową parasoleczkę zatkniętą przed chwilą przez barmana Miśka w kawałku pomarańczy pływającym po niebieskiej cieczy w jej szklance. – Curaçao – rzuciła, przy czym w jej ustach słowo zabrzmiało jak „kurasau", z akcentem na ostatnią sylabę.

– O, wzięłaś kurakao – zadumał się Miro nad wyborem rozmówczyni. – No to przyzwoicie z ich strony. Ale Sylwuś, może ty byś nie piła, skoro prowadzisz? Wiesz, zwłaszcza w twojej sytuacji...

– Nie mów o mnie, jakbym jutro miała zostać zgilotynowana.

– No, wtedy to byś sobie mogła pochlać, Sylweczku. – Miro zarechotał całym sobą, aż zatrząsł się stolik. Sylwia spojrzała na niego z mieszaniną lekkiego niesmaku i niedowierzania.

– Lubię to miejsce – ciągnął pan mecenas, omiatając restaurację rozanielonym spojrzeniem. – Oprócz tamtej imprezy Kłoska byłem tu jeszcze ze dwa razy na jakichś przyjęciach firmowych.

– Dobrze dają jeść – wtrąciła Sylwia.

– No pewnie. A przy tych przyjęciach nawet jakieś miejsce do tańca robią. Nieźle tu sobie pohasałem. – Nad stolikiem ponownie zawisła groźba rechotu.

– Mireczku, przecież na urodzinach Kłoska tańczyłeś ze mną. Nie musisz mi o tym opowiadać. – Sylwia nie pozwoliła mu się rozpędzić. – I wiesz co, mimo uroku twoich wspomnień, chciałabym jednak pomówić o czymś innym. O tej mojej... sytuacji... Jak to nazwałeś.

– Jasne, przecież po to się spotkaliśmy. Wiesz, zastanawiałem się. To oczywiście jakaś wielka bzdura i tak naprawdę nie masz się czym przejmować.

– Co takiego?! – Tym razem na twarzy Sylwii dostrzec można było przede wszystkim zdumienie. – Nie mam? No to szkoda, że nie ciebie przesłuchiwali przez parę godzin i nie ciebie oskarżyli o te...

– Nie oskarżyli, nie oskarżyli. Do oskarżenia jeszcze bardzo daleko. – Miro starał się, by jego głos brzmiał uspokajająco. Patrzył na rozmówczynię z lekkim politowaniem, jednocześnie sięgając pod stołem, żeby poklepać ją po kolanie. – Dziewczyno, policjant robił to, co w takiej sytuacji się robi. Postraszył cię, żebyś była łatwiejsza. – Rechot znów był tuż-tuż, ale spojrzenie Sylwii nie pozwoliło mu się wzbić w powietrze. – Przecież to jasne, że ktoś musiał się posłużyć twoją kartą kredytową i prawem jazdy. Pewnie jeszcze dowodem albo paszportem.

– Mireczku, masz mnie za idiotkę? Przecież to pierwsza myśl, która mi przyszła do głowy. Policji też o tym mówiłam. Problem w tym, że ja to wszystko cały czas miałam przy sobie! Patrz!

Sylwia sięgnęła do torby, wydobyła z niej portfel i otworzywszy, potrząsała nim przed oczami Mira.

– Widzisz? Karty, dowód, prawo jazdy. Wszystko. O paszporcie też pomyślałam, ale leży w domu w szufladzie, tak jak go położyłam zimą po powrocie z Maroka.

– Sylwuś, nie machaj tym tak, bo jeszcze kelnerka przyjdzie do ciebie z rachunkiem. A przecież obiecałem, że to ja stawiam ciacho. – Miro wreszcie sobie ulżył. Tym razem rechotał długo i z poświstem.

13:15

103. Na talerzu chlupotała ogórkowa, którą nawet lubiła, ale ten zapach! Był, jak to się teraz mówi? Powalający. Nuta pleśni. Zapewne ogórki były lekko podgniłe, pomyślała i zamieszała bez przekonania łyżką w cieczy. Spojrzała spod oka na dwa poszarpane, jakby im ktoś brzuch rozpłatał, czarne przy brzegach naleśniki dekorujące drugi talerz i zastanowiła się, czy nie lepiej zejść z głodu, niż jeść te paskudztwa.

Pani Marta Stasińska była jednak głodna. Miała ochotę na befsztyk. Ileż to lat nie jadła befsztyka?

Pogmerała leniwie łyżką w talerzu, spróbowała. Przesolona. Będę myślała o befsztyku, postanowiła i wyobraziła sobie chateaubrianda zwieńczonego pieczarką, na grzance tak chrupkiej, że strach. Takie właśnie befsztyki serwował w latach siedemdziesiątych pan Maślankiewicz, kucharz w Grandzie. Włożyła do ust kolejną łyżkę, zastanawiając się, czy to danie było naprawdę tak dobre, czy tylko teraz takim jej się jawi. U schyłku życia.

Lata siedemdziesiąte to był zdecydowanie jej czas. Ach, te płonące gundel palacinta w dawnym Budapeszcie!

Na Marszałkowskiej, tam, gdzie teraz IPN...

O nich pomarzę, jak będę jadła te przypalone ohydki, postanowiła solennie. Znów zerknęła z odrazą na drugi talerz. Wyobraźnia. Tak, to było to, co zawsze, a zwłaszcza teraz, w czas przedostatni, pozwalało przetrwać. Naleśniki według przepisu mistrza Gundela podawano z mielonymi orzechami w środku, polane topioną gorzką czekoladą.

Właściwie nic nie stoi na przeszkodzie, by sobie takie zrobić w domu, rozważała. Gdy się stąd już wydostanę, zrobię pyszne naleśniki i może zaproszę... Tu się zamyśliła. Nie bardzo przychodził jej do głowy ktoś, kogo by mogła na te naleśniki zaprosić. Sławek rzadko kiedy chciał. Ale przypomniała sobie po chwili to miłe dziewczę, które jej gazety kupiło, i postanowiła, że właśnie je zaprosi. Gdy już tu do niej przyjdzie. Była pewna, że dziewczyna znów się pojawi. To pomagało, taka pewność. Powoli, łyżka za łyżką, znikała zupa ogórkowa, a pani Marta Stasińska marzyła o dawnych, dobrych latach i płonących naleśnikach.

13:40

104. W tej samej chwili Zosia Staszewska chlipała w ścierkę. Nie całkiem zgodnie z zasadami higieny, nie da się ukryć. Lucyna ją klepała po plecach, a Norbert Zawijka usiłował wydobyć, co się stało, bo scena, która przed chwilą rozegrała się w sali restauracyjnej Tutto Bene, za nic nie przypominała tego, czego by sobie życzył dobry menedżer w wypieszczonej wizerunkowo knajpie.

Natomiast tu i teraz, na zapleczu, sytuacja wyglądała tak, jak lud wychowany na filmach klasy B wyobraża sobie włoską trattorię.

Jedni krzyczeli, inni płakali.

W końcu, zmęczony tą operą komiczną w jednym akcie (choć nikt nie śpiewał), najbardziej opanowany ze wszystkich Grzegorz Dolan wziął po prostu Norberta pod ramię i odprowadził do służbowej kanciapy. Tam wyłuszczył mu, jak mężczyzna mężczyźnie, w czym rzecz.

Dodatkowy kucharz zdecydowanie by się przydał (choć Zawijka nie wiedział jeszcze, jak bardzo), ale w tej sytuacji Norbert bez wahania przyobiecał, że Waldka jednak nie zatrudni.

13:50

105. Espresso było mocne i aromatyczne. Jerzy Górzyański popijał je małymi łyczkami, obserwując Wieśka Matulaka, który stał z Waldkiem tuż przed

Tutto Bene i bez wątpienia czekał na samochód, który miał zabrać obu na komendę. Gratulował sobie pomysłu, by doczepić ogon Zofii Staszewskiej. Ciach i stalker z Koszęcina znalazł się w ich łapach. Zaraz sobie z nim miło pogawędzą i kto wie...

Komisarz chciał przy tym być. Ba, powinien.

Rozejrzał się zatem za Norbertem Zawijką, który ukłonił mu się tylko i zniknął zaaferowany na zapleczu. Poproszenie kogokolwiek o zawołanie szefa było trudne, bo z personelu na sali pozostał tylko barman Leszczyński, filozoficznie zagapiony w przestrzeń. Mimo to komisarz skinął na niego i po chwili doprowadzony z zaplecza menedżer Zawijka słuchał wieści, które go całkowicie wbiły w ziemię: Heniek nie żyje, zastrzelony. Podobnie Oksana.

Jedyne, co Norbertowi Zawijce kołatało w głowie, to myśl, że będzie następny. Do odstrzelenia.

14:30

106. Kasztany za oknem już żółkły. Bzy też.

Za dużo deszczu, pomyślał komisarz i popatrzył, ale nie przez okno, tylko w błękitne oczy Waldemara Ryszki.

– A zatem, młody człowieku, co pan robił dwunastego maja? – zapytał. – Proszę zacząć od samego rana. I od razu mówić, kto to może potwierdzić...

16:00

107. – Zgadnij, kto przyjdzie na obiad? – zapytała Kamila Górzyańska swego męża Jerzego, gdy ten przestąpił próg domu.

Komisarz odłożył teczkę, sięgnął po smycz, skupił się przez chwilę, pocałował podekscytowaną żonę w policzek.

– Sidney Poitier? – zapytał.

– A wiesz, że cię kocham i że niezły z ciebie glina, bez dwóch zdań? – odparła zadowolona Kamila. I dodała: – Zrobiłam zrazy, chyba antycypując. Może pójdziesz teraz na spacer z Pedrem, bo po szóstej przyjdą Ala z Namem.

Pedro też się chyba nadawał na dobrego glinę, bo ledwie Kamila skończyła kwestię, buldożek siedział już pod kredensem.

18:10

108. – Ojej! Super, że jesteś! A to niespodzianka! – Janeczka szczerze się ucieszyła, widząc w progu Grzegorza.

– Wyrwałem się na chwilę z firmy, żeby sprawdzić, jak wam idzie. Goście zadowoleni? – zapytał, zerkając w głąb mieszkania, skąd dochodziły śmiechy i odgłosy ożywionej rozmowy.

– Chyba bardzo. Wszystko, co wynoszę z kuchni, zmiatają w trzy minuty. Chodź, przedstawię cię. Będą zachwyceni, że poznają sławnego mistrza Dolana.

– Czekaj, może zajrzę najpierw do kuchni. Ta Ukrainka ogarnia?

– Ludmiła? Jest świetna. Właściwie wszystko zrobiła sama. To właśnie jest Luda. – Janeczka wskazała sympatycznie wyglądającą i urodziwą szatynkę około trzydziestki. – A to autor tych wszystkich pomysłów, Grzegorz Dolan – dokończyła prezentację.

Ukrainka skinęła głową i uśmiechnęła się, wesoło i szczerze, pokazując komplet białych jak śnieg, równych zębów. Twarz miała zaczerwienioną od uwijania się po niezbyt wielkiej i rozgrzanej kuchni, która pełna była dowodów jej aktywności – misek, półmisków, talerzy i salaterek z potrawami na różnych etapach egzystencji: od wczesnego niemowlęctwa do bytów już przebrzmiałych i opłakanych, po których zostały zaledwie puste naczynia w zlewie. Od piekarnika bił żar, od Ludy prawie taki sam, Janeczka też miała rozentuzjazmowaną twarz. Widać impreza była sukcesem. Między zastawą, tu i ówdzie, leżały porozkładane kartki z notatkami Grzegorza i Janeczki. Luda pochyliła się właśnie zaaferowana nad jedną z nich, po czym uświadomiła sobie absurd tej czynności: oto miała przed sobą żywego autora pisanych wskazówek. Zarumieniła się jeszcze odrobinę bardziej, otworzyła lodówkę, wyjęła z niej miskę z sałatką z tuńczyka i fasoli.

– Poprobujesz? – zapytała trochę niepewnie.

Janeczka sięgnęła do szuflady po czysty widelec. Grzegorz nabrał nieco sałatki, pomlaskał, pociamkał, pokiwał głową, po czym wydał werdykt:

– Jeszcze chlupnij raz balsamico i będzie jak w naszej knajpie. A twojego ojca nie ma? – zwrócił się do Janeczki, pamiętając zamiary pana Julka wobec ukraińskiej pomocy.

– Nie, zabrał rano małego i siedzi z nim u siebie. Nie miałabym w tym rozgardiaszu jak się dzieciakiem zająć. Chodź.

Janeczka wzięła Grzegorza za rękę i pociągnęła w kierunku salonu.

– Kochani, to jest Grzegorz Dolan, szef kuchni w Tutto Bene, a poza tym sąsiad mojego taty. Zgodził się zaplanować dzisiejsze menu, a teraz przyszedł sprawdzić, jak wam smakuje.

Goście rzucali zaciekawione spojrzenia, podchodzili, żeby się przywitać, prawili komplementy. Jego obecność siłą rzeczy prowokowała do rozmowy na tematy kulinarne. Niektórzy spośród znajomych Janeczki próbowali zabłysnąć wiedzą, inni niby pokornie zadawali pytania, ale wyłącznie takie, które świadczyły o pewnym stopniu wtajemniczenia. Sprawca zamieszania zaś uśmiechał się na prawo i lewo, smakując nie po raz pierwszy swoje celebryckie pięć minut, a przy okazji wino z kieliszka, który podała mu Janeczka.

– Jak trzeba gotować, żeby odnieść taki sukces jak Tutto Bene? – zapytała w pewnej chwili jedna z kobiet, ubrana w prostą, czarną sukienkę.

– No cóż, najczęściej o sukcesie decyduje moda. A od czego ona zależy? – Grzegorz zrobił zafrasowaną minę i wzruszył ramionami. – Mody przychodzą i odchodzą. Trzeba im pomóc, to jasne. Dobre gotowanie? Ja jestem zwolennikiem prostoty. W kuchni też. Zna pani to zdanie Einsteina: „Wszystko powinno być tak proste, jak to tylko możliwe, ale nie prostsze".

– Ale chyba dzisiaj są inne mody? Kuchnia molekularna, zanurzanie w ciekłym azocie, carving, a jak już kuchnia polska, to dziczyzna i szczupaki. Nie bardzo mi się to kojarzy z prostotą – ciągnęła czarna sukienka.

– Zanurzanie w azocie... Wszystko ma swój sens, na wszystko jest pewnie miejsce, ale jak dla mnie... Wie pani, co najbardziej lubię robić, kiedy przychodzi mi ochota na rybę? Piekła pani kiedyś doradę w soli? Każdy może to zrobić w swojej kuchence. Bierze pani rybę, płucze ją, osusza, kładzie na blasze na warstwie grubej soli i przysypuje od góry taką samą warstwą. Żadnych ziół, żadnego pieprzu, cytryny. Nic, kompletnie nic. Tylko ryba i sól. Podczas pieczenia z soli tworzy się skorupa, która zatrzymuje wewnątrz wszystkie zapachy i smaki dorady. Jeśli ryba jest dobrej jakości, świeża, nie znam w tej dziedzinie nic lepszego. To jest właśnie prostota.

– O, ja kiedyś byłem u znajomych, którzy zrobili coś podobnego – wtrącił się właściciel okularów w niby-rogowej oprawie, które przesłaniały mu chyba trzy czwarte twarzy. – Ale, wie pan, tego się właściwie jeść nie dało, takie było słone.

– Pana znajomi widać nie do końca wiedzieli, jak to się robi. Albo piekli za długo, albo nie umieli sobie poradzić ze skorupą. Po pieczeniu trzeba ją rozbić i pozbierać kawałki, żeby nie zapaskudziły ryby. Dorada powinna zostać bez skórki, bez okruchów soli. I sprzedam panu najważniejszy trik: skąd wiadomo, że ryba jest gotowa. Przed wstawieniem do pieca trzeba sól w jakimś miejscu pokropić sokiem z cytryny. Jak plamy soku zbrązowieją, można wyciągać blachę z pieca. A zresztą, jak będziecie państwo chcieli spróbować, dajcie mi znać, to wam przygotuję taką doradę w Tutto.

18:15

109. Barman Misiek Leszczyński wolne chwile między przygotowywaniem kolejnych drinków przeznaczał zwykle na porządkowanie i czyszczenie baru. Trzeba przyznać, że jego królestwo lśniło czystością. I to nie za sprawą Helenki Kameckiej, sprzątaczki, tylko właśnie samego Miśka. Ale była to trochę praca na stanowisku Syzyfa, bo zmiennik Michała miał zdecydowanie bardziej bałaganiarskie usposobienie i ciągle przestawiał butelki, kartony, sprzęty. O, choćby teraz. Znowu sok pomidorowy nie stoi tam, gdzie powinien. Cholera, gdzie on go zadział? – zastanowił się Leszczyński. Miał słabość do tego chłopaka, bo młody był taki... No, rozbrajająco się uśmiechał, dowcipkował, wszystkie pretensje obracał tak fajnie w żart. Misiek kiedyś nawet myślał, że może coś... między nimi... Ale to było już dość dawno, jeszcze w czasach przed Marcinem. A z Marcinem jest na poważnie. Tego nie można schrzanić. O, nie.

Zlokalizował sok pomidorowy, a przy okazji też porzeczkowy, ustawił je po swojemu, tam, gdzie należało, i nalał sobie do szklanki wody. Wypił ją duszkiem, strząsając z siebie wszelkie myśli o tym, że mógłby coś schrzanić.

18:20

110. W soboty było zdecydowanie łatwiej niż w tygodniu. Odpadało jej sprzątanie w kancelarii u adwokatów na Mokotowskiej i u notariusza na Wareckiej. Więc nie musiała wychodzić z domu tak wcześnie. Tutto Bene Helena Kamecka załatwiała przed południem, a później, w co drugą sobotę, szła na parę godzin do sympatycznej, młodej aktorki, u której sprzątała, trochę prasowała, czasem coś pichciła – wedle instrukcji spisanych na żółtej karteczce przyklejonej do kuchennego blatu. Lubiła, kiedy pani Beatka była w domu, bo czasem opowiadała jej coś fajnego o znanych ludziach, jakieś plotki z kręcenia kolejnych odcinków *Dziwaczek*. Ale pani domu najczęściej była nieobecna. Helena otwierała i zamykała mieszkanie na piątym piętrze bloku przy Puławskiej własnym kompletem kluczy. Tak było i dziś. Od Beatki miała już niedaleko do domu, nad swoją Dolinkę. Zadzwoniła do męża, obiecał, że wyjdzie po nią na przystanek, pomoże przynieść zakupy. Zjedzą potem kolację i zasiądą przed telewizorem. W soboty zawsze było coś fajnego do obejrzenia. Helenka lubiła te sobotnie wieczory. Chciałaby już zobaczyć Stacha na przystanku…

18:25

111. Zbliżał się właśnie do zatoczki przystanku pekaesu, kiedy zadzwoniła komórka. Egon zjechał na prawo i zatrzymał auto. Spojrzał na wyświetlacz i pokiwał głową. Dotknął ekranu w miejscu, w którym pojawiła się zielona słuchawka.

– No i co, skontaktował się z tobą? – zapytał po niemiecku, nie zawracając sobie głowy powitaniami.

Przez kilkanaście sekund słuchał cierpliwie głosu w komórce, wciąż kiwając z aprobatą głową.

– Bardzo proste – powiedział w końcu. – Jak drut. Zgłoszą się do niego, jak już dopłyną do Pireusu. Powinni tam być jutro. Zadzwonią. Będzie ich dwoje, Polacy, facet i dziewczyna, oboje trochę po trzydziestce. Wsiądzie na ich jacht i doprowadzi go w okolice Odessy. Dokładne namiary dostanie od tych dwojga, jak już będą na Morzu Czarnym. Dowie się, dokąd ma dokładnie dopłynąć i kto przejmie łajbę. Zostawi jacht, dostanie kasę. Taki sobie pozamałżeński rejs wycieczkowy bogatego turysty z fajną blondyną. – Proste jak drut – powtórzył.

W komórce gadało jeszcze przez kilkanaście sekund. Egon ponownie pokiwał głową i rozłączył się bez słowa.

Przez cały czas postoju w zatoczce szosą nie przejechał ani jeden samochód.

18:25

112. W salonie Janeczki główną atrakcją pozostawał Grzegorz Dolan i jego rozważania na temat prostoty w kuchni.

– Grzesiu, ale bardziej wyrafinowane dania też przecież podajesz. Nie wszystko jest takie proste. – Janeczka, od dłuższej chwili przysłuchująca się rozmowie na temat pieczenia dorady, stanęła po stronie czarnej sukienki.

– Wyrafinowane... To nie znaczy, że nie proste. Ostatnio jest moda na smaki. – Grzegorz wymówił ostatnie słowo dobitnie, a jednocześnie z wyraźną pogardą. – „Zaskakujący smak", „niecodzienny smak", „zadziwiające połączenie smaków". Dzisiaj to w sumie nie sztuka: robisz mus z mięsa renifera, dodajesz jakieś zioło rosnące w Andach, podlewasz wywarem z liści z australijskiego krzewu, obkładasz jagodami z północnej Norwegii, posypujesz mielonym kardamonem i zaskakujący smak gotowy. Może zresztą dobry. Ale w mojej kuchni nie chodzi o zaskakiwanie ani o łączenie smaków. – Ponownie przeciągnął to słowo, znacząc je niechęcią. – U mnie chodzi o potrawę.

– Ale potrawa chyba ma jakiś smak! – zadziwiły się rogowe okulary.

– Pewnie. Ale smak to zaledwie jej część, a nie cel sam w sobie. To jak różnica między melodią a muzyką. Melodia jest ważna, ale sama nie zrobi muzyki. A wracając do prostoty i wyrafinowania: ryba to ma być ryba, a kotlet to kotlet. Można skrzyżować kotlet z rybą, ale czy to będzie wyrafinowanie? Parę lat spędziłem we włoskich restauracjach, i w eleganckich, i w tych tanich. Wielu kucharzy, z którymi rozmawiałem, uważało, że perłą kuchni włoskiej jest pesto genovese.

– Mniam, mniam. – Rozmarzyły się rogowe okulary.

– Czyli co? Bazylia, czosnek, parmezan i orzeszki piniowe. No i oliwa. I koniec. Rzeczy absolutnie naturalne w tamtym klimacie. Jakby małpę wpuścić do typowej włoskiej kuchni, pewnie by dość szybko zmajstrowała pesto. Czy ono jest wyrafinowane, czy proste? – Grzegorz coraz bardziej zapalał się do tematu, o którym często rozmyślał. W pewnej chwili poczuł, że zważywszy na okoliczności, chyba zapalił się zanadto. Postanowił zakończyć zaimprowizowany wykład. – A zresztą o jedzeniu głupio się gada. Jedzenie trzeba jeść. Janeczko, przyprowadź kiedyś do nas przyjaciół, to zrobimy sobie ćwiczenia praktyczne z wyrafinowania. A na razie zajrzę do twojej kuchni, a potem już wracam do swojej – powiedział, odstawiając pusty kieliszek.

– Panie Grzegorzu, a robicie u siebie przyjęcia firmowe? – zapytał najstarszy i najwyższy z całego towarzystwa mężczyzna. Czy za sprawą wieku, czy wzrostu tamtego, Dolan doszedł do wniosku, że to pewnie szef.

– Tak, firmy dość często rezerwują restaurację. Dla nas w kuchni to nawet ciekawe. Wszyscy goście jedzą wtedy w zasadzie to samo, a my podpatrujemy albo słyszymy od kelnerów, jak rozmaicie reagują na te same potrawy.

– Szefie, a to dla nas szef planuje takie party?

– zapytała nieco tyczkowata blondynka o roześmianej twarzy.

– Kto wie, kto wie... – Drągal zrobił tajemniczą minę. – Niedługo nasza trzecia rocznica. A o szczegółach to z panem trzeba rozmawiać, panie Grzegorzu? – dopytywał.

– Nie. Najlepiej z naszym menedżerem. Z nim się uzgadnia konkrety, terminy, ceny, wystrój sali i wszystko, co trzeba. Ja tylko ewentualnie coś doradzę w sprawie menu, no i będę dla państwa gotował. Oczywiście, z największą przyjemnością. Ale od gadania jest Norbert Zawijka.

– Ooo! – Dał się słyszeć głośny okrzyk zdziwienia, ale Dolan już zawrócił w kierunku kuchni. W przedpokoju dopadł go jakiś facet.

– Panie Grzegorzu!

Odwrócił głowę i zobaczył czterdziestokilkuletniego, pucołowatego mężczyznę o dość szerokim torsie, z włosami zaczesanymi na jeża.

– Panie Grzegorzu, ja chciałem chwilę o tym Norbercie Zawijce. Wie pan... Kiedyś znałem gościa o takim nazwisku, a nie jest ono specjalnie popularne. Ciekawe, czy to ten sam. Może wyjdziemy na chwilę na balkon, coś panu opowiem... Pięć minut. Janeczka się chyba nie pogniewa?

18:30

113. Nam był niewielki wzrostem, ale oczy miał duże i wesołe. Nie robił wrażenia specjalnie zasmuconego

aferą, która tak zdołowała Alę. Przywitał się grzecznie z rodzicami koleżanki, usadowił wygodnie na krześle i bystro popatrywał dokoła.

– Przygotowałam dziś zrazy. Nam, jadłeś je już kiedyś? – zagaiła Kamila.

– Nie, chyba nie – odparł gość, zerkając, jak się zdawało, ciut niepewnie na półmisek pełen bitych zrazów z dodatkiem cebuli. Tuż obok niego Górzyańska ustawiła salaterkę pełną buraczków i jeszcze jedną, z apetycznie parującą kaszą gryczaną. Czyli obiad-marzenie, jak orzekł w myślach komisarz, sięgając po butelkę czerwonego wina.

– Nic z tego nigdy nie jadłem – stwierdził gość. Wskazując na buraczki, zapytał: – A to co?

Po krótkim zamęcie, kiedy wszyscy, łącznie z Maćkiem i Alą tłumaczyli mu, czym są buraki, w milczeniu zaczęto posiłek. Dopiero gdy zawartość talerzy zniknęła przynajmniej w połowie, konwersacja rozgorzała na nowo. Wszyscy byli ciekawi wrażeń Nama. Wietnamczyk podniósł na nich lekko skośne, czekoladowe oczy.

– Kulturalny człowiek je wszystko – odparł.

Riposta spowodowała, że rodzinie Górzyańskich zrazy na chwilę utknęły w przełyku, ale szybko się z nimi uporano. Komisarz, jako bardziej wprawiony w przesłuchaniach (choć i pani komisarzowej nie można było w tym względzie odmówić zarówno pewnego talentu, jak i doświadczenia, cechującego każdą matkę), zapytał:

– Ale smakuje?

Pytanie nieomal zawisło w powietrzu, podobnie

jak spojrzenia biesiadników utkwione z niebywałą intensywnością w twarzy gościa.

– Tak, bardzo.

Nam, jak to on, odpowiadał nieśpiesznie i tak grzecznie, że nawet wybitny spec od przesłuchań nie potrafił stwierdzić na sto procent, czy przesłuchiwany prawdę mówi, czy prezentuje dobre wychowanie. Postanowiwszy zatem rozsądnie nie drążyć tematu, Górzyański powrócił do sprawy konfliktu z kolegami.

– A jak w szkole? Jak wygląda sprawa z tymi łobuzami, którzy wam dokuczali? – zwrócił się do obojga młodziaków.

– Nijak, tatku. Dziś lekcji nie było, a wczoraj był spokój.

– A pani Solska o coś was wypytywała?

Oboje spojrzeli na niego z lekkim zdziwieniem i zgodnie pokręcili głowami.

– A kto wam tak dokuczał? – zapytał Maciek. – Ten Marcin Rozmus? Jacek mi mówił, że to straszny psychol.

– Gadałeś z Jackiem? Nie prosiłam. – Natychmiast wkurzyła się Ala.

– No co ty, żadne takie, tylko zapytałem. Jacek nic nie rozgada.

– I tak wszyscy wiedzą, co i jak – powiedział Nam. – Więc o co chodzi? – zwrócił się do Ali.

Komisarz pod wrażeniem polszczyzny Wietnamczyka już zbierał się, żeby zapytać, kiedy przyjechał on do Polski, ale na razie uważnie słuchał konwersacji dzieciaków. W ten sposób zawsze dowiadywał się najwięcej.

– Nie chcę, żeby mi się cała familia mieszała do moich klasowych problemów. – Ala była nieprzejednana. Nie lubiła zamieszania i zawsze robiła swoje, tyle że po cichu.

Historia z Namem jednak wytrąciła ją ze zwykłego rytmu i teraz żałowała, że się z niej zrobiła taka rodzinna afera. Niepotrzebnie się wygadałam i mam za swoje, myślała, patrząc na ojca, mamę i brata, zmartwionych wyraźnie czymś, co może nie było aż tak ważne. Powygłupiali się koleżkowie i już, a tutaj wielka afera. No, kurczę, po co ja im o tym mówiłam, westchnęła głęboko.

Maciek jednak, podobnie zresztą jak rodzice, uważał, że jest o czym mówić:

– Wrzuć na luz, siostra. Pogadałem z Jackiem. On ma zajęcia na basenie z tym Marcinem i mówi, że to straszna menda. Ciągle się bije z różnymi. I jeszcze, żeby z nim nie zaczynać, bo zaraz leje. Koleś ma krótki lont.

– Ja się z nim bić nie zamierzam – odparła z godnością Ala. – To ty miałeś takie pomysły. Oklep! Phi!

– No, niby tak. Ale niech Nam też się nie da sprowokować. Słuchaj, Nam, ten Marcin ćwiczy chyba jakieś sztuki walki czy coś. Jacek gada, że on ma siniec na sińcu, ciągle łazi poobijany i jak tylko go ktoś potrąci czy tknie, a czasem źle spojrzy, to zaraz leci z łapami. Ciągle się bije. Psychol jest i już.

– Siniec na sińcu, powiadasz... – zaczęła Kamila.

– To dajcie sobie z nim spokój. – Wpadł żonie w słowo Górzyański. – A inni? Inni uczniowie też z nim mają problemy? – zapytał.

– On ma taką... zwasalizowaną bandę – powiedział Nam.

– Ale znasz słówka! – zadziwił się komisarz. – Przepraszam, że znów przerwałem. – Zamilkł na chwilę. – To znaczy co? – dopytał.

– To znaczy – powiedział Nam, odkładając widelec – że jedni są z nim dlatego, że im to po prostu pasuje, ale inni są z nim, bo tak bezpieczniej. Swoich popleczników nie rusza.

Poplecznicy też niezmiernie przypadli komisarzowi do gustu. Ileż ten chłopak musi czytać! – pomyślał. Żeby tak Maciek...

– Właściwie w klasie do bandy Marcina nie należy tylko kilka dziewczyn i Nam – doprecyzowała Ala. – Tak to wygląda, tato.

– Nieciekawie zatem – rzekł komisarz. – Ktoś chce jeszcze wina?

W górze pokazały się wszystkie kieliszki.

17 maja, niedziela

8:20

114. Mocno przytłumione, ale przebijające się do rozespanej świadomości rytmiczne postękiwanie wersalki w pokoju Malwiny Kłyś oraz żałosne zawodzenie kota, po raz kolejny zesłanego na korytarz, zamiast lanserskiego mieszkania na Mokotowie...

To była zupełnie inna noc niż poprzednia. Po sobotnich przeżyciach i emocjach Zosia nie czuła się na siłach, żeby spędzić ją u Grzecha. A i on namawiał ją dość krótko. Wyszli z Tutto Bene około północy i w milczeniu skierowali się oboje w kierunku beżowego nissana. Ale przed samym autem Zosia przystanęła, popatrzyła i spokojnym głosem powiedziała:

– Wiesz, Grzesiu, za dużo dziś było tego wszystkiego. Najpierw twoja... hm, Gośka, potem to wariactwo w Tutto. I Waldek.

– No to co? – zapytał.

– Pojadę do siebie. Muszę pomyśleć, odpocząć, zastanowić się...

– Zosiu, nad czym się tu zastanawiać? A zresztą... U mnie nie możesz myśleć?

Nissan piknął i zamrugał na powitanie.

– Mogę, ale... Naprawdę chcę pojechać do siebie. Chciałabym się do ciebie przytulić, ale... Nie, pojadę do siebie. Muszę.

– Wsiadaj, tak czy owak. Odwiozę cię.

– Chce ci się?

– Zgłupiałaś? Masz się tłuc autobusem po nocy?

– Grzesiu, ale ja tak od dawna...

– Ale teraz cię odwiozę. Mało dziś miałaś wrażeń? Wsiadaj.

W samochodzie przytulili się i pocałowali. Pierwszy raz od rana. Powoli odnajdywali siebie po szaleństwach całego dnia. Zosia odsunęła się trochę.

– Nie gniewaj się, ale ja muszę – powiedziała. – Wiesz, tak mi się już poukładało, a teraz znowu się rozsypuje. Muszę pomyśleć...

– Dobrze, Zocha, jak chcesz. Tylko błagam, nie kombinuj za dużo. Sama wszystko komplikujesz. Nie rozsyp całkiem.

– No wiesz? Czy to moja wina? To za szybko. I tyle tego.

Podczas jazdy nie rozmawiali. Zosia wysiadła pod swoim ursynowskim blokiem, Grzegorz też. Objął ją i znów pocałował.

– Śpij dobrze. I nie kombinuj. To wszystko nieważne.

– Pa. Dobranoc – odpowiedziała i pomknęła ku wejściu.

Dziesięć minut później już spała. Była zbyt zmęczona, żeby kombinować...

Ale teraz, nie całkiem jeszcze obudzona, usłyszała skrzyp otwieranych drzwi u Malwiny, a zaraz potem jej szept z przedpokoju:

– Poczekaj, sprawdzę, czy wolne.

I chwilę później gniewny pomruk:

– Cholera, znowu nasrał! Zabiję go.

W pokoju Malwiny coś zabulgotało. Po chwili Zosia usłyszała speszone wyjaśnienie:

– To nie o tobie!

Odgłos lekkich kroków do łazienki. I znowu głośny kobiecy szept:

– Olo, możesz iść, wolne. Tylko uważaj na kupę.

– Co?! – Męskie zdumienie.

– Nic, kot znowu nasrał pod drzwiami. Zaraz sprzątnę.

Zosia podciągnęła kołdrę na głowę. Coś musi z tym wszystkim zrobić. Będzie kombinować. Po chwili znów zasnęła.

9:10

115. Otworzył szerzej uchylone drzwi balkonowe i wyszedł sprawdzić, jaka jest temperatura na zewnątrz. Było dość ciepło, świeciło słońce, choć chmury na niebie nie wróżyły przepięknej majowej niedzieli.

Łyknął wody z plastikowej butelki. Zastanawiał się, co zrobić z tymi informacjami. Od wczoraj się zastanawiał. Widok z tamtego balkonu, u Janeczki, był zupełnie inny niż ten. Saska Kępa była bardziej zielona, niższa, mniej betonowa. Tutaj miał przed sobą głównie mury, dachy, asfalt. Drzew niewiele.

Ale to nie widok najbardziej utkwił mu w głowie. Historia opowiedziana przez pucołowatego, zaczesanego na jeża czterdziestolatka stawiała Zawijkę w zupełnie nowym świetle. Grzegorz wiedział, że Norbert nie jest wzorem uczciwości, nie miał złudzeń. Nieraz przypadkiem wpadał na ślad różnych, mniejszych i większych, przekrętów tamtego. Widział, jak Norbi kantował Funię. Przynajmniej niektóre jego zagrywki były całkiem przejrzyste, choć ona tego nie dostrzegała. Numery z dostawcami, alkohol dopływający z boku, dziwne perypetie kasy fiskalnej... Restauracyjny elementarz. Ale od tego do bankowych wyczynów? I ta dziwna bezkarność? Tak jak i z Funią. Albo szefowa nie widzi, jak ją przekręca, albo i widzi – w końcu cwana z niej baba – ale z jakichś powodów jej to nie przeszkadza. Może mu dała wolną rękę? Ale poważny bank? Mieli go w ręku i odpuścili? A może jeżyk to zmyślił, bo nie lubi Norberta? Tyle że ich spotkanie na balkonie było zupełnie przypadkowe... No i najważniejsze: czy Zawijka mógł mieć związek z ostatnimi wydarzeniami w Tutto? Z zabójstwami? Czy powiedzieć o tym Górzyańskiemu?

Chciał pogadać z Zośką, myślał, że jej o tym opowie, jak usiądą wieczorem u niego przy kieliszku wina, ale wczoraj od razu wyczuł, że dziewczyna jest w zupełnie innej strefie czasowej. I klimatycznej. Kiedy ją odwoził na Ursynów, widział – wyczuwał – tę intensywną karuzelę pod sufitem, taką Zosiną. Wyjeżdżanie z Norbertem byłoby całkiem nie na miejscu. Kiedyś, w jednej z knajp, w których pracował, dla jaj usmażyli z kumplami kilka pączków nadziewanych keczupem. Częstowali nimi potem koleżanki i zwijali się ze śmiechu, obserwując reakcje. No więc Norbert wczoraj byłby jak keczup w pączku. A Grzegorz nie miał ochoty psuć tej pełnej skupienia miny. Zdecydowanie podobała mu się taka zamyślona. A skoro tak, to teraz sam musi zdecydować.

18 maja, poniedziałek

9:00

116. Długopis leżał zanadto z boku. Andrzej Zabiełło poprawił jego położenie w stosunku do pliku kartek, które miał przed sobą, i podniósł wzrok na komisarza, siedzącego z nosem w papierach.

– Coś mamy nowego?

– Przesłuchaliśmy tego Waldemara Ryszkę z Koszęcina, gnojka, który prześladował kucharkę z Tutto, Zosię Staszewską. Właśnie sobie podczytuję protokół sporządzony przez Matulaka, ale wygląda na to, że próżne nadzieje, żeby sprawa rozwiązała się nam tak prosto. Facet twierdzi, że był na dyskotece w klubie Mike w Zabrzu i że go tam widziało przynajmniej z dziesięć czy dwanaście znajomych osób. Byli w większym towarzystwie i, niestetyż, Andrzej, wygląda na to, że dupek ma alibi.

– Niestetyż fałszywy trop – westchnął Zabiełło. – A byłoby tak pięknie.

– Jasne. Chyba jednak w grę wchodzą te wątki ukraińskie. – Komisarz też westchnął ciężko i zmienił temat.

– Coś ciekawego znaleźliście u Rozalskiego?

– Burdel znaleźliśmy. Facetowi się nie chciało sprzątać, więc syf narastał ładnych parę lat. Grzebaliśmy w papierach i gazetach gromadzonych od dwa tysiące czwartego, sądząc po datach. Rany! Pył, kurz, myszy. Malonek ma astmę, więc odpadł po kilku godzinach. Sami z Ludkiem przeszukanie robiliśmy prawie do ósmej wieczorem.

– Daj spokój z tym kombatanctwem – przerwał mu Górzyański. – Do rzeczy. Znaleźliście coś?

– Jakieś notatki dość podejrzane. Popatrz tu.

Zabiełło wyjął z teczki zeszyt w kratkę i pokazał zanotowane równym pismem skróty: „BW środa 10 po 2,85. 25 09 2006 – bez pasaż. po 2,5 UZs". Albo: „kwie. lex. 270 do Lw.", „maj 390 fly 180 k eur.".

– I co to znaczy? Masz jakiś pomysł?

– Pojęcia bladego nie mam. Coś jakby akcje na giełdzie? Może facet grał? Tylko jakoś te zapisy nie kojarzą mi się z giełdą. Niektóre może. Ale inne?

– Andrzej, posiedź nad tym. Może coś wykombinujesz. Dość stary ten zeszyt. Nic nowszego nie było?

– Nie. Nic nie znaleźliśmy. Poza brudnymi skarpetkami w hurtowych ilościach, poupychanymi pomiędzy tymi gazetami, petami i puszkami po piwie.

– Okej. Wiem już, że denat był flejtuchem. Przypuszczam jednak, że nie dlatego go ubili. Czyli w zasadzie nic nie macie? Kiedy będą wyniki sekcji?

– Już są. Frania załatwiła na cito. Nic ciekawego, strzały dwa z bliskiej odległości. Serce i płuca. Tyle. Poza tym miał marskość wątroby, więc w sumie i tak by długo nie pożył. Tak pisze doktor Korzanowski.

– To może nie będziemy sprawcy szukać? – rzucił z przekąsem komisarz. – Kwalifikacja czynu: dobry uczynek.

W tym momencie przez drzwi wsunął głowę Ludek Chmiel. Jak zwykle spóźniony.

– O! Już jesteście – zdziwił się, całkiem szczerze, wchodząc do pokoju. Komisarz był pod wrażeniem.

– Tak, niespodzianka – zakpił. – Jesteśmy, a ty, jak zwykle, dwadzieścia minut spóźnienia. Uważaj, Ludek, bo ci po premii pojadę.

– Korki były – sumitował się Chmiel, sadowiąc się, jak zawsze, w rogu pokoju.

– Kawa jest?

– Zaraz Pyzatka powinna…

Drzwi otworzyły się ponownie, więc fraza „Pyzatka powinna" zawisła w powietrzu. Usłyszała je właścicielka przezwiska, która, trzymając w ręku duży dzbanek z kawą, rzuciła komisarzowi spojrzenie o sile rażenia przypominającej działanie domestosa na bakterie. Stawiając zbyt głośno tacę, powiedziała dobitnie:

– Mam na imię Grażyna, jakby panowie policjanci nie pamiętali. Grażyna Szatalska. Grażyna. Gra-ży-na – wyskandowała. – To chyba daje się zapamiętać?

– Oczywiście, Grażynko, śliczne imię! – zachwycił się Ludek Chmiel, podlizując się bez cienia wstydu.

Pyzatka miała dziś na sobie granatowy żakiet, a pod nim bluzeczkę z takim dekoltem, że postanowił natychmiast, tu i teraz, spróbować się z nią umówić. Uwielbiał takie Pyzatki. Naprawdę. Czyli, takie Grażyny.

Kiedy za Pyzatką-Grażyną zamknęły się drzwi i panowie wymienili kilka szybkich uwag na temat jej dekoltu, tudzież humoru (który wydał się im, jak określili, „coś nie tego"), powrócili do śledztwa.

– Ludek, mamy jakieś materiały z Ukrainy?

– Nie, nic jeszcze nie wpłynęło.

– No to kicha. Trzeba pewnie będzie poczekać na wyniki kontroli w Spedpolukrze. A to, jak znam życie, może potrwać całe tygodnie.

– Nie da się ukryć, że jak zwykle masz rację – przybasował Ludek.

– Nie bądź taki rozkoszny! – żachnął się Górzyański. – To co dalej? – Zastanowił się przez moment. – Przepytujecie, jak rozumiem, znajomych, sąsiadów, rodzinę Rozalskiego, a także mieszkańców kamienicy na Pradze, w której mieszkała ta Ukrainka?

Zabiełło z Chmielem kiwnęli zgodnie głowami.

– Na razie nikt nic nie widział, nikt nic nie słyszał – odparł Ludek. – Ale piłka ciągle w grze.

– Okej, walczcie dalej. Koledzy z Zabrza i Koszęcina sprawdzą alibi Ryszki, już ich o to poprosiłem, ale, jak mi się zdaje, to ślepy zaułek. Facet może by i zabił tę Zosię, ale akurat nie wtedy. Jest zdrowo popaprany, uważa ją za swoją własność, co mu się wrednie zbuntowała, niemniej jednak wierzę, że był dwunastego maja w tym Mike'u. To sprawa Zabrza, a my idźmy ukraińskim tropem. Napisz, Andrzej, na Ukrainę i ich przyduś trochę, zapytaj o Furmanowa, tego partnera Schmidtkego ze zdjęcia. No i chcę wszystko wiedzieć, co się da, na temat Zawijki i tej całej Funi, czyli Leokadii Agackiej. Skąd ma kasę i tak dalej. To może ty, Ludek, za tym pobiegasz? Ona dziś ma być w Tutto, trzeba by ją zaprosić do nas. Ale najpierw ściągajcie, co się da na temat jej, tego Niemca i Furmanowa. A może Matulak poniucha za Zawijką? Gdzieś tu musi być schowana ta nitka, która może nas doprowadzić i do motywu, i potem do morderstwa. W tej knajpie coś śmierdzi, nie uważacie?

– Jasne, knajpa za pieniądze nie wiadomo skąd. To chyba jakaś pralnia – zasugerował Zabiełło.

– Też tak uważam. Idzie im nieźle, bo są modni i mają dobrego kucharza, tego Dolana. Idźcie za zapachem pieniędzy – monologował komisarz. Zamyślił się i dodał: – Tylko że mi zniknięcie dziecka tu nie pasuje. Jakoś mi się wierzyć nie chce, że robili brudne biznesy w knajpie i równocześnie dzieckiem, czy może dziećmi, handlowali. Ten dzieciak mi bruździ. Zdecydowanie.

– Może to jednak wątek poboczny? Ta Ukrainka musiała z nimi lody kręcić i powiedzmy coś wygadała, chciała wygadać albo coś przekręciła i ją zabili. A dziecko... Może ojciec wziął? Ktokolwiek nim był.

– No tak. Może masz, Ludek, rację, może i tak było. Zatem, panowie, do roboty. Pytajcie i szukajcie, zawsze ktoś coś wie. Andrzej, prześwietl wszystkich mieszkańców kamienicy na Jagiellońskiej. Matulak niech idzie z tobą. Może ktoś coś słyszał albo widział we wtorek wieczorem czy w nocy. Też popytajcie tych, którzy w sąsiedztwie mają okna skierowane na wejście do domu. Tam, w tym mieszkaniu, w noc zbrodni musiał być jakiś człowiek powiązany z morderstwem albo może ta Swieta, wychodząc, zabrała dziecko. Może wcześniej. Może wiedziała, że to się zdarzy. I dlatego dzwoniła. Powiedzmy sobie roboczo, że mordercą był ten Wienia czy Giena. Mogło tak być. Nie wiemy, czy to ta sama osoba, ale mi tu pasuje ten Ukrainiec. Weźcie jego zdjęcie. Może go ktoś tam rozpozna, więc musicie od nowa wszystkich oblecieć. Pokazujcie też zdjęcia Swiety i Oksany. Czyli abarot na Jagiellońską. Taka robota…

– Idziemy szperać ku chwale ojczyzny, panie komisarzu! – ryknął Chmiel, wstając z miejsca i myśląc intensywnie, jakby tu podejść do tematu. Pyzasi.

10:10

117. Tramwaj telepał się zupełnie bez sensu. Wołoska ciągnęła się bez końca. Zosia patrzyła na równo zbudowane domy, wszystkie w brudnopiaskowym kolorze, z małymi i dość urokliwymi ogródkami, i myślała, że przed wojną, kiedy je budowano, było to pewnie miłe miejsce do mieszkania. Dzisiaj większość ogródków, przynajmniej z okien tramwaju, robiła wrażenie kompletnie zapuszczonych. Wyglądały, jakby nikt do nich nie wchodził ani na chwilę. Nawet w tak piękny, majowy dzień. Ona, gdyby miała do dyspozycji choćby skrawek ziemi, pieliłaby,

sadziła najpiękniejsze krzewy i kwiaty. Nawet drzewka owocowe by się ze dwa może zmieściły, pomyślała. Jaka szkoda, że ludzie nie dbają o zieleń. Brakuje mi miejsca, gdzie bym mogła pójść i położyć się w ciszy i spokoju na trawie, tak jak u nas. No, ciszy w tych ogródkach pewnie nie ma. Ale zielono przecież jest. Można by się zaszyć z książką. Chyba mi wakacji potrzeba, że tak ckni mi się za wsią. Tylko do mamy nie dam rady pojechać, dopóki Waldek się nie odczepi. Może to, że go wczoraj przymknęli, coś pomoże, rozmarzyła się. Była już pod szpitalem. Wyskoczyła szybko. Ledwie zdążyła przed zamknięciem drzwi, rozejrzała się dokoła, szukając jakiegoś sklepu po przeciwnej stronie ulicy. Chciała kupić starszej pani coś do picia. Wiozła w plastikowym pojemniku kurczaka w sosie koperkowym; wydawało jej się, że to potrawa dobra dla chorej (Na co chorej? – zastanowiła się przez moment). Sklepu jakoś nie dostrzegła, zauważyła za to zakład pogrzebowy (co wydało się jej dość wstrętne), postanowiła zatem zdać się na szpitalny kiosk. Nie wiedzieć czemu polubiła tę starszą panią. Czarownicę. Zgoda. Ale intrygującą czarownicę. Samotność. Czy to je do siebie zbliżyło?

11:00

118. Grzegorz Dolan golił się przed lustrem w łazience.

Patrzył sobie w oczy i zastanawiał się, na ile jest porządnym facetem. I na ile jego życie i to, co robi, ma jakiś ogólniejszy sens. Chodził do pracy i, jak uważał, dobrze robił to, co do niego należało. A wieczorami uwalał się w klubach. Z rana leczył kaca i znów szedł do roboty. W jego życiu niewiele ponadto się działo. Gośka to była chwila. Niby prawie rok, ale było tak, jakby go razem nie spędzili. Czasem się upijali, czasem tańczyli, czasem coś jedli, uprawiali seks. Ciekawie się z nią gadało, ale to były rozmowy, które w każdej chwili można było przerwać i więcej do nich nie wracać... Wiedział, że zajmowała się ubezpieczeniami, tylko co to za temat? Czasem rozmawiali o książkach, o filmach, oboje kręcił ostry rock, oboje lubili jazz. Więc o tym też mówili. Była inteligentna i błyskotliwa, czasem wpędzała go w kompleksy, ale wszystko działo się jakoś tak na niby. Po wierzchu.

Nie lubiła ani gotowania, ani słuchania jego opowieści na ten temat. Seks. No tak. A poza tym?

Nie miewał odruchu, żeby do niej zadzwonić, opowiedzieć, co w życiu i w firmie. Gośki to nie interesowało. Nawet wtedy, gdy postrzelono Oksanę, nie pomyślał, nawet przez moment, żeby się z nią podzielić tą wiadomością. Teraz patrzył w lustro i myślał: „Kurwa, jestem w kieracie. Pędzę puste życie. Które może się w każdej chwili skończyć".

I Zosia. Z Zosią chciał rozmawiać o wszystkim. Tyle że nie zawsze zdarzała się okazja, a poza tym trochę głupio. No bo jak to tak? Potrzebował tych rozmów zaledwie od paru dni, a przedtem miesiącami mijał ją obojętnie?

Czyżby to było aż tak proste? Że Zosia jest tym, czego brakuje w jego pustym życiu?

11:00

119. Szare, sportowe cabrio z logo bmw mknęło szparko w kierunku granicy. Siedząca w nim blondynka, w szortach tak krótkich, że wyglądały jak majtki, żuła gumę i śpiewała (trochę bełkotliwie, ale za to na cały głos) wraz z radiem:

I heard that you're settled down
That you found a girl and you're married now
I heard that your dreams came true
Guess she gave you things, I didn't give to you.

Old friend, why are you so shy?
*Ain't like you to hold back or hide from the lie.**

11:45

120. Pudełko upadło z hukiem na podłogę. Giena, czerwony i napuchnięty jeszcze po wczorajszym, z przekrwionymi oczami, stał na progu pokoju i gapił się wściekłym wzrokiem na rozmawiającego z Zoją Witalija. Małe światełko pod ikoną dygotało. Jakby ze strachu.

– Szto ty skazał? Gde? Ja nikudy ne pojidu. Zabudz.

– Wienia, my musimo jechaty – wyszeptała Zoja.

– Mołczy! – ryknął Gienadij. – Piszła won, durna!

Witalij popatrzył spod oka na potarganą kobietę

* Adele, *Someone like you*.

i wzrokiem wskazał jej drzwi, a potem strzepnął z rękawa niewidoczny pyłek i przeniósł wzrok na Gienę. W jego ręku ni stąd, ni zowąd pojawiła się beretta 86 i też zerknęła swoim czarnym okiem. Lampka zamigotała, jakby zerwał się wiatr, a Zoja stojąca za na wpół otwartymi drzwiami szybko zrobiła znak krzyża i odwróciła się w stronę okna. Zapatrzyła się na czerwone pelargonie, bujnie krzewiące się w glinianych doniczkach. Gdzieś w głębi domu zapłakało dziecko.

11:50

121. Na ulicy zerwał się wiatr. Gałęzie drzew jak fale pochyliły się w jednym kierunku, zrobiło się ciemno. Pierwsze grube krople wody uderzyły najpierw o liście, a później o chodnik. Drobinki piasku rozstępowały się znienacka. Na ulicy, pod nogami, widziała najpierw małe kółeczka, których z każdą chwilą było coraz więcej i więcej, aż wszystko się zlało w jedną rwącą rzekę i woda zaczęła chlupać Zosi w sandałach. Na szczęście zbawcze drzwi frontowe Tutto Bene były tuż obok, więc otworzyła je szarpnięciem i wylądowała w restauracji. Jeszcze pustej, jeszcze czekającej na pierwszych klientów. Przebiegła szybko przez salę; woda spływała jej z włosów, buty miała całkiem przemoczone, a u nosa kapkę, którą szybko, zanim ktoś zdołał ją dostrzec, otarła ręką. Na zapleczu, w kuchni, radio grało relaksacyjną muzyczkę, Lucyna z zapałem obierała jabłka, Grzegorz dolewał jedną ręką oliwy do sosu, a drugą mieszał w garnku, Norbert zaś

wykładał właśnie na blat jakieś pakunki. Było miło, ciepło i ujutnie. Taki kontrast ze szpitalem...

Ale może to właśnie szpitalna rozmowa z panią Martą Stasińską tak ją nastroiła, wyostrzyła jej zmysły na innych, na problemy, które mają ludzką miarę, na codzienną krzątaninę zwykłych śmiertelników? Pani Marta była taka inna. Zabawna, a jednocześnie serdeczna. Tyle chciała jej opowiedzieć, wciągnąć ją w swoje życie, jakby nadrabiała długie milczenie... O zmarłym mężu, o sławnym synu, o szaleństwach lat siedemdziesiątych. Zosia czuła się podobnie jak czasem w Zabrzu, podczas wieczorków u ciotki nie ciotki Brygidy, która też uwielbiała opowiadać o dawnych przewagach, o sercowych podbojach, minionych bezpowrotnie namiętnościach. Zosi brakowało tego w rozmowach z matką. A pani Marta znalazła chyba w tej krótkiej rozmowie coś, czego jej brakowało. Dziwne, ale mało intymna szpitalna sceneria pobudziła je obie – niemal nieznające się kobiety w zupełnie różnym wieku i na całkiem różnych etapach życiowej drogi – do bardzo intymnych zwierzeń. Bo i Zosia przestała w którymś momencie słuchać, a zaczęła opowiadać. O Grzechu, o Waldku, o końcu świata, który w ostatnich dniach przeżyła dwukrotnie (najpierw Oksana, potem Swieta) i nawet o walącym kupy kocie Malwiny Kłyś czy dziewczyńskich koszęcińsko-zabrzańsko-warszawskich marzeniach, o przebudzonym z uśpienia ciele młodej kobiety. Wszystko razem trwało może czterdzieści minut, ale obie po tej rozmowie czuły się tak, jakby na nią od lat czekały. A pani Marta kilka razy powtórzyła w zamyśleniu jedno i to samo zdanie, które Zosia potem, przez całą drogę z Wołoskiej do Tutto Bene, obracała w głowie:

– Wszystko jest ważne, Zosiu. Wszystko jest ważne.

Dziewczyna oderwała się w końcu od tych myśli, raz jeszcze ogarnęła spojrzeniem pomieszczenie, na progu którego właśnie stanęła. Kuchnia – jakie to miłe i bezpieczne miejsce, pomyślała.

12:00

122. Byli umówieni o dwunastej w pokoju Lisieckiego w prokuraturze okręgowej. Górzyański po naradzie u siebie z chłopakami zdołał w ostatniej chwili przejrzeć zawartość folderu niedawno wręczonego przez Czarka. Wiedział, że rozmowa będzie dotyczyła tego tematu, a nie czuł się w nim zbyt pewnie. Nie pomylił się.

– Czytałeś, co ci dałem? – zapytał Lisiecki na samym wstępie.

– No, przejrzałem – odpowiedział nieco speszony Górzyański. – W sumie nic nowego – zaszarżował.

– Oczywiście, wszystko wiadomo od jakiegoś czasu. Tak samo jak wszystkie dane o tych przestępstwach. One istnieją, tak czy owak. Ale ważne jest, że spływają w jedno miejsce. A w tym miejscu musi być ktoś, kto je będzie składał do kupy, analizował, próbował szukać powiązań i uruchamiał odpowiednie dźwignie. To jest typowy przykład problemu, w którym koordynacja i wymiana informacji – i to nie tylko krajowych – stanowi warunek jakiejkolwiek skuteczności.

– No dobrze, ale co ja miałbym w tym robić? Pracować z papierami przy biurku? – odezwał się trochę nie na temat komisarz.

– Człowieku, co ty gadasz? Jakie papiery, przy jakim biurku? Byłbyś jednym z mózgów tych wszystkich operacji, uruchamiałbyś śledztwa, koordynował, podpowiadał innym, opierniczał. Odpowiadałbyś za wszystkie działania operacyjne. W ramach uprawnień, jakie ma grupa.

– Wiesz, ja nigdy nie pracowałem w takiej skali... Czy ja bym to ogarnął? A poza tym... Narady w ministerstwie, zagraniczni goście, chodzenie w garniaku. Nie widzę się w takim życiu. Ja jestem glina, szukam bandziorów, prowadzę śledztwa, jeżdżę radiowozami, zaglądam nieboszczykom do kieszeni...

– Nie chrzań, chłopie – przerwał mu Lisiecki. – Przecież to, co ci proponuję, to dopiero jest zabawa w złodziei i policjantów. Na sto razy większą skalę i w nowocześniejszym wydaniu. Nie uważasz, że za branie udziału w czymś takim warto czasem zapłacić zawiązaniem krawata?

– No ale... – zaczął Górzyański nieco marudnie.

– Właśnie nos prawdziwego gliny jest mi potrzebny. – Nie zwracał na niego uwagi Lisiecki. – Kto inny ma sobie poradzić z tymi przestępstwami, jak nie glina? Kradzieże tożsamości, wyłudzanie kredytów, phishing, spoofing, przekręty z kartami kredytowymi, siatki, mafie, gangi... Czym to się różni od narkotyków, od przemytu, od napadów na banki, handlu kobietami? Jeden ma, drugi chce mieć, więc kradnie, włamuje się, bije, strzela, wbija nóż, podkłada bomby.

Robota dla gliniarza, dla kogo by innego? Szczegóły są inne, ale co z tego?

– Ktoś młodszy... – Komisarz podjął próbę wypowiedzenia choć jednego zdania od początku do kropki. Nie udało się.

– Nie rób z siebie dziadka. Masz doświadczenie, ale ciągle jesteś bystry. Potrafisz się uczyć.

– Czarek! – Tym razem Górzyański postanowił być zdecydowany. – Nie dałbyś herbaty?

Lisiecki przez chwilę wracał do rzeczywistości prokuratorskiego pokoju. Udało się. Spojrzał na rozmówcę i zaczął się śmiać.

– Jasne, zaraz zamówię.

Otworzył drzwi, wysunął głowę i zagadał do kogoś. Potem wrócił do biurka.

– No dobra, nie będę cię gwałcił. Ta grupa działa całkiem sprawnie, kilkanaście fajnych osób: śledczych, informatyków, bankowców. Wszyscy świetnie wykształceni, o różnych specjalnościach i kompetencjach. Mamy też fundusze z Unii. Ale brakuje nam dobrego szefa operacyjnego, kogoś z charyzmą. Ciebie. W każdym razie... Moja propozycja jest aktualna. Jeszcze przez chwilę. No a co nowego w sprawie Tutto Bene? – zmienił temat.

– O, widzisz? Już lepiej.

Komisarz zaczął opowiadać o stanie śledztwa w sprawie zabójstw Oksany, Rozalskiego i Swiety. Przerwali rozmowę na chwilę, bo sekretarka wniosła herbatę, ale zaraz potem wrócili do rozważań na temat ewentualnych powiązań włoskiej restauracji z Saskiej Kępy z ukraińsko-polskim spedytorem z Przemyśla i Lwowa, niemieckim wspólnikiem z Rostocku i osiłkiem zza wschodniej granicy... Wszystko wciąż było mgliste.

– W tej knajpie przynajmniej właścicielka jest zamieszana w układy ze Spedpolukrą. Bo nie wierzę, że jej związek ze Schmidtkem jest wyłącznie romansowy. Pani Agacka nie zadowala się chyba wczasami na Krecie. Tyle że wciąż nie czuję, jakie oni mogą razem lody kręcić. Prawdziwie międzynarodowe towarzystwo – rzucił zamyślony Górzyański.

Przez chwilę w pokoju panowała cisza. Obaj mężczyźni intensywnie wpatrywali się w folder, który komisarz na samym początku rozmowy położył na stoliku obok prokuratorskiego biurka. Ten sam folder, który jakiś czas temu dostał do przeczytania.

– Chyba że... – Górzyański zawiesił głos.

Spojrzeli sobie w oczy. Lisiecki powoli pokiwał głową.

– No widzisz, Jurek. A może ty już jesteś w tej mojej grupie? – zapytał.

12:30

123. Rysy kobiety były nie do rozpoznania. Poszczególne fragmenty jej twarzy skryły się w szarawozielonej mazi, zatraciły swoją tożsamość, a wraz z nimi, jak się zdawało, i osobowość. Nawet mąż i córka mieliby kłopot z jej identyfikacją. Iwonka przykryła grubo nałożoną maseczkę z alg płatkami ligniny, a później jeszcze ceratką.

– Pani Wando, teraz piętnaście minut relaksu, potem do pani wracam – powiedziała. – Puszczę pani muzyczkę, jakiś chilloucik. Pani się odpręży, podrzemie, a maseczka zrobi swoje. Niech pani odpoczywa. Później zmyjemy i pojedziemy dalej.

Nastawiła wiszący na ścianie małego gabinetu timer na kwadrans i wyszła do pomieszczenia socjalnego. Było puste. Z kieszeni obcisłych dżinsów wyciągnęła komórkę. Przez cały weekend nie udało jej się z nim skontaktować. Chilloucik puszczony pani Wandzie wcale jej nie ochłodził. Skurwiel! – zaklęła w duchu. Te same cyferki po raz nie wiadomo który. Nie musiała korzystać z listy kontaktów, wystarczyło wcisnąć zieloną słuchawkę z ostatnio wybieranymi numerami. Tkwił ciągle na samej górze listy, chwilami tylko spychany przez Ryśka. Albo ciotkę. Albo matkę.

Zaskoczyło ją, że odebrał już po drugim dzwonku.

– No co jest? – zapytał takim tonem, jakby się spodziewał, że dzwoni z pytaniem, jakie konkretnie piwo ma mu przynieść ze sklepu.

– Co jest?! Ty mnie, kurwa, pytasz, co jest?! – Poza panią Wandą w różnych punktach ekskluzywnego salonu Stella poddawały się zabiegom jeszcze trzy klientki, więc Iwonka musiała panować nad płucami. – Od trzech dni się przede mną ukrywasz, a teraz „co jest" się pytasz?

– Odbiło ci? Weź mnie nie wkurwiaj. O co ci chodzi, tak konkretnie?

– Musimy porozmawiać.

– No to rozmawiaj.

– Norbert... Sprawy się komplikują. Nie dam rady dłużej.

– Czego nie dasz rady?

– No, tak jak do tej pory. Rysiek mnie podejrzewa, wścieka się na mnie, żyć mi nie daje. Nie mogę tak znikać. Wycofuję się.

– Czekaj, czekaj, jakie wycofuję? Rysiek cię podejrzewa? A o co?

– No, że niby mam kogoś.

– Weź się ogarnij. Możemy to jakoś przeanalizować, zorganizować inaczej. Jak nie możesz znikać, to może nie będziesz musiała. Ale zaraz wycofuję? Tak w ogóle? Nie żartuj. Jesteś mi potrzebna. Dość już mam kłopotów. Przyjdź, pogadamy.

– Byłam. W sobotę.

– Nie wiedziałem, że przyjdziesz. Skąd miałem wiedzieć? A co on się tak pokroił, ten twój Rysiek? Żyły sobie podciął z zazdrości?

– Nie, głupia sprawa. Wpierniczył się na szybę. No to co będzie?

– Na razie przestań się wygłupiać, rób, co trzeba, i nie marudź. A wyjazdy, jak będzie trzeba, zawiesimy, tylko nie tak natychmiast. Posiedzisz w domu, potrzymasz Rycha za rączkę. Żeby jej nie wkładał, gdzie nie trzeba. Potrzebna mi jesteś, Iwonka.

I się rozłączył. Się rozłączył, skurwiel.

Pani Wanda nie lubi rozpuszczalnej. Iwonka włożyła papierowy filtr do brązowego, plastikowego lejka, wsypała bezmyślnie kilka łyżeczek kawy z metalowego pudełka, po czym całą konstrukcję wsunęła do ekspresu i wcisnęła ON. On… Skurwiel, w ogóle się nią nie przejmował!

Droga do gabinetu, w którym wiszący nad panią Wandą timer pokonał już mniej więcej połowę zadanej trasy, prowadziła przez małą szatnię, gdzie klientki zostawiały swoje rzeczy. Torba pani Wandy wisiała na wieszaku obok jej kurteczki z wielbłądziej wełny. Iwonka zatrzymała się i zaczęła się wpatrywać dość tępo w wiśniową, dobrze wyprawioną skórę.

Timer miał roboty jeszcze na jakieś pięć minut. Ekspres w pomieszczeniu socjalnym zaczął popluwać gorącą kawą. Iwonka podeszła do wieszaka.

13:00

124. W aptece było pusto. Ludzie w poniedziałkowe przedpołudnia jakby mniej chorowali. Większy ruch zaczynał się dopiero po południu. Kamila Górzyańska porządkowała recepty, siedząc na wysokim stołku przy ladzie. Raz po raz zerkała do komputera, sprawdzając, czy wszystko gra, i wbijając zamówienia. Myślała o Ali i Namie. Fajny chłopak, wybitnie bystry. Ala ma dobry gust, za co dzięki niebiosom. Szkoda tylko, że mają taki problem z tym… Jak mu tam? Zastanowiła się przez chwilę. Aha, Marcinem Rozmusem.

Wklepała kolejną receptę i przypomniała też sobie, co mówił Maciek. I myśl, która ją wówczas nawiedziła. Postanowiła zadzwonić do Ewy Sidorkiewicz. Może ona coś pomoże?

14:00

125. Jaka miła ta Zosia, pomyślała pani Stasińska. Szkoda, że nie jest moją wnuczką. Jadła kurczaka w sosie koperkowym i czuła się zdrowsza z każdym kęsem, jako że kurczak był zaiste wyborny. Gdyby jeszcze tak kieliszek wina, pomarzyła przez moment, przypominając sobie relację Magdy, swojej szwedzkiej przyjaciółki, o tym, jak to na onkologii w Sztokholmie stoi lodówka, a w niej małe buteleczki wina, z których pacjenci mogą korzystać, gdy im siada nastrój. Sauvignon blanc byłoby tu całkiem a propos, pomyślała i sięgnęła po przyniesioną przez Zosię wodę mineralną. „Święty Marcin pije wino, a wodę zostawia młynom". Zawsze w takich momentach przypominało jej się francuskie przysłowie cytowane przez Romain Rollanda w *Colas Breugnon*. Nawet i niezła ta woda, niemniej jednak wino… Szkoda, że nie miały czasu dłużej pogadać, mała śpieszyła się do pracy. Pani Marta Stasińska miała nadzieję, że dziewczyna jeszcze do niej wpadnie. Szkoda by było, gdyby ta wizyta miała okazać się ostatnią. Może tak być, ale… Starsza pani miała wrażenie, że i dla tej małej było to coś ważnego. Niby nic ich nie łączyło, a ta Ukrainka, która była koleżanką Zosi, zmarła, i nie było żadnego racjonalnego powodu, dla którego miałyby się jeszcze oglądać. Uśmiały się obie, opowiadając sobie – każda własną wersję – ich pierwszego spotkania. Stasińska zrozumiała, dlaczego Zosia podała się za jej kuzynkę. Sama z kolei opowiedziała jej, jak wyczuła, że podejmując tę grę, może zyskać trochę pomocy i rozrywki

pośród szpitalnej samotności. A potem te historie! Biedna dziewczyna, nagle w takim wirze potwornych zdarzeń. Dwa morderstwa! Żeby jej się chociaż z tym kucharzem udało.

Pani Marta skończyła kurczaka i odstawiła niebieski, plastikowy pojemnik na stolik. Sięgnęła po przyniesione przez Zosię radyjko. Popatrzyła z nadzieją. Może przyjdzie i po nie, i po to niebieskie pudełeczko?

Kto wie…

18:10

126. Tego dnia rozmijali się w pracy. Ona zaczęła wcześniej, żeby przygotować różne rzeczy na cały dzień, on miał popołudniową zmianę. Dopiero o szesnastej przejął stery od kucharza, który od pewnego czasu pracował u nich dorywczo, na godziny. Teraz się szczególnie przydawał.

W ciągu wspólnych dwóch godzin mieli mało okazji, żeby zamienić choćby kilka zdań. A mimo to zdążyli sobie powiedzieć wszystko: spojrzeniami, uśmiechami, mową ciała, śmiesznymi minami, niewinnymi uwagami. Że tęsknią, że myślą, że ich ku sobie ciągnie, że wspominają, że głupio tak nie móc porozmawiać. I że Zosia dzisiaj też pojedzie do siebie. Sama, autobusem. I że wszystko będzie dobrze, ale na razie tak trzeba.

20:00

127. Jerzy Górzyański siedział w fotelu na balkonie. Na stoliku przed nim stała butelka białego wina. W domu nie było nikogo. Kamila poszła spotkać się z jakimiś koleżankami, Maciek przepadł, jak zwykle, w swoim klubie, a Ala z Namem powędrowali do kina. Mówiąc mu o tym, jego córeczka była cała w skowronkach i komisarz zaczynał podejrzewać, że z tym Namem to może coś poważnego. Nalał sobie kieliszek, spojrzał na wino, lekko przechylił i obejrzał rozlewające się po szkle szerokie smugi. Pociągnął nosem i wreszcie się napił. Niebo w gębie. Pomyślał z przyjemnością o ciotce Beacie, co też ona sobie pomyśli, gdy na najbliższych urodzinach Ala zaprezentuje rodzinie Nama. Mina będzie zapewne bezcenna. Znów się napił odrobinę. I popatrzył na szarzejące niebo, wrony kołujące nad kominami. Warszawski zmierzch. Gdzieś z oddali dobiegała jakaś rozmowa, a na dole słychać było dziecięcy śmiech.

Nie było źle. Dorośli przecież mogli się kłócić, a dzieci krzyczeć. Miły wieczór.

Kiedy poczuł rozkoszne działanie wina, a świat wydał mu się lepszy, zamiast nadal delektować się urokami majowego, podeszczowego wieczoru, zaczął myśleć o sprawie Tutto Bene. Ten kucharz i kelnerka. Coś musiało ich łączyć, poza tym, że razem pracowali. Nikt nic na ten temat nie mówił. Więc pewnie ktoś kłamie. Czyżbyśmy coś przegapili? No nic, może jutro. Jutro przesłucham Liję Agacką, pomyślał. O dwunastej. Może nastąpi jakiś zwrot?

19 maja, wtorek

11:00

128. Samolot kołował nad lotniskiem, warcząc przeraźliwie, ale w wyciszonej hali głównej dworca lotniczego imienia kniazia Daniela Halickiego nie było go słychać. Tylko przez okno dało się dostrzec, jak powoli zniża pułap, a później siada, z gracją niewiarygodną u tak ciężkiej maszyny. Egon Schmidtke stał w niezbyt długiej kolejce do stanowiska kasowego umieszczonego pod wielkim napisem „Lviv International Airport" i przestępował z nogi na nogę. Niemiłosiernie pociły mu się ręce, podobnie jak kark, szczęśliwie schowany pod białą koszulą od Armaniego. Niestety, pot płynął mu także po twarzy.

Muszę to opanować, muszę to opanować, nakazywał sobie intensywnie, ale pocił się coraz bardziej, mimo klimatyzacji i prób uspokojenia myśli. Niezbyt podobała mu się perspektywa, że spływające po czole krople zauważą celnicy i wyniknie z tego nie wiadomo jaka nieprzyjemność. Złe moce się widać sprzysięgły, że akurat teraz był we Lwowie. Jego partner w trybie pilnym wyznaczył mu spotkanie, a on właśnie tu musiał odebrać telefon od Norberta. Spotkanie miało się odbyć za kwadrans, ale odwołał je natychmiast. Są rzeczy ważne i ważniejsze. Tak. Wyraźnie ma pecha w całej tej sprawie. Pech, że Leonid go nie uprzedził. Zresztą, wróć. Dobrze, że nie uprzedził. To tylko pech. Cholerny, koszmarny pech. Oni tu zawsze tak z gruba, nie patyczkują się.

Powinien wiedzieć. Mają to we krwi, czy co? W genach? Tak, pewnie w genach. Dyskretnie wytarł czoło chusteczką. A może go tu specjalnie ściągnęli? Lepiej tak nie myśleć. Nie pocić się; to zadanie na teraz. Ciekawe, jak Grecie poszła klasówka. O! I czy Helga załatwiła z pastorem zgodę na kwestę na ukraińskie sieroty. Tak, sieroty są ważne. Może szkoda, że nie pojechałem odwiedzić tej ochronki w Pińsku... Następnym razem muszę działać rozważniej. Gdybym tam był... No, ale może nie będzie następnego razu. To też trzeba rozważyć. Wróć. Greta, Helga. Tylko to...

Gdy nadeszła jego kolej i od stanowiska kasowego dzieliła go zaledwie jedna osoba, ponownie otarł chusteczką czoło, a później i ręce. Tym razem dyskretniej, o spodnie, i miło uśmiechnął się do niewysokiej brunetki za kontuarem.

– Na jakie najbliższe loty za granicę ma pani jeszcze bilety? – zapytał.

Kasjerka spojrzała lekko zdumiona, a potem zerknęła w komputer.

– Timişoara… Potem mamy Tel Awiw i Rzym. A później Wiedeń.

– Najbliższy lot do Niemiec? – zapytał, choć nie do końca pewny, czy to dobry pomysł, żeby właśnie teraz wracać do kraju. Najlepszy byłby chyba Tel Awiw… A może jednak aż tak źle nie było?

– Za… – Kasjerka omiotła wzrokiem ekran. – Za dwie godziny i dwadzieścia minut. Frankfurt.

– A ten Rzym?

– Czterdzieści minut. Jedenasta czterdzieści pięć.

– Okej. Poproszę jeden bilet, w klasie biznes.

11:30

129. Lija Agacka przypudrowała nos i popatrzyła sobie w oczy w lustrze. Bała się, ale wiedziała, że da radę. Nie po to całe życie ciężko pracowała, kombinowała, robiła rzeczy, które jej wcale nie pasowały, żeby teraz przegrać. Da sobie radę, stanie oko w oko z tym policjantem i wygra. Nie ma nic wspólnego z tym, co tu. Może Zawijka coś kombinował, ale ona nic o tym nie wie. Nic, nic, nic.

Poprawiła włosy, przeciągnęła różową pomadką po ustach, zarzuciła na ramiona organdynowy szal, który znakomicie komponował się z suknią ze zgniłozielonego, niedoprzędzionego szantungu, wzięła klucze ze stolika i skierowała się do drzwi. I wtedy zadzwoniła komórka.

11:40

130. Helenka Kamecka wyszła z Tutto Bene na zalaną wodą ulicę. Jej grube nogi w powykrzywianych pantoflach na niewielkim obcasiku ślizgały się po obrzeżach kałuż, które usiłowała omijać. Torba wyładowana po brzegi tym, co zabrała z knajpy (za zgodą Norberta; dawno już się tak umówili), a także ubraniem i butami na zmianę, obijała się o jej nogi. Helenka szła, patrząc w ziemię, żeby nie wdepnąć w którąś z kałuż rozlanych jak małe jeziora. Chodnik na tyłach lokalu, niestety, pamiętał jeszcze czasy PRL-u i zmuszał do skupienia, aby nie wykopyrtnąć się na którejś z wystających płyt, jak jej się to zdarzyło w zeszłym tygodniu. Teraz, po deszczu, byłaby to zupełna katastrofa. Wtedy zdarła sobie tylko skórę z kolana, ale dziś byłaby utytłana jak, nie przymierzając, diabeł w pierzu i smole. Może powinna gdzieś na chwilę przysiąść i odpocząć? Do sprzątania w gabinecie u okulisty zostało jeszcze dobrze ponad godzinę. Helenka nie miała zwyczaju rozbijać się po kawiarniach, zwykle przysiadała na ławeczce i jadła jakąś kanapkę czy coś, co wzięła z restauracji (oczywiście, za zgodą Norberta), ale dziś wszędzie było tak mokro, że i herbata by się przydała. Niedaleko, za rogiem, była taka zakurzona i zaniedbana knajpka, w której przed południem nie było żywego ducha. Czasem przysiadała w niej na chwilę, żeby złapać oddech między jedną robotą a drugą. Może i teraz zamówi herbatę. Sympatycznie tam, nie tak szykownie jak u Norberta (Kamecka uporczywie określała tak Tutto Bene), gdzie

za nic by nie chciała posiedzieć, co to, to nie. To nie dla niej, źle by się czuła, ale w tej narożnej kafejce, o nazwie Kafejka właśnie, czemu nie.

Gdyby została u Norberta na zapleczu, zaraz by ją Zawijka do czegoś zapotrzebował, a tu spokojniutko, cichutko, wypije herbatkę, która kosztuje tylko cztery dwadzieścia, a nie jedenaście złotych jak tam, i pomyśli może chwilę w spokoju. Ma o czym. Tak, wypiję i pomyślę, co dalej, postanowiła. Bo sama nie wiem.

12:00

131. Andrzej Zabiełło zastukał do gabinetu szefa łokciem. W dłoniach trzymał plik wydruków komputerowych i trzy czy cztery teczki. Nie usłyszał, czy padło „wejść", ale pchnął mocno drzwi. Wszedł zaaferowany i podkręcony jak rzadko kiedy.

– Jest odpowiedź! – wykrzyknął od progu.

– Skąd? – zapytał Górzyański, zajęty właśnie pisaniem dwudziestego trzeciego raportu w tym miesiącu (co nie było, rzecz jasna, jego zajęciem ulubionym).

– Ze Lwowa.

– I co? Widzę, że coś, bo cały chodzisz.

– Tak. Bracia Ukraińcy piszą, że wczoraj w małym domku w Brodach – to taka dość paskudna dziura między Krzemieńcem a Lwowem – znaleziono ciało zastrzelonego Gienadija Wołczanowa. Jeden strzał z bliskiej odległości. W czoło. Klasyczna egzekucja, jak u Rozalskiego. Prowadzą tam śledztwo, ale na razie nie ma żadnych ustaleń. Poza zastrzelonym w domu znaleziono niemowlę, odwodnione, odparzone, wygłodzone, ale żywe. Poza tym nie było nikogo i żadnych śladów. Wszystko starannie wyczyszczone.

– Nu, ładno. Jak mówią koledzy ze wschodu – westchnął Górzyański.

– Tak. Zatłukł on tutaj, a teraz jego zatłukli. No i *finis causa*.

– Nie lubię takich spraw. Niby skomplikowane, a prymitywne. I potwierdzają wszystkie najgorsze stereotypy. Łotry wszystkich krajów łączcie się! Dobrze, że jest dziecko. To pewnie nasze. Cały czas siedziało mi w głowie – westchnął komisarz.

– Leokadia Agacka już czeka. – W drzwiach pojawiła się Pyzatka. Inaczej: Grażyna Szatalska.

– Poproś. – Komisarz zawahał się przez moment. – Grażynko – dodał. Dość czule. – A ty, Andrzej, poproś o badania DNA dziecka. Trzeba sprawdzić, czy to nasze dziecko. No i poproś, niech ustalą, czy to nie dziecko tego Gienadija.

13:00

132. Norbert Zawijka siedział w swoim kantorku na tyłach kuchni w Tutto Bene i zapijał. Równo i metodycznie. Miał przed sobą dobrze zmrożoną finlandię i szklaneczkę słusznych rozmiarów. W kanciapie było duszno z powodu szczelnie zamkniętych drzwi. Po co tym głupkom wiedzieć, co tu. Gdy tylko wyłączył komórkę, westchnął głęboko i skierował się jak automat do dużej, zamykanej na klucz

lodówki, która stała i zawadzała w korytarzu, tuż przy drzwiach. Trzymali w niej produkty dla baru. Towar ścisłego zarachowania. Klucze do lodówki miał Leszczyński, jego zmiennik, Dolan i on, Norbert, który dysponował w niej małą, prywatną półeczką. Wziął z niej tym razem finlandię (dobrze czasem golnąć coś porządniejszego niż wińska, które serwowali w knajpie w przemysłowych ilościach). Postawił miło zmrożoną butelkę na biurku i odkręcił nakrętkę. Od tego czasu minęło pół godziny. Mimo trzech szklaneczek nie zrobiło mu się lepiej.

Co za kurewski dzień! Najpierw rano zadzwonił Ładecki i zakomunikował mu, że do Spedpolukry wpadło CBŚ. I siedzi. I siedzieć zapewne będzie długo. Ładecki wykonał telefon z komórki, którą mieli tam zachomikowaną w klozecie. Właśnie po to, żeby... To był pomysł Furmanowa; trzeba powiedzieć, że chłop miał łeb i nosa.

Później zadzwonił Witia. By powiedzieć Norbertowi, że sprawa się już skończyła i teren czysty. A to znaczyło, że Giena poszedł do piachu. Czyli koniec sprawy. Psy jak nic się poślizgną na tym gównie. No a potem musiał przekazać te wieści Schmidtkemu, który akurat bawił we Lwowie. Cóż, stary się posrał. Jak było do przewidzenia.

Żeby się tylko w Przemyślu do czegoś nie dokopali. Sięgnął po kolejną szklaneczkę. Jakie to dobre!

Ciekawe tylko, kto zabił Sańkę i Henia. Czy mogli mu nie powiedzieć?

I czemu?

12:20

133. No i wymyśliła. Miała w swojej staroświeckiej komórce telefon do Zosi (wymieniły się numerami w czasach, kiedy próbowała jej jakoś pomóc w wynajęciu mieszkania) i doszła do wniosku, że teraz poradzi się właśnie jej. Nie tylko przez ten telefon. W ogóle jakoś tak miała do niej zaufanie; dziewczyna trzymała się na uboczu, nie należała do sitwy Norberta. Z tego samego powodu pomyślała też przez chwilę o Miśku, ale jednak co kobita, to kobita. Chociaż ten Misiek to... Też prawie, podobno. Mnie tam nic do tego, powiedziała sobie w duchu. Ale jednak Zosia. Lepiej Zosi się poradzę. Zadzwonię.

Miała jeszcze trochę czasu.

Odrobinę go jednak zużyła na te wszystkie operacje: torba, okulary, telefon, szukanie numeru. Już nie ten wiek. Wszystko szło jej jakoś wolniej, mniej zgrabnie. W końcu nacisnęła odpowiedni klawisz. Po chwili usłyszała zdziwiony głos.

– Tak, słucham. Pani Helenka?

– Zosiu, to ty? – zapytała niemal szeptem Kamecka.

– No tak. Co jest, pani Heleno? Zapomniała pani czegoś?

– Zosiu, możesz się wyrwać z pracy na chwilę? Na dwadzieścia minut? Jestem niedaleko, w takiej kawiarni. W Kafejce.

– Jezus Maria, co się stało?! Przecież widziałyśmy się godzinę temu!

– Nic takiego się nie stało. Chcę z tobą pogadać. A u Norberta nie chcę. Podsłuchają.

– Kto? Pani Heleno, wszystko w porządku?

– Zosiu, przyjdź. Kafejka. Za rogiem, od strony...

– Wiem, gdzie jest – przerwała jej Zosia. – Naprawdę mam przyjść?

– Tak, przyjdź. Muszę ci coś opowiedzieć. Zosiu, dasz radę?

– Dam, pani Helenko.

– Tylko nikomu tam ani słowa.

12:25

134. Zanosiło się na spokojny przejazd. W wagonie, oprócz niego, były jeszcze dwie osoby. Zajęte sobą. Zostało mu zaledwie parę przystanków. Jechał na trzynastą trzydzieści, więc spokojnie zdąży wysiąść na Śródmieściu i choćby na piechotę dojdzie do pracy przed czasem.

A jednak weszli. We czterech, nie na stacji, tylko przeszli podczas jazdy z sąsiedniego wagonu. Mieli po dwadzieścia dwa, może dwadzieścia cztery lata. Wygolone głowy, czarne T-shirty, zielone bojówki, glany. Musi im być gorąco w tych butach, pomyślał. Rozparli się na ławkach i rozpoczęli swoje rytuały.

– Ale mu wtedy Krótki wykurwił, ja pierdolę! – kończył opowieść zaczętą jeszcze w sąsiednim wagonie jeden z nich, o najbardziej harmonijnej sylwetce.

Jego koledzy zarechotali adekwatnie do dynamiki anegdoty. Misiek Leszczyński z przerażeniem rozpoznał jednego z wesołków. Widywał go parę razy na osiedlu Marcina. Tamten zwrócił kiedyś na nich uwagę, jak szli, trzymając się za ręce. Rzucił za nimi jakimś bluzgiem. Potem natknęli się na niego jeszcze raz czy drugi. Za każdym razem Miśka dopadała później ta sama wizja: koleś spoczywa na stole sędziowskim, owinięty w plastikową folię z przyczepioną etykietą, na której grubym, czarnym flamastrem wypisano: „Dowód rzeczowy nr 267". Sąd zaś rozpatruje sprawę „Rzeczpospolita przeciwko siłce i solarce". Facet był bowiem żywym dowodem na szkody, jakie organizmowi może wyrządzić nadużywanie sztangi, atlasów, ławek treningowych, sterydów anabolicznych, suplementów białkowych i ultrafioletu. Miał monstrualnych rozmiarów bicepsy i kark oraz obwód klaty, którym mogłyby się podzielić wszystkie finalistki edycji konkursu Miss Polonia. A wszystko to powleczone nienaturalnym brązem i wbite w szytą niewątpliwie na miarę koszulkę w rozmiarze 200XL.

Misiek czym prędzej odwrócił oczy.

Nie na wiele się to zdało. Monstrum utkwiło w nim wzrok, przegięło się w kierunku sąsiada i coś zagdakało.

Sąsiad przyjrzał się Miśkowi.

– No nie, nie pierdol! – wykrzyknął. – Lachociąg?

Wszyscy czterej powoli zebrali się ze swoich miejsc i przesiedli bliżej Leszczyńskiego.

– Ty, kurwa, ja ciebie znam? – zapytał Rozdęty. – Kurwa, pedał?

– Ja nie mogę, spermojad! – rzucił inny.

– Panowie, chodźcie! Zakręcimy mu wora.

Znów wstali i podeszli jeszcze bliżej. Tak blisko, że Misiek poczuł się jak całkowicie odcięty od świata. Świata już nie było. Otoczony przez napastników zamknął oczy, czekając na nieuchronne. Poczuł, że pociąg zaczyna hamować. Kolejna stacja. Czy to zmienia moje położenie? – zastanowił się.

Pociąg stanął i Misiek usłyszał syk otwieranych drzwi. A zaraz potem głos:

– Panowie, spierdalamy.

Otworzył oczy. Przy skrajnych drzwiach zobaczył dwóch policjantów. Musieli wsiąść przed chwilą. Patrol? Rozdęty i jego trzej kumple wytaczali się właśnie przez środkowe wyjście. Już na zewnątrz jeden z nich wrzasnął:

– Jebać pedałów i Żydów!

Pozostali odpowiedzieli chóralnym zaśpiewem:

– Jebać-jebać-pezetpeen!

Po chwili pociąg ruszył. Misiek pomyślał, że dziś wszystko mogło się dla niego skończyć tak, jak się skończyło Sańce. W jednej chwili. Muszę przestać się bać i załatwić wszystko tak, jak powinienem, pomyślał. Pogadam z tym gliną.

Na razie jednak wziął głęboki wdech i wyciągnął komórkę. Chciał… Nie, musiał koniecznie usłyszeć głos Marcina.

12:30

135. Równie dobrze mogła wyjąć z torby pałkę i przywalić nią w jej skołataną głowę. Ale zamiast

tego wydobyła ze swej pamięci historyjkę, którą opowiedziała Zosi, gdy dziewczyna wpadła zdyszana do Kafejki kilka minut po ich telefonicznej rozmowie.

Kamecka ucięła wszystkie „jezus marie", „co się stało?" i „ależ pani Helenko!" i przeszła do rzeczy. Zosia zamilkła i słuchała.

– Zosiu, nie wiem, jak sobie z tym poradzić. I co mam robić. Nie powiedziałam temu policjantowi. A może trzeba? No nie wiem... Posłuchaj.

Zosia energicznym kręceniem głowy odprawiła tęgawą kelnerkę w granatowym mini i czarnych, z lekka u góry zrolowanych rajstopach.

Helenka nawet nie zauważyła tej ingerencji w ich tête-à-tête i przejęta mówiła dalej.

– Gdzieś tak w lutym to było, jak jeszcze chodziłam we wtorki na trzecią sprzątać do takiej pułkownikowej, wdowy, na Wiśniową. Od marca już nie chodzę. Więc w lutym, na pewno. Wiśniowa, przy rogu z Rakowiecką, tam obok jest urząd dzielnicy. A ja szłam od przystanku, od Puławskiej. Rakowiecką szłam. Bo jak do tej pułkownikowej chodziłam, znaczy jeździłam, to sto siedemnaście zawsze. Od Norberta, wiesz. Od ronda Waszyngtona. No więc wysiadłam i szłam. Szybko szłam, bo parę minut spóźniona byłam, po trzeciej już było. A pułkownikowa nerwowa cholerycznie...

– Jezu, pani Helenko... – westchnęła czerwona na twarzy Zosia.

– Już, już... Już ci mówię. No więc, jak już przechodziłam koło tego urzędu dzielnicowego, zaraz, już prawie przy Wiśniowej, patrzę, a tam po schodkach para wchodzi. Kobita i facet, no wiadomo. Oboje od nas, znaczy od Norberta. Pod rękę idą. Jak mąż i żona. Objęte.

– I kto to był, pani Heleno? – Zosię wreszcie naprawdę zainteresowała opowieść Kameckiej.

– Kto? Ona to była Oksana. Ta Ukrainka zabita. A on...

– No kto?

– Dolan. Kucharz od Norberta.

Zosia chyba jednak wolałaby cios pałką. Bo od Kameckiej dostała całą serię z karabinu: i w głowę, i w brzuch, i po nogach, i w serce... Przyszło jej do głowy powiedzenie, którym pewien inżynier, przyjaciel ciotki nie ciotki Brygidy w Zabrzu, zwykł określać sytuacje beznadziejne: „Wszystkie kable upalone, ciemno i klimatyzacja nie działa". Klimatyzację miała z pewnością odłączoną. I kable upalone. Za to Kamecka ciągnęła równo:

– Zosiu, co ja mam zrobić? Jak ten policjant się wypytywał o Oksanę, czy coś zauważyłam, no wiesz... To ja nic nie powiedziałam. Ale teraz nie wiem, czy dobrze zrobiłam. Myślisz, że powinnam do nich zadzwonić i powiedzieć? Bo może mam grzech?

To ostatnie słowo odcięło Zosi resztki prądu. Wstała.

– To ja idę – powiedziała. – Muszę pomyśleć.

I wyszła z Kafejki. Ale wydawało jej się, że wychodzi z własnego życia.

14:00

135. Lija Agacka uniosła brodę troszkę zbyt wysoko, zadarła nosek i patrząc komisarzowi prosto w oczy, zatrzepotała rzęsami. Górzyański ścisnął trzymany w ręku długopis, aż ten chrupnął. Miał nadzieję, że odgłosu miażdżenia Agacka nie zarejestrowała, bo zobaczyć destrukcji nie mogła, jako że trzymał ręce pod blatem biurka.

– Panie komisarzu – powtórzyła. – Ja naprawdę nic nie wiem. Ta knajpka jest moja, ale prowadzi ją Norbert i ja naprawdę mam niewielkie pojęcie, co się w niej dzieje. Ludzi, którzy tam pracują, to nawet szczególnie nie znam. Tylko tyle, że z twarzy kojarzę. Ale kto jest kto, nie wiem.

I ponownie zatrzepotała rzęsami.

O piętnastej Górzyański się poddał. Istniała realna obawa, że zabije babę, choć kilkakrotnie w trakcie przesłuchania przypominał sobie o przełączeniu się na tryb „policjant". Malonek, który protokołował, też miał ochotę trzepnąć kobitę, ale że do emerytury zostało mu zaledwie trzy lata, więc się pohamował. To było najbezczelniejsze babsko, jakie ostatnio spotkał. I kłamało jak z nut, obaj to z komisarzem i czuli, i wiedzieli, ale na razie zrobić jej nic nie mogli. Nic nie wiedziała. Spedpolukra – pierwsze słyszy. Egon Schmidtke? Owszem, zna, ale wyłącznie towarzysko. Pomaga mu w działalności charytatywnej. Tak! Charytatywnej. Wspomagają ukraińskie domy dziecka. Czy pan, panie komisarzu, zdaje sobie sprawę, jakie tam są potrzeby?

Nie mieli na nią literalnie nic. Niemniej jednak Malonek znał komisarza: dobroci był to człowiek przeogromnej, ale czasem, jak się wściekł, podłogi i sufity tańczyły salsę. I wiedział, że pani Agacka przekroczyła wszelkie granice, bezczelnie łżąc, szydząc i trzepiąc tymi rzęsami wysmarowanymi czernidłem. Po prostu nie wie nic! Jakby ją tu na spadochronie godzinę temu aniołowie spuścili. Nie, Górzyański bez wątpienia nie da z siebie robić osła, więc biada jej, po prostu biada. Malonek lubił czytać. Powieści historyczne.

15:15

137. Ledwie za właścicielką Tutto Bene zamknęły się drzwi, komisarz wydzwonił Zabiełłę i Chmiela, którzy się pojawili prawie natychmiast.

Co się Górzyańskiemu niespecjalnie spodobało.

– A co wy tu robicie? Nie powinniście siedzieć na mieście? Ty, Andrzej, na Jagiellońskiej sąsiadów miałeś przepytywać.

– Jurek, wszystko pod kontrolą, wyluzuj. Już zapukałem do wszystkich, którzy coś mogli widzieć, i właśnie zdaję sprawę komputerowi.

– Coś ciekawego?

– Obywatelka Elżbieta Zatorska widziała tego całego Wienię, czyli, jak się okazuje, Gienę, zabierającego do samochodu tę Ukrainkę, Swietłanę Szewczyczynę w dzień zabójstwa. O godzinie osiemnastej dwadzieścia czy trzydzieści. Zatorska wyszła po *Klanie* psa odcedzić, więc mniej więcej pamięta czas. No i pies, ten tego, walił na chodnik, a ona się gapiła, jak tamci dzieciaka do samochodu pakują. Zauważyła, fotelika nie mieli. Nawet chciała im coś powiedzieć, ale spojrzała na tego Gienadija. „Zwalisty taki, z nosem przestawionym", powiedziała. No i dała spokój. Rozsądnie raczej.

– Czyli zabrali dziecko jeszcze przed zabójstwem? – dopytał Ludek.

– Na to wygląda. A, i jeszcze mam cynk od ukraińskich kolegów, że pierwsze dziecko tej Oksany się znalazło. U jej matki, w Krzemieńcu – powiedział Andrzej Zabiełło i klapnął na fotelik, który uprzednio zajmowała Agacka.

– Naprawdę nie lubię tej sprawy! – oznajmił Górzyański, który po przesłuchaniu Funi przełączył się na chwilę na tryb „człowiek". – Wygląda na to, że ta historia z lekka potwierdza wersję o zabójstwie na zlecenie. Przez tego Gienę. Jasny gwint! Ale w zasadzie żadnych dowodów. Chyba że ktoś z tej bandy pęknie. Ale raczej to nie będzie Agacka. Bezczelny babsztyl, rżnie anielicę. Maglowałem ją półtorej godziny i nic. Nie wie, nie słyszała, nie orientuje się, jest mała, niewinna i czemu ją to spotyka, skoro sieroty karmi i czyni dobro. Niedobrze się robi.

Zezłoszczony Górzyański smyrgnął gazetą, która leżała na blacie. Popatrzył na kolegów.

– Poślijcie jej śladami jakiegoś łebskiego chłopaka – zakomenderował. – Może Jacka Wąsa. Niech pójdzie wszędzie tam, gdzie ją znali, czy znają, i poszuka śladów, plotek i, oczywiście, faktów. Dam sobie rękę odciąć, że za nią płynie tyle gówna, ile za okrętem. Nie znoszę baby.

Uświadomił sobie, że zachowuje się wobec podwładnych całkiem nieprofesjonalnie, czym prędzej kliknął więc na tryb „policjant".

– Macie coś jeszcze?

Zabiełło położył na biurku wydruk komputerowy.

– Mamy już nieformalny wynik porównania broni użytej w zabójstwie Rozalskiego i Oksany Łuczynko. Ta sama. Makarow, 9 milimetrów.

Górzyański wziął do ręki arkusz i rzucił okiem.

– No tak, teraz to mamy czarno na białym. Ta sama broń, to raczej też ten sam morderca. No i makarow – ruski wynalazek. Broń używana tam dość powszechnie. To co: porachunki mafijne wewnątrz grupy przestępczej? Na to wygląda.

– Panie komisarzu. – Do pokoju zajrzała Pyzatka, zwana niekiedy Grażyną. – Telefon do pana. Dzwoni ten Grzegorz Dolan z Tutto Bene. Połączyć?

16:00

138. Ewa Sidorkiewicz, ubrana w ciemnoszarą bluzkę z miękkiej, lejącej dzianiny oraz skromną lnianą spódnicę, siedziała w kawiarni Batida przy placu Konstytucji i studiowała menu. Była trochę głodna, więc zamówiła faszerowanego sandacza z miłym dodatkiem pistacji oraz herbatę, o której podanie poprosiła od razu. Miała nadzieję, że Kamila, zwykle punktualna, nie przyjdzie spóźniona. Bo ona musiała biec dalej. Miała

jeszcze przed sobą dwie wizyty, a nie lubiła chodzić po zmierzchu. Bo po zmierzchu budziły się demony.
Tak uważała.

17:00

139. Dziewczyna śpiewała:

Bad girls są głodne i złe,
Bad girls, bad girls.
Bad girls, to skończy się źle,
Bad girls, bad girls.

Nie toleruję słowa „nie”,
Zawsze dostaję to, co chcę.
Twe miejsce jest u moich stóp,
Ja – pani twa i twój Bóg.
Bierz w zęby smycz i przynoś mi bat,
Się śliń i giń, u stóp moich siad.
Bierz w zęby smycz i kładź się na wznak.
Bad girls są głodne i złe.

Tym razem siedziała na tylnym siedzeniu wysłużonego policyjnego volkswagena. Obok starszy sierżant Niedziela patrzył na nią osłupiałym wzrokiem, kiedy dołączyła do śpiewającej w radiu Dody. Ma nerwy, smarkula, pomyślał, gapiąc się na jej gołe nogi. Wygląda, jakby nawet majtek nie miała. Takie krótkie te szorty. Poczuł się... Hm, jakby niewygodnie, wymienił spojrzenia z Zawadką, który siedział z przodu i też się gapił, tyle że w lusterku. Na te gołe nogi i na tę pannę.

Wszystkiego ciągle mało mi,
Wciąż potrzebuję świeżej krwi.
Jest szaro, nudno, byle jak,
A chcieć to móc, więc zmienię świat.
Podpalę miasta i zjaram wsie,
Niech będzie dym i niech dzieje się.
Podpalę miasta, bo nudzę się.

Nienormalna jakaś, pomyślał Zawadka.

A Niedziela w tej samej chwili znalazł określenie, którego szukał: niemożebnie niemoralna. Ta piosenka. I w ogóle.

20 maja, środa

6:30

140. Od tego, kto pierwszy podejdzie do wieszaka, zależało, czy poranne siusianie zmieni się w jedno okrążenie kamienicy i dołączenie na kilka minut do grupy psów czekających pod sklepem spożywczym (Maciek albo Ala), w spokojny spacer na pobliski skwer dla chwili tamtejszego życia towarzyskiego (Kamila) czy też w... No tak, Górzyański szykował adidasy! To mogło oznaczać tylko jedno: dłuższe telepanie się po okolicy, desperackie próby nadążenia za panem i zadyszkę. Pedro przez chwilę sprawiał wrażenie, że zastanawia się, czy jednak nie czmychnąć pod kredens, ale ciśnienie w pęcherzu robiło swoje. Z godnością przyjął od pana porcję pieszczot, po czym zrezygnowany poczłapał za nim do windy.

Pies załatwiał poranne sprawy, a Górzyański tymczasem zrobił parę skłonów, po czym ruszył wolnym truchtem. Pedro spojrzał na niego z wyrzutem, ale nie miał wyboru, więc puścił się, również truchtem, na swych krótkich nóżkach.

Komisarz zastanawiał się nad wczorajszymi rewelacjami Dolana na temat menedżera z Tutto Bene. Znów w kryzysowym momencie śledztwa facet spadał z nieba i przekazywał policji kluczowe informacje.

Opowieść szefa kuchni, zasłyszana ponoć od przypadkowo poznanego na jakimś przyjęciu Jarosława Kaliny, dawało się streścić następująco:

Kilka lat temu Kalina pracował w warszawskiej centrali Boston Banku. Zajmował się kredytami dla klientów indywidualnych. Banki walczyły wówczas z plagą wyłudzania kredytów na fikcyjne tożsamości. Było to jeszcze przed wprowadzeniem systemu Dokumenty Zastrzeżone, który znacznie ograniczył możliwość korzystania z kradzionych papierów, ale wtedy o zaginięciu dowodu czy prawa jazdy wiedziała wyłącznie policja. Banki do takich informacji miały trudniejszy dostęp. Pewnego dnia po kredyt do Boston Banku zgłosił się niejaki Wiesław Gałęzowski. I trafił na Kalinę.

Komisarz, a chwilę po nim Pedro, dobiegł do skrzyżowania i zatrzymał się na czerwonym świetle. Miał zamiar przebiec na drugą stronę i potruchtać jeszcze kawałek, spojrzał jednak na psa, który z przekrzywionym łebkiem i wysuniętym językiem patrzył na swego pana tak błagalnie, że Górzyański nie miał sumienia go dręczyć.

– No dobra, wracamy. Mnie się dzisiaj też nie chce – powiedział i obaj skierowali się w stronę domu.

Komisarz powrócił do opowieści Dolana, a właściwie Kaliny. Wszystkie papiery Gałęzowskiego wydawały się w porządku, kredyt nie był wysoki, facet wylegitymował się dowodem osobistym i podpisał formularze. Ale z jakiegoś powodu bankowiec zaczął coś podejrzewać. Czy zdjęcie mu nie pasowało, czy podpis... Przyjął papiery, ale... Miał sąsiada, który pracował w policji. Przez niego sprawdził, że w rejestrze policyjnym figuruje zgłoszenie o zaginięciu dowodu osobistego wystawionego na nazwisko Wiesław Gałęzowski. Bingo! Kalina postanowił zabawić się w prywatnego detektywa. Ściągnął klienta raz jeszcze do banku. Na użytek sąsiada-policjanta wymyślił historyjkę, że tropi tamtego faceta, bo ten kręci się koło jego żony; sąsiad zgodził się wylegitymować gościa pod jakimś błahym pozorem na ulicy. No i tamten wyciągnął z portfela dowód osobisty na nazwisko... Norbert Zawijka.

Ale najdziwniejsze dopiero miało się wydarzyć. Kalina, dumny z siebie, poszedł z tą historią do przełożonych. Spodziewał się pochwały, nagrody może. A skończyło się zupełnie inaczej: sprawę zatuszowano. Kredytu, oczywiście, odmówiono, ale kierownik dał Kalinie do zrozumienia, że ten zrobił już, co do niego należało i dalej ma się sprawą nie interesować. I dwa miesiące później wręczył Jarosławowi Kalinie wymówienie. Powód: reorganizacja departamentu kredytów.

– Poczekaj, wejdę jeszcze do sklepu i kupię bułki dla całego towarzystwa – powiedział Górzyański do Pedra i przywiązał psiaka do balustradki, nakazując mu grzecznie czekać. Wiedział, że buldożek i tak zaczeka grzecznie, bo po pierwsze nie ma wyboru, a po drugie jest wyjątkowo przyzwoitym i rozumnym zwierzakiem.

8:30

141. Zosia spała źle. Wyłączyła wieczorem telefon i w zasadzie uciekła z Tutto Bene bez pożegnania z Grzegorzem. Rzuciła krótkie: „Cześć wszystkim", i wybiegła, rejestrując w przelocie jego zdziwioną minę i uchylone usta, być może zadające jakieś pytanie, na które chciała uniknąć odpowiedzi. Przez ten przeklęty wyłączony telefon, który może i dzwonił, a może i nie dzwonił, zaspała nieco. Nie dramatycznie, więc teraz musiała tylko lekko przyśpieszyć, ale bez przesady. Sięgnęła po aparat, wstukała PIN i poczekała chwilę, aż naciągnie. Po chwili pojawiło się logo, potem „Witaj", a potem już wskoczyły esemesy.

Od Grześka nie było nic. Nie dzwonił i nie esemesował. No tak, od początku wiedziała, że to nie może być naprawdę. Chyba jakaś przeklęta jestem, pomyślała, spuszczając gołe nogi z łóżka i szukając wzrokiem rozdeptanych kapci. Gdzieś tu powinny...

Są. Wsadziła w nie stopy i podnosząc się do pionu, wiedziała już, że na pewno jest przeklęta. Najpierw ten kretyn Waldek, a teraz aferzysta Grzesiek. Albo i gorzej. I tego ostatniego to naprawdę, naprawdę... Rozżaliła się nad sobą okrutnie, siąknęła nosem i pomaszerowała do łazienki z głową opuszczoną do połowy masztu, nie tylko z powodu kota Malwiny. Z pokoju współlokatorki dochodziło dość rytmiczne i charakterystyczne postukiwanie wskazujące, że dziewczyna nie śpi. I Olo też raczej nie. Zosia weszła do łazienki i poprzez rozmazane białe kropki, dekorujące lustro w całkiem imponującej liczbie, popatrzyła sobie prosto w oczy. Moje życie to dno, bo idiotka jestem, stwierdziła. Znowu źle trafiłam. Żyję jak ostatni łach, z Malwiną, jej kotem i kolejnymi Olami, mam dwadzieścia jeden lat i nic, i nic. Jestem stara, przegrałam życie. Tak to jest!

Nalała wody do kubka, wycisnęła pastę i zaczęła wściekle szorować zęby. Nagle drzwi, które z tej rozpaczy Zosia zapomniała zamknąć na zasuwkę, otworzyły się z wielkim hukiem i do środka wpadła rozczochrana jak zwykle, ale miło zarumieniona Malwina. Wyhamowała gwałtownie. Zosia przerwała szorowanie i popatrzyła pytającym wzrokiem; mówić nie mogła, pasta była z tych, które obficie się pienią. Malwina stropiona, ale tylko trochę, rzekła prosząco:

– Mogłabyś te zęby w kuchni? Chciałabym się... ten tego, no... podmyć.

12:00

142. – Gdzie są te nożyce? – Grzegorz miotał się wściekły po kuchni.

Zniknęły gdzieś nożyczki do cięcia drobiu, fiskarsa, niezbyt potężne, ale bardzo porządne. Jego ulubione i własne.

– Zośka, nie ruszałaś?

Zosia akurat w tym momencie cięła, ale nożem elektrycznym (polędwicę na carpaccio), i nie usłyszała pytania. Grzegorz podszedł bliżej do blatu i stanął tak, by znaleźć się w zasięgu jej wzroku. Nie chciał jej przestraszyć, bo ten nóż...

Zosia podniosła wzrok i wyłączyła brzęczące ustrojstwo z kontaktu.

– Czego chcesz? – zapytała. W jej oczach nie było ani krztyny ciepła. Były zimne, ciemne i obce.

Coś nie grało.

12:30

143. Ciężko było gotować jedną ręką, ale Rychu czuł się już nieźle i chciał zrobić Iwonce przyjemność. Wymyślił sobie, że przyrządzi jej na obiad jedno z dań, które lubiła najbardziej – porządnego steka T-bone, a do niego frytki i sałatkę z kapusty kiszonej, jabłka i marchewki. Stek i frytki nie stanowiły problemu, dwie ręce nie były do nich konieczne, natomiast zaciął się na sałatce. Jak to cholerstwo zrobić jedną? I to w dodatku lewą?

12:30

144. Lija Agacka leżała, wygodnie wyciągnięta, z zamkniętymi oczami, na leżance w saloniku Stella. Muzyka cicho szemrała w tle jakiś kawałek starego

jazzu. Nachylona nad klientką Iwonka w bladoróżowym kitelku w świetle mocnej lampy wyrywała z jej brwi włosek po włosku. A depilacja sprawiała jej prawdziwą przyjemność. O! Jeszcze ten jeden...

13:00

145. Jerzy Górzyański nie lubił spraw zbyt prostych. Tak już miał, i to w obu trybach. A przypadek Tutto Bene właśnie zaczynał się prostować. Miła grupa bandziorów skupionych wokół restauracji najwyraźniej robiła jakieś przekręty, i to na skalę międzynarodową. Ta parka – Heniek i Oksana – coś musiała zakombinować na boku. No i została wykasowana przy pomocy braci Ukraińców, czyli Gieny. Teraz tylko trzeba dojść, jakie lody to towarzycho kręciło, przycisnąć i sprawa skończona. Agacka nie piśnie słówka. Na to, że coś powie Norbert Zawijka, też nie ma co liczyć. Nie zmieni się on raczej w gawędziarza. Wyśmigał się parę lat temu z przekrętów bankowych, to teraz zapewne też nie pomoże, gdy wszystko już jest szyto kryto. A wykonawca Gienadij ziemię gryzie. Może bardziej miękki będzie ten Niemiec? Zapewne, kręcąc z piękną Liją Agacką, nie brał pod uwagę morderstwa, a tym bardziej kilku. Wczoraj poleciał ze Lwowa do Rzymu, dziś pewnie jest już w rodzinnym Rostocku. Swoją drogą ciekawe, że akurat był we Lwowie, kiedy utłukli tego Gienadija. Można na tym przez chwilę pojechać, to może chłop zmięknie. Dobrze mieć coś, co go choć trochę skłoni do mówienia. Że też ten CBŚ tak się

ślimaczy w Przemyślu! No ale to, że Schmidtke był we Lwowie, można by wykorzystać. Zresztą, kto wie? A może to on morduje? W życiu różnie bywa.

Na służby skarbowe, mielące wolno papiery Spedpolukry, nie ma co liczyć. To wszystko będzie, ale potrwa. Coś by się przydało szybciej. Tyle że chyba trzeba tu cudu.

Zadzwonił telefon.

– Górzyański. A, pan prokurator! Tak, mogę. Kogo macie? O! No dobra, już jadę… – odpowiedział komisarz, dodając w duchu: „Znowu będzie zawracał głowę".

13:10

146. Codziennie jeden z kucharzy, ten, który akurat miał dyżur, przygotowywał w porze lunchu jakieś proste danie dla personelu. Tym razem padło na Grzegorza. Zaginione nożyce poszły już w zapomnienie. Ponownie podszedł do Zosi, wciąż pogrążonej w ponurym milczeniu.

– Na co byś miała ochotę na lunch? Kluski jakieś? – zapytał przymilnie.

– Wszystko jedno – odpowiedziała opryskliwie. – I tak mi się nie chce jeść.

Korzystając z faktu, że przez moment oprócz nich nie było w kuchni nikogo (nie licząc praktykanta z technikum gastronomicznego, który na tyle zapamiętale tłukł naczyniami wyjmowanymi ze zmywarki, że i tak nie mógł niczego usłyszeć), Grzegorz zapytał z zatroskaną miną:

– Zocha, co się stało? Jesteś od wczoraj całkiem inna... Jakaś... Nie lubisz mnie? Coś się wydarzyło? A wiesz, chciałem... Za dwa tygodnie na Bemowie będzie koncert Madonny. Udało mi się od kumpla odkupić dwa bilety. Poszłabyś? Można tak ustawić grafik, żebyśmy oboje mogli się wyrwać. Rychu już będzie, no i Norbi znalazł ponoć jakiegoś świetnego kucharza na miejsce Henia. Pogadam z nim. Co ty na to?

Spojrzała na jego niebieską koszulę, do niedawna obiekt swoich bezustannych zachwytów, na porządnie ułożoną fryzurę. Zajrzała mu w oczy, które tyle razy...

– Nie! Idź z Gośką! – odpowiedziała wściekle.

Zapadła cisza. Grzegorz patrzył autentycznie zadziwiony, więc dodała, znacznie spokojniej:

– A właściwie skąd ty masz pieniądze na... takie bilety?

– Zośka, zwariowałaś? Jakie pieniądze, z jaką Gośką?

Do kuchni weszła Lucyna z nową kelnerką, Marysią, którą właśnie przyuczała, i poszukała wzrokiem Dolana. Przekazała mu kolejne zamówienie, od trzech facetów w garniturach przy ósemce.

– Pogadamy później – powiedział cicho Grzegorz. Wrócił na swoje miejsce po przeciwnej stronie obszernego pomieszczenia.

Praktykant właśnie zamiatał skorupy talerza, który mu się przed chwilą wymsknął z rąk.

– Chłopie, uważaj trochę, bo w końcu zaczniesz płacić za ten rozpiździaj, który robisz! – rzucił wściekle w jego kierunku szef kuchni.

13:50

147. – Pan prokurator prosił, żeby pan chwilę zaczekał, panie komisarzu. Zaraz go wydzwonię – sekretarka wskazała Górzyańskiemu krzesło i zostawiła go, nie zamykając za sobą drzwi. Wróciła po chwili.

– Coś do picia, panie komisarzu? – zapytała. – Pan prokurator będzie za parę minut.

– Nie, dziękuję, poczekam na sucho.

Lisiecki wkroczył do pokoju wyraźnie podekscytowany.

– Zaraz cię zaprowadzę do podejrzanej, to ją sobie obejrzysz. Nogi do samej ziemi. I całe gołe...

– Ale jaki ona ma właściwie związek z tymi twoimi... – zaczął Górzyański, ale, jak zwykle w rozmowie z Lisieckim, nie udało mu się dojechać do kropki. Do znaku zapytania właściwie.

– Przedwczoraj ją zatrzymano na przejściu Hrebenne–Rawa Ruska. Próbowała wjechać na Ukrainę bmw wypożyczonym trzy tygodnie temu w Niemczech, w Dortmundzie, niby przez jakiegoś faceta z Poznania. Niemcy dali cynk. Facet twierdzi, że nic nie wie o żadnej wypożyczalni i chyba rzeczywiście nie wie. W dniu, w którym ponoć wypożyczał auto w Niemczech, leżał w poznańskim szpitalu. I operowali mu żylaki.

– No i co ta dziewczyna miała...? – Komisarz podjął kolejną próbę.

– Wygląda na wynajętą przewoźniczkę. Wybrali atrakcyjną laskę, chyba żeby ją łatwiej na granicy przepuścili. Ale, czy ja wiem? Przesadzili. Każdy chce się takiej przyjrzeć, więc w sumie bardziej ją maglowali, niż gdyby miała moherowy berecik. Tamtejsze chłopaki trochę ją postraszyły i dostarczyły tutaj, do mnie. Wszczęliśmy postępowanie przygotowawcze, podpisałem na nią sankcję... Widzisz, koordynacja działa! – powiedział Lisiecki z dumą.

– Coś mówi? – Tym razem Górzyańskiemu udało się wypowiedzieć kompletną kwestię.

– Chodź, sam z nią pogadasz. Dziwny egzemplarz. Ciągle coś pogwizduje, śpiewa. Wygląda, że wszystko olewa.

Wstali i wyszli z pokoju.

– Będziemy w salce na pierwszym piętrze – rzucił Lisiecki do sekretarki, przechodząc obok jej biurka.

13:55

148. Misiek był w pracy już od ponad pół godziny, a ciągle nie mógł uspokoić nerwów po scenie w pociągu. Ten moment, kiedy stali przy nim, tuż-tuż, kiedy całkiem go odcięli od normalnego świata...

Coraz częściej zdarzało mu się myśleć, że trzeba się będzie przeprosić ze starym peugeotem i zacząć jeździć autem zamiast kolejką. Takie przeżycia, jak te dzisiejsze, na dobre odbierały mu ochotę na korzystanie z komunikacji zbiorowej. A tak lubił tę kolejkę... Jak było spokojnie, oczywiście. A peugeot? Trzeba by grata oddać do przeglądu. A zresztą, czy jest skazany na tego rzęcha? Może nadarzy się okazja kupić coś nowego? Trochę ekstrakasy wpadło i wygląda, że wpadnie jeszcze...

Coś lepszego? Używany, ale nie bardzo stary. Będzie musiał to obgadać z Marcinem.

14:00

149. Podrygiwała rytmicznie całą sobą i podśpiewywała:

I want your love, and I want your revenge
You and me could write a bad romance
I want your love, and all your love is revenge
*You and me could write a bad romance.**

Patrzyli na nią przez weneckie lustro z przyległego pokoiku. No, rzeczywiście, te nogi, te szorty... pomyślał Górzyański. Dziewczyna poruszała się tak rytmicznie, jakby miała w uszach słuchawki i naprawdę słyszała muzykę.

– No dobra, chodźmy do niej. – Lisiecki przerwał oglądanie spektaklu i obaj weszli do pokoju przesłuchań.

– To jest komisarz Górzyański z komendy rejonowej. Zajmuje się także... – Tym razem to Lisieckiemu nie udało się dotrzeć do kropki.

– Właściwie to mnie wali, czym się zajmuje pana kolega – przerwała mu długonoga podejrzana. – Mogłabym już iść do domu?

– No, nie pomaga nam pani, więc wszystko się przedłuży. Może pani się wydaje, że my tak sobie żartujemy, ale to poważna sprawa. Proszę jeszcze raz opowiedzieć

* Lady Gaga, *Bad Romance*.

wszystko, co pani wiadomo w sprawie samochodu bmw, numer rejestracyjny... – Lisiecki spojrzał na leżące na stole papiery. – Mniejsza o numer. W sprawie tego auta, którym podróżowała pani na Ukrainę.

– Już panu mówiłam. – Dziewczyna zrobiła znudzoną minę. – Zaproponowali mi, żebym się przejechała. Wsiadłam w brykę w Markach pod Warszawą, miałam dojechać ze trzydzieści kilometrów za granicę ukraińską, do miejscowości Żowkwa. Myślałam, że sobie język połamię, zanim się tego nauczyłam.

– To inaczej Żółkiew – wtrącił cichym głosem Górzyański.

– O! Szkoda, że nie wiedziałam. – Dziewczyna spojrzała na niego z uznaniem. – To czemu mi nie powiedzieli?

– I co miało być dalej?

– W tej Żowkwie miałam znaleźć plac Wiczewa i tam stanąć. Miał podejść jakiś kolo, zapytać, jaka pogoda w Warszawie, odebrać kluczyki, brykę i dać mi pięćset euro. Chyba nic złego, nie? Potem planowałam wypić piwo Obołoń i wracać pociągiem do domku. A pana koledzy wszystko popsuli. Buuu...

Płaczliwy grymas był tak zabawny, że Górzyański musiał się siłą powstrzymać od uśmiechu.

– Dobrze, to wszystko już wiemy – ciągnął Lisiecki. – Został nam jeszcze tylko jeden, mały punkcik. Kto pani zlecił tę przejażdżkę? Od kogo dostała pani kluczyki do bmw i instrukcje?

– Proszę pana, już mówiłam ze sto razy. Nie będę kablować na nikogo. Nic złego nie zrobiłam, a kablowanie to by dopiero była siara!

– Proszę pani. – Górzyański wstał, zrobił dwa kroki w kierunku przesłuchiwanej i przemówił do niej spokojnym, rzeczowym tonem. – Pani nie zdaje sobie sprawy ze swojego położenia. Jeśli istotnie było tak, jak pani mówi, dała się pani wciągnąć we współudział w zorganizowanej działalności przestępczej, prowadzonej przez międzynarodową szajkę. Oni i tak zostaną zdemaskowani, a pani musi wybierać: pójść na dno razem z nimi albo się uratować i żyć normalnie. Dlaczego niby ma pani chronić ludzi, którzy panią wykorzystali? To by był… *Bad Romance*. Chyba że pani wcale nie występuje jako ofiara, ale jest członkiem ich grupy. Grozi pani wówczas kilka lat więzienia. Wie pani, samochody to jedno, ale w takich sprawach czasem zdarzają się zabójstwa.

Dziewczyna wyraźnie się wzdrygnęła. Usiadła trochę bardziej w pionie i zaczęła obgryzać skórkę przy paznokciu, gapiąc się na Górzyańskiego spod oka.

– Jeśli była pani tylko przez chwilę pionkiem i będzie pani współpracować – wyjdzie pani z tego bez szwanku. – Spokojnie kontynuował komisarz. – Pani wybór. Zdecyduje pani teraz, czy chce pani pomyśleć w areszcie do jutra?

– Jak do jutra? Jeszcze jedna noc w tym syfie? – Żachnęła się dziewczyna.

– Nie jedna, ale wiele nocy. Ale może też pani wrócić do słuchania muzyki. Do domku.

Widać było, że spokój i opanowanie Górzyańskiego w połączeniu z prostą kalkulacją, jaką przedstawił dziewczynie, zrobiły na niej wrażenie. Za tą całą muzyczno-olewczą maską chowała się po prostu przestraszona i skołowana pannica w dużym kłopocie. Górzyański już ją dostrzegał, bo był doświadczonym gliniarzem, lecz ona sama chyba jeszcze nie. Niedługo zobaczy, pomyślał i dał znak Lisieckiemu.

Obaj wyszli z pokoju.

15:20

150. W Café Colombo na Kruczej klimatyzacja działała dobrze i Lija Agacka mogła wreszcie odetchnąć pełną piersią po duchocie, która panowała na ulicy i słodkim zapachu kadzidełek rozpylanych w Stelli. Zakład, notabene, należał do niej, więc trudno było nawet marudzić. Klientki, w przeciwieństwie do niej samej, lubiły takie słodko-pierdzące klimaty, chillouty, zdrobnionka serwowane przez różne Iwonki i sztuczne wonie ambry czy frangipani. Lija ich nie cierpiała, ale że była osobą pragmatyczną, nade wszystko przedkładała kesz, a zatem i klienta, pod którego organizowała biznesy. Dzisiaj brwi wyregulowała u siebie, posługując się specjalną kartą klienta, żeby nikt w Stelli nie dowiedział się, że pani klientka jest w rzeczywistości właścicielką firmy.

Nominalnie była nią niejaka Leonora Zaburzańska, ongiś również właścicielka podobnego zakładu w tym miejscu. Nie szło jej jednak, czynsz był wysoki, klientek mało, ciągle była krótka z pieniędzmi, miała kłopoty z płynnością. Żeby nie uzależnić się od banków, zaczęła pożyczać od swojego dobrego, jak się wydawało, znajomego, niejakiego Norberta

Zawijki. A on pożyczał chętnie, tyle że za każdym razem żądał odpowiedniego weksla. W końcu nazbierał ich w swoim sejfie tyle, że złożył Zaburzańskiej propozycję nie do odrzucenia: formalnie pozostanie właścicielką Stelli, ale tak naprawdę dostanie przyzwoitą pensję jako menedżerka, a wszelkie zyski będzie przekazywać na pewien rachunek bankowy. On sam zainwestuje w interes większą kasę i uczyni z niego ekskluzywny przybytek dla bogatych klientek, w sprawach strategicznych decyzje podejmować będzie pewna jego znajoma, a nad całością operacji finansowych czuwać będzie zainstalowana przez Norberta księgowa. Zaburzańska nie miała wyboru, zresztą układ wcale nie był taki zły. Wreszcie miała święty spokój i stałe dochody.

„Znajoma" Norberta – Funia właśnie – wizytowała od czasu do czasu salonik incognito, tak jak dziś, i przekazywała swoje strategiczne uwagi Lenie Zaburzańskiej przez telefon. Nie chciała, żeby kobieta zorientowała się, że jedna z klientek jest kretem właścicieli czy nawet właścicielką. Po każdej wizycie czekała więc kilka dni i dopiero dzwoniła, zlecając a to wymianę stolików (poobijane), a to zasłon (niemodne), a to ekspresu do kawy (pomyje). Dziś zobaczyła, że trzeba zarządzić częstsze zmiany fartuchów (plama na rękawie Iwonki).

Kelner przyniósł jej talerz zupy toskańskiej; lubiła ją, mimo że włoszczyzna nie była jej ukochaną kuchnią. Wolała jakieś proste sushi czy chociażby yakimono. Coś bardziej wysublimowanego. No i nietuczącego. Dziś jednak postanowiła trochę poszaleć.

Tak dla uspokojenia nerwów. Cały biznes działał jak w zegarku, a tu taka masakra. Wczoraj u komisarza udało jej się zachować pokerową twarz, ale ten telefon od Egona, na chwilę przed wyjściem z domu, w momencie gdy była jej potrzebna pełna koncentracja i spokój... Opanowanie. Z charakterystycznym dla siebie wyczuciem tajmingu tuż przed jej wyjściem na komendę Schmidtke zadzwonił i przekazał, że Ukraińcy utłukli Gienę. No, zimno jej przeleciało po plecach. To chyba jakiś matrix, trup ściele się gęsto, jak na Sycylii czy w Chicago, a oni nie mogą tego powstrzymać. Wprawdzie Gienie się należało, ale trzeba przerwać tę spiralę. Lonia ma rację, zapewne razem z Gieną cała ta sprawa pójdzie do piachu. Tylko Egon... Jest potrzebny, ale to przecież najsłabsze ogniwo. Wczoraj nie tyle mówił, co piszczał jak, nie przymierzając, zarzynany kurak. Jakby miał być następny.

A może powinien, pomyślała i przełknęła kolejny łyk zupy, zagryzając go ziołową grzanką. Dobre. Naprawdę dobre.

16:40

151. Blondynka w szortach nazywała się Luiza Mleczko.

– Mówcie do mnie Luśka – powiedziała.

Zrobiła się taka miła i przyjacielska, gdy po zaledwie godzinnym namyśle przetrawiła wszystko, co usłyszała, i zdecydowała się zeznawać. Jej historyjka była do bólu prosta: niedawno wywalili ją z pracy w pubie, no i poznała w jednym takim klubie taką Agnieszkę, no i ta Agnieszka, naprawdę zarąbista osoba, pełen respekt, powiedziała, że ma robotę. Trzeba przewieźć samochód wuja, bo mu potrzebny na Ukrainie, gdzie kręci biznesy. Wuj bogaty i prosił ją, Agnieszkę, żeby mu przyprowadziła bryczkę. Daje pięćset euro, górę kasy, ale ona nie może, choć obiecała. Ma chłopaka i ten chłopak, no, on miał wypadek. I nie może w żaden sposób, więc może Luśka, bo ona widzi, że Luśka jest w porzo.

Podczas opowieści Luśka aż się zachłystywała, jaki miała fart, że jej się ta robota przytrafiła. Gospodyni już z chałupy ją chciała wywalać, a tu taki fuks! Długo nie myślała i pojechała z tą Agą do Marek. Czym pojechała? Agnieszka miała volkswagena. No i ta bryka tam stała, w garażu. No nie wie, czy tam trafi, ale można popróbować. Agnieszka pokazała jej, co i jak w samochodzie, w tym bmw, chodzi, pojeździły godzinę po Markach i hajda do Hrebennego, super się jechało, a tam taka wtopa. No, ale auto zarąbiste i ona z tym nic nie ma. Dali jej kluczyki i papiery, to pojechała.

Dziewczyna ewidentnie nie wiedziała wiele, ale Górzyański z Lisieckim wzięli ją w obroty. Głównie interesowała ich ta Agnieszka. Luśka chętnie opowiadała, jaka to fajna laska. Wykonano nawet portret pamięciowy, ale spoglądała z niego twarz brunetki kompletnie bez wyrazu. Na wiejskich weselach i w małomiasteczkowych dyskotekach można spotkać takich tysiące. Opalona, manicure z tipsami i pieprzyk nad wargą. Tyle.

Komisarz słuchał gadania Luśki i z podziwu nie mógł wyjść, że takie po świecie się kręcą, niemniej jednak nie przestawał jej dusić. Kazał jej ponownie, słowo po słowie, zrelacjonować przemowę Agnieszki. Bingo! Zleceniodawczyni nie mogła jechać, bo miał wypadek jej facet. Jaki wypadek? No i Luśce otworzyła się klapka: facet wpadł na drzwi i rękę sobie pochlastał. Więc Agnieszka nie mogła jechać, bo się go bała jak diabli...

Tak mówiła. Że się o niego boi i że jego się boi. Bo to furiat i kocha ją nieprzytomnie, a jej wujka nie lubi.

– Wpadł na drzwi? – Upewnił się Górzyański, kojarząc rzecz natychmiast z zeznaniami Zawijki z ostatniej soboty, że ciężko jest, bo kucharz Ryszard Gajewski właśnie wpadł na drzwi i rozwalił sobie rękę.

Coś dużo tych drzwi. Za dużo. Przypadek? Nie, chyba nie, pomyślał.

– Tak mówiła. Że ten jej Rychu wpadł na drzwi...

– Rychu? – powtórzył komisarz z niedowierzaniem. Było prawie tak, jakby wtórowała jego myślom.

– Tak mówiła. Rychu. – Luśka pokiwała z przejęciem głową.

Górzyański złapał oddech, rozejrzał się po małej salce, spojrzał na współprowadzącego z nim przesłuchanie Jacka Janika, miłego gościa, którego dopiero co dodał mu Lisiecki.

– To ja już pani na dziś dziękuję. Jutro zrobimy okazanie – powiedział.

– Okazanie?

– Tak. Tę Agnieszkę pani pokażemy. Zobaczymy, czy to ta, o której myślę.

Janik spojrzał na niego zdumiony i lekko uniósł brwi. Luiza podskoczyła jak na sprężynie.

– To mogę już do domku?

– Nie tak szybko, panno Lusiu. Dziś jeszcze spędzi pani noc w areszcie. Aż do tego okazania chcemy mieć pewność, że się pani nie będzie z nikim kontaktować. Ale jeśli pani nam pomoże, postaram się, żeby pani wyszła z tej afery obronną ręką. Będę przekonywał prokuratora Lisieckiego, żeby zmienił środek zapobiegawczy. Obiecuję. Mam nadzieję, że jutro będzie już pani spała w… hm, domku.

20:30

152. Oboje kończyli zmianę wieczorem. Zosia nie miała najmniejszej ochoty na jakiekolwiek rozmowy czy wyjaśnienia. Oszukał ją, ukrywał coś przed nią. Brał pewnie udział w czymś, co miało związek z tymi morderstwami! Do świadomości dziewczyny z oporami przebijała się okrutna prawda. Od wczorajszej rozmowy z Kamecką wszystkie jej myśli tłukły się w obrębie trójkąta, którego wierzchołki wyznaczały trzy sceny z udziałem Grześka: A – jak usiadł wtedy przy niej i zaczął ją całować, B – jak gapił się oniemiały na Gośkę podczas porannego napadu z kawą w ręku i C – ta najgorsza – jak szedł objęty z Oksaną po schodkach urzędu dzielnicy. I nie potrafiła z tego trójkąta wyleźć.

Nie chodziło o ból zawiedzionej miłości, cierpienie zazdrości, upokorzenie zdrady. O to trochę też, ale nie tylko... Krótka historia opowiedziana przez Helenkę nadała konkretny kształt myślom, które w Zosi dojrzewały podświadomie już od pierwszej wizyty u Grzecha. Coś było nie w porządku. Czuła to. Wiedziała.

Wystrzeliła dziś jak głupia z tymi pieniędzmi na Madonnę... Ale naprawdę nie mogła zrozumieć: skąd on miał kasę i na to mieszkanie, i na dizajnerskie aranżacje, i mebelki, na nowe auto, na modne ciuchy, na zachlewanie się z laskami po klubach? No i na bilety. Wiedziała, ile mniej więcej zarabia szef kuchni, nawet dobry, nawet w modnej knajpie. No i nie zgadzały jej się te rachunki. A skoro się nie zgadzały, to znaczy, że on musi brać udział w tym niezidentyfikowanym czymś.

Ci wszyscy faceci, którzy otaczali ją w Tutto... Heniek, Rychu, Norbert, Misiek, drugi barman, kucharz na doskok. O wszystkich by pomyślała, że mają coś za uszami, ale nie jej Grzechu. Taki czysty, w tych błękitnych koszulach, z niebieskimi oczami. O, jaka idiotka ze mnie, biczowała się w myślach.

Wszystko dałoby się może jakoś wytłumaczyć, ale przecież ją oszukał. A więc nie chciał, żeby znała prawdę, a tylko jego wersję.

Jestem przegrana! – ryczała od środka do ucha. Cholerne męskie szuje! Waldek, któremu służyła za odtwarzacz albumu „Waldemar Ryszka – miłość i cierpienia". Grzechu, który ją trzymał za płotem przez pół roku, a jak mu się zachciało, to otworzył furtkę, nalał jej winka, ululał w łóżeczku i naokłamywał za trzech. A jeszcze po drodze ten informatyk w Zabrzu, co do niej gałami przewracał przy kotlecie, a jak mu Walduś sypnął soli na ogon, to fruuu i poleciał.

Do kitu ta cała miłość. I seks.

Tyle że tym razem sprawa była naprawdę poważna. Wiadomość od Helenki mogła przewrócić do góry nogami dotychczasowe śledztwo w sprawie Oksany. I Heńka. I może Swiety. Zosia przypomniała sobie słowa Grześka o wizycie na Jagiellońskiej, nazajutrz po strzelaninie. No tak, spotkał tam Górzyańskiego, więc wiedział, że i tak tego przede mną nie ukryje. No to opowiedział. Ale dlaczego pojechał? Ja, głupia, myślałam, że na moją prośbę i z dobrego serca, zaszlochało w niej znowu.

A może powinnam zadzwonić do tego komisarza? – biła się z myślami.Tylko co mu powiem? Panie komisarzu, trzy miesiące temu szef kuchni Dolan szedł pod rękę z kelnerką Łuczynko, więc pewnie coś przeskrobał, a mnie haniebnie oszukał! Tak mu powiem?

– Zosiu... – usłyszała w tym samym momencie. J e g o głos. Prawdziwy. I jakby nieśmiały. – Zosiu, tej pietruszki to już chyba mamy na trzy tygodnie... Może starczy?

Spojrzała na niego, na blat, przy którym stała, i na wielką miskę posiekanej pietruszki. Dopiero wtedy uświadomiła sobie, że przez cały czas, tocząc ze sobą wewnętrzny spór, zajęta była tym, o co kilka minut wcześniej poprosiła ją Lucyna:

– Zochna, mogłabyś siekąć trochę pietruszki? Skończyła się, a ciągle do czegoś potrzebna.

No więc nasiekała. I ustał w niej wewnętrzny dygot.

Nie! Do żadnego komisarza! Sama z nim porozmawiam. I mu wygarnę! – wykrzyknęła w duchu. Choć był to krzyk całkiem wirtualny, z głębi poranionego wnętrza, niesforna grzywka jak najbardziej realnie opadła jej na oczy. Bo to był naprawdę poważny krzyk.

20:50

153. To się stało, kiedy wracała z kuchni ze szklanką wody mineralnej. Spojrzała w telewizor. Reklamy się skończyły i na ekran powrócił film. Akurat jej ulubiona scena: Al Pacino tańczący tango w *Zapachu kobiety*. Z aktorką, której nazwiska nie mogła sobie przypomnieć. Przypomnieć... I nagle ją olśniło. I równocześnie zatkało.

W pierwszym odruchu rzuciła się do telefonu.

Odbierz, odbierz, odbierz, powtarzała w duchu jak modlitwę.

Odebrał.

– Miro?! Mam! Mam! – krzyknęła podekscytowana.

– Co masz, Sylwuś? – zapytał rozleniwionym głosem.

– Przypomniałam sobie! Musisz mi pomóc. Taniec, tańczyliśmy...

– Sylvie, chciałabyś potańczyć? Ja chętnie, ale chyba już nie dzisiaj, co? – zarechotał.

– Miro, posłuchaj. Pamiętasz te urodziny Kłoska? W restauracji?

– No pewnie. Rozmawialiśmy o tym niedawno. W Tutti Frutti.

– W Tutto Bene. Nieważne. Pamiętasz, jak tańczyliśmy? Był taki parkiet do tańczenia, obok tej salki, gdzie siedzieliśmy. Wszyscy sobie popili.

– Pewnie, że pamiętam, Sylweczku. Hasaliśmy sobie i przytulane były...

– No właśnie. Zastanawiałam się... Wciąż myślałam, jak to się mogło stać. Moje dokumenty. No i pamiętasz? – mówiła nieskładnie, rozgorączkowana. – Jak poszliśmy tańczyć, zostawiłam torbę przewieszoną przez krzesło. Wszystko tam miałam.

– No pewnie. Z torbą byłoby ci niewygodnie. – Przytomnie skomentował Miro.

– No właśnie. A pamiętasz, jak wróciliśmy? Pamiętasz kelnerkę?

– Kelnerkę? A, no, chyba tak!

– Pamiętasz? Akurat podnosiła moją torbę z podłogi i ją wieszała. Przeprosiła mnie. Że przechodziła, nie zauważyła i zrzuciła ją z oparcia. Pamiętasz?

– Było coś takiego. Chyba.

– Nawet powiedziałeś: „Nie masz tam jakiejś flaszki? Zobacz, czy się nie stłukła".

– A rzeczywiście. No bo taki wór wielki miałaś...

– Miro, zastanawiam się od paru dni, jak to możliwe... I wiesz, to był chyba jedyny moment w ostatnim czasie, kiedy spuściłam z oka swoją torbę. No i ona wtedy przy niej majstrowała...

– To myślisz...?

– Jestem pewna! W tej salce było wtedy pusto. Wszyscy tańczyli albo wyszli na papierosa. A w torbie miałam przecież wszystkie dokumenty. Musieli mi wtedy wyjąć portfel i wszystko skopiować. Ja nawet zajrzałam wtedy, ale wszystko było na miejscu, portfel, komórka. Więc mi nie przyszło do głowy.

– Wiesz, Sylvie... Ty masz łeb. Rzeczywiście, mogło tak być.

– To co mam zrobić?

– No to dzwoń, Sylweczku, do tego swojego prokuratorka. Teraz to już nie, ale jutro z samego rana. Ale wiesz, żeś to wymyśliła... – dodał z podziwem. – Mnie to nie przyszło do głowy. Za bardzo chyba byłem wtedy na ciebie napalony, Sylwuś.

21:10

154. Czekała na niego przed restauracją. Podeszła.

– Musimy porozmawiać. Zaczekam na ciebie – powiedziała oschle.

Pokiwał głową. Widać chciał tego samego.

No i teraz był. Wyszedł dziesięć minut po niej. Zbliżał się, lekko speszony. Od czasu gdy zaczęła się tak dziwnie zachowywać, nie wiedział, jak z nią rozmawiać, jaki ton przybrać. Serdeczny? Czuły? Jak kochanek? Kolega? Stał niepewny, wahając się w kwestii wyboru konwencji.

– Pojedziemy gdzieś? Żeby pogadać... – zapytał.

– Nie chcę nigdzie jechać, ale może wsiądziemy do twojego auta? Żeby tak nie stać na ulicy – odparła.

Po jakichś stu metrach znaleźli się w beżowym nissanie.

– Zosiu, co z tobą? Czemu to wszystko tak się... – zaczął, ale przerwała.

– Grzesiek, dość tego. Dość czarowania i bajerów. Możesz myśleć, że jestem głupia gęś, ale nawet głupia gęś z Koszęcina ma swój rozum. I honor.

– Zocha, nie rozumiem. Dlaczego mnie tak oskarżasz? Obrażasz mnie.

Tego jej było trzeba. Zosia rozkręciła się na dobre.

– O, tak?! Obrażam cię?! No to posłuchaj, szefie kuchni!

Zdecydowała się na tę rozmowę z postanowieniem, że mu wygarnie. No i wygarnęła. Wszystko. O tym, że jest na niego wściekła za Gośkę, bo jak tak można, z dwiema naraz? O tym, że Helenka Kamecka widziała go kiedyś z Oksaną, objętych na schodach przed mokotowskim urzędem. O tym, że ją, znaczy, oszukał, podle i haniebnie, bo mówił, że Oksany prawie nie znał, więc kłamał. O tym, że jak mógł tak kłamać. O tym, że ona nie rozumie, skąd on ma tyle pieniędzy. O tym, że na pewno musi brać udział w jakichś nieczystych interesach, bo kucharz aż tyle nie zarabia. I o tym, żeby jej nie przerywał, tylko wysłuchał do końca! O tym, że ma ją za idiotkę i mówi jej to, co mu wygodnie, a nie to, co prawdziwe. I o tym, że ona nie jest idiotką. I o tym, że to dziecko Oksany to może jednak jest jego. O tym, żeby jej zaraz wszystko wytłumaczył, bo jak nie, to ona dzwoni do komisarza. O tym, że nie chce słuchać jego tłumaczeń, bo on tylko łże i łże, i mu w ogóle nie wierzy. O tym, jak mógł. O tym, że jej tak zależało, a on... A on...

Zaczęła płakać.

O kurwa, nie kupiłem nowych chusteczek, przemknęło mu przez myśl.

– Skończyłaś? Mogę teraz ja? – zapytał.

Zakrywając twarz dłońmi i pociągając nosem, pokiwała głową.

– Zosiu, to są po prostu nieporozumienia. Idiotyczne. Zaraz ci wytłumaczę.

– Co mi po tłumaczeniach? Znowu mnie oszukasz. – Jej głos brzmiał śmiesznie nosowo. Jakby nadawała z jakiegoś kanału.

Grześkowi odjęło mowę. Może to ten głos...? Śmieszny w nieśmiesznej sytuacji. Ale bardziej niż głos... Nagle znów zobaczył obok siebie dziewczynę, która powierza mu ciężar swoich zawodów i niepowodzeń. Dziewczynę, którą ktoś ciągle oszukuje i robi w konia, a niedawno nawet chyba chciał zastrzelić. Dziewczynę, która dopiero co była świadkiem zatłuczenia pięścią młodej kobiety i sama ledwie uszła z życiem. Która wychodzi do świata z uśmiechem i szeroko otwartymi oczami, a ciągle dostaje od świata po głowie. I od niego też. Chciał, nie chciał, ale też jej przywalił. No, chyba widać. A przecież te kilka dni temu, kiedy poobijana płakała mu w koszulę, poczuł, że chce jej pomóc, bo to taka fajna dziewczyna. I potem, u niego, kiedy wysłał Gośce esemesa z łazienki... Też to wiedział.

Poczuł, że te wszystkie cisnące mu się na język tłumaczenia, to... To nie to. Że nie jest ważne, kto wygra na słowa. Wróciło wspomnienie keczupu w pączkach.

Objął Zosię ramieniem i przyciągnął. Opierała się troszkę, czuł, że jest usztywniona, ale pozwoliła się przytulić. I pogłaskać po głowie.

– Zaraz ci wytłumaczę, Zochna, zaraz wytłumaczę. Ale za chwilę. Posiedźmy.

Milczeli. Niebieska koszula robiła się mokra.

21 maja, czwartek

9:00

155. Znowu powtarzała w myślach: „Odbierz, odbierz, odbierz". Po kilku dzwonkach usłyszała kobiecy głos:

– Komenda dzielnicowa, wydział przestępczości zorganizowanej. Słucham.

– Proszę pani. – Zaczęła rozgorączkowana Sylwia – ja mam ten numer od pana, który mnie ostatnio przesłuchiwał. Chodzi o... No, wie pani, miałam zadzwonić, jak sobie coś przypomnę. I właśnie sobie przypomniałam. To bardzo ważne, muszę jak najszybciej...

– Proszę się uspokoić. Poproszę imię i nazwisko.

– Jezus Maria, to naprawdę ważne.

– Więc proszę podać imię i nazwisko, będzie szybciej.

– Sylwia Ryng. To...

– Proszę chwilę zaczekać.

Sylwia słyszała w słuchawce odgłosy wydawane przez komputerowe klawisze wprawione w taniec czyimiś zręcznymi palcami.

– Rozmawiała pani u nas z podkomisarzem Lorencem?

– Tak, no właśnie. To on mi kazał dzwonić.

– Rozumiem. Niestety podkomisarz jest teraz w terenie, nie mogę pani z nim połączyć. Proszę zostawić wiadomość, przekażę mu najszybciej, jak się da.

– No, więc proszę mu powiedzieć.. – Sylwia mówiła już trochę spokojniej. – Że dzwoniłam. Sylwia Ryng. Że przypomniałam sobie coś bardzo ważnego w tej sprawie, o której z nim rozmawiałam. Już wiem, jak to było. Chyba.

– Dobrze, przekażę. Podkomisarz Lorenc na pewno się do pani odezwie.

– To pilne! – rzuciła jeszcze Sylwia, ale chyba w pustkę.

10:00

156. Poranek był mglisty. W nocy znów padało, zaś teraz słońce dość niemrawo przezierało przez chmury i poranną mgłę. Było ciepło, mnóstwo wilgoci w powietrzu, na ulicach wciąż stały wielkie kałuże. Jazda przez zalane wodą miasto nie była zbyt przyjemna. Samochód co chwila utykał w korkach. Jerzy Górzyański czuł, że sprawa dobiega końca. Bardzo miłe uczucie. Chciał się już pozbyć tej historii. Każdego dnia pojawiały się coraz to nowe, interesujące przypadki, a on ciągle kręcił się wokół Tutto Bene. Musiał przyznać, że w sumie rzecz nawet go intrygowała, nie co dzień trup ściele się

tak gęsto. Wątek gospodarczy powoli wyłaniał się z mroku, ale co takiego zrobili Oksana i Rozalski, że ich zastrzelono?

I kto ich załatwił? Gienadij Wołczanow? A może chodziło o całkiem prywatną zemstę? Może oni po prostu coś ze sobą...? Komisarz ciągle tego nie wiedział. Ale był pewien, że wcześniej czy później przyciśnięci i zdemaskowani aferzyści z Tutto chlapną coś, co pomoże w rozwiązaniu.

Podjechał pod komendę nieco spóźniony i szybko wmaszerował na piętro, do swojego gabinetu. Pyzatka już siedziała przy biurku i coś pisała na komputerze. Na widok szefa podniosła głowę.

– Ktoś chce z panem rozmawiać. Czeka już prawie godzinę – powiedziała.

Górzyański spojrzał przez uchylone drzwi w głąb korytarzyka.

10:15

157. Staruszka pod oknem nie przestawała płakać i doprawdy ciężko było ten płacz wytrzymać. Pani Marta Stasińska próbowała ją uspokajać, ale z kobietą nie było żadnego kontaktu. Zgłosiła to lekarzowi w czasie obchodu, ale ten tylko wzruszył ramionami, więc już dobitnie powiedziała, że powinien wezwać do chorej pomoc psychologiczną. Bo to wygląda na ciężką depresję.

Lekarz, mały kurdupel, tłusty i błyszczący, tylko się zaśmiał:

– Chyba pani, babciu, role pomyliła. To ja tu diagnozy stawiam, a nie pani. Ale dobrze, już widzę, że pani lepiej, to zaraz do domu wypiszemy i tam będzie pani miała spokój, a i my też – stwierdził, odwieszając kartę Stasińskiej na poręcz łóżka, i zarechotał ponownie. Zawinął się i zniknął za drzwiami, a za nim pozostali członkowie zespołu, robiąc do siebie dziwne miny, których znaczenia pani Marta nie umiała odczytać.

Czy dotyczyły zachowania lekarza, czy jej? Wkrótce pojawiła się pielęgniarka i potwierdziła: chora może wracać do domu, jutro w południe wypis. Pacjentka popatrzyła na siostrę, miłą panią Olę, sama nie wiedząc, czy ma się cieszyć, czy smucić. Uśmiechnęła się i podziękowała za dobrą wiadomość, ale dom był przeraźliwie pusty i samotny, a tu się jednak coś działo. A nawet wiele. Ale ta płaczka pod oknem nieźle dawała jej w kość, więc może lepiej będzie w domu? Choć tam trzeba by się o jakieś zakupy postarać i wszystko sobie zorganizować, a to niełatwe. Bo słaba jest, musiała przyznać otwarcie pani Stasińska. Nie ma siły. Ledwie przeszła parę kroków do toalety. Musiała stawać, opierać się o ścianę i uspokajać oddech. No nic, powoli się rozchodzi, nabierze sił, tylko teraz trzeba jakoś do domu się dostać. Usiadła na łóżku i powoli opuściła nogi, a potem, już w kapciach, wsparta o ramę łóżka stanęła, zgięta wpół. Wyprostowała się powoli. I od nowa musiała łapać oddech. Ale po chwili była gotowa iść dalej. Do telefonu.

Musi zadzwonić do Sławka, ciekawe, co teraz…

10:20

158. Zamęt w głowie czuła straszny, ale co do jednego nie miała wątpliwości: najlepszą rzeczą w to wolne przedpołudnie jest wizyta u pani Marty. Ciągnęło ją do niej. Jak do miłej i mądrej ciotki. Chciała się poradzić.

Wcześnie rano upiekła dla niej tartę z porami i boczkiem. Przypomniała sobie, że w zamrażalniku powinna jeszcze być porcja kruchego ciasta, które zagniotła ze dwa tygodnie temu. Oczywiście, odgłosy i zapachy dość szybko zwabiły do kuchni Malwinę Kłyś. Dziś była sama.

– Olo w delegacji, zwiedza Warmię i Mazury – oznajmiła i usiadła na kuchennym taborecie, rozkudłana jak zwykle i nie całkiem świeża. Zosia powitała ją, mimo wszystko, uśmiechem, bo w sumie dość poczciwa była ta Malwina.

– A coś będziemy jadły? – zapytała panna Kłyś.

– Robię tartę, ale to nie dla nas. Muszę zanieść jednej starszej pani do szpitala.

– O! No, ale kawałek dasz spróbować?

– Może kawałek. Jak pomożesz.

– Pomogę – odparła zamyślona Malwina, drapiąc się po brzuchu przez lekko wyciarachaną nocną koszulkę. – Wiesz, z Olem to całkiem fajnie jest…

I tyle było tej pomocy. Zosia szalała po kuchni, a Malwina opowiadała i opowiadała, a potem dalej opowiadała… I jeszcze opowiadała. Policzyła za te opowieści niedrogo – niecałe pół tarty. Zosia też zjadła mały kawałek, a resztę zawinęła w aluminiową folię i ruszyła na Wołoską.

Jadąc autobusem z Ursynowa, nie rozpamiętywała jednak opowieści Malwiny, tylko wczorajszą rozmowę z Grzechem. Jeśli to rzeczywiście tak było... Tylko czy można mu wierzyć?

Po dłuższej chwili milczenia, kiedy mimo całej wściekłości Zosia płakała mu w koszulę, a on ją delikatnie gładził po głowie, zaczął jej tłumaczyć. O Oksanie. Że pewnego dnia, gdzieś tak w lutym (zgadzało się), Sańka ni z tego, ni z owego podeszła do niego w kuchni i zapytała, czy nie mógłby jej zameldować czasowo na trzy miesiące u siebie. Potrzebowała tego bardzo ze względu na jakieś formalności, które próbowała załatwić. Bez meldunku groziło jej wydalenie z Polski. Prosiła go bardzo. Zgodził się, no, bo niby czemu nie. Umówili się po południu pod jego urzędem dzielnicowym, chyba we wtorek (zgadzało się!). Ustalili wersję dla urzędu: ona jest jego narzeczoną z Ukrainy, planują ślub, no i on chce ją zameldować. Kiedy się spotkali, Grzesiek dla żartu podał jej ramię i powiedział: „No, skoro jesteś moją narzeczoną...". Weszli do środka, a tam okazało się, że we wtorki dział meldunkowy jest czynny do trzeciej. A oni byli dziesięć po (zgadzało się!). Więc nic z tego. A dwa dni później Oksana znów do niego podeszła, podziękowała i powiedziała, że już sobie poradziła i meldunek jej niepotrzebny. I tyle, zapewniał Grzechu. Dlaczego o tym nie powiedział? No a o czym tu mówić, jej albo policji? Przecież właściwie Sani nie znał. I nigdy więcej o niczym prywatnym nie rozmawiali. Nie było między nimi cienia romansu czy choćby flirtu.

A forsa? Grześ przerzucił się na opowiadanie o tym, jak to jego ojciec był za komuny tak zwaną prywatną inicjatywą. Produkował jakieś kretyńskie plastikowe breloczki na wtryskarce. Badziewie, ale szło wtedy jak woda. Można się było na takich rzeczach dorobić, chociaż była to ciągle jazda na krawędzi domiaru, konfiskaty, więzienia i innych zielonych świateł dla rzemiosła. No i stary Dolan się dorobił. Wszystkie pieniądze cierpliwie zamieniał na dolary, a potem je wpłacał przez jednego kumpla-marynarza do banku w Szwecji. I tak po parunastu latach uzbierała się w tym banku niezła sumka. Jak się zebrała, to tata umarł. Na zawał, nagle. I to cała tajemnica Grześkowego mieszkania, mebli i innych dóbr doczesnych. Jeszcze mu z tego kapkę zostało, więc raz i drugi, za radą pana Julka, udaje mu się robić jakieś korzystne czary-mary na giełdzie. Wszystko legalnie i cacy. Do tego naprawdę dobrze zarabia. „I o co ty, Zośka, robisz raban? O dwa bilety na Madonnę?", podsumował ten wątek.

Najgorzej było z Gośką. Tu już mu nie poszło tak gładko. Wił się jak piskorz. W pewnej chwili Zosia miała nawet ochotę mu przywalić pięścią w tę przemoczoną koszulę, ale była już osłabiona i nieźle skołowana. Wierzyć mu, czy nie?

No a potem opowiedział jej historię o Norbercie, którą usłyszał od tego faceta z Boston Banku. I Zosia całkiem zgłupiała. Nie wiedziała, kogo podejrzewać, kogo nie i kto jest kim.

Kiedy wreszcie poprosiła Grzegorza, żeby ją odwiózł do domu, dochodziła pierwsza. Przegadali kilka godzin. Zosia była po tej rozmowie okropnie zmęczona, w głowie jej się kręciło, pić się chciało, ale jednak jej ulżyło. Grześ chyba nie kłamał? Znów to sobie mówiła, jak jakaś idiotka. Ale tak bardzo chciała. Choć, prawdę mówiąc, nie wiedziała. Ani wczoraj wieczorem, ani teraz, dojeżdżając do szpitala na Wołoskiej. Może dlatego tak bardzo jej zależało na rozmowie z panią Martą?

Wczoraj wieczorem, kiedy wchodziła do domu, tylko jedno wiedziała na pewno: że jeśli kot Malwiny znowu nawalił w korytarzu, weźmie tę kupę, wparuje do pokoju współlokatorki i pieprznie toto na poduszkę. Albo jeszcze inaczej: cichutko wsadzi Olowi do buta.

Na szczęście Olo przebywał w delegacji, więc kot spędzał noc w pokoju Malwiny. Z dostępem do własnej kuwety.

10:30

159. Iwonka pracowała dziś po południu, więc miała czas. Wykombinowała, że poprawi sobie notowania u Rycha, gotując mu rosół. Stała w ich niewielkiej kuchence przy blacie i kroiła marchewkę. Włosy niedbale zebrała na karku; kilka pasemek wysmyknęło się spod klamry i wiło po szyi. Ubrana w mini i domowe klapki wyglądała tak miło i swojsko, że aż siedzący na krzesełku, przy niewielkim kuchennym stoliku, Rychu nie mógł się jej napatrzeć. Ależ z niej świetna laska! Że też miał takie szczęście, że ją poznał! A to

wszystko dzięki Norbertowi, który kiedyś ich sobie przedstawił. Iwonka wrzuciła włoszczyznę do gara i odwróciła się do niego.

– A gdzie jest vegeta? – zapytała.

No tak. Rowek w dekolcie miała super, ale w kuchni to ciągle była małe miki.

– No co ty, Iwonka?! Vegeta to świństwo jest. Weź tam, sroczko, urwij kilka listków temu lubczykowi, co stoi ostatni na oknie, to lepszy będzie rosół niż z tą chemią.

Iwonka posłusznie zaczęła obrywać listki, pytając równocześnie:

– A jak tam twoja łapa?

– Spoko. Lepiej, lepiej. Już mi się za robotą ckni, ale jeszcze nic robić się nie da, więc muszę w domu siedzieć. Ech. Chyba z nudów uświerknę. – Rychu popatrzył na gałąź za oknem i nagle, zupełnie znienacka, wymyślił.

– A może my byśmy, sroczko, sobie na jakiś urlop wyskoczyli? – Podzielił się pomysłem od razu, patrząc na zgrabne łydki żony. Naprawdę, udała mu się ta Iwonka.

Lubczyk wylądował w zupie, a Iwonka na drugim krzesełku. Wzięła do ręki szklankę z wodą mineralną, napiła się odrobinę. Właściwie, czemu nie, pomyślała. Rysiek o niczym nie wie. Nawet całkiem w porę z tą propozycją wypalił, zupełnie jakby chciał pomóc.

– A wiesz, że to całkiem dobry pomysł! – W jej głosie pobrzmiewał szczery entuzjazm. – Chętnie gdzieś bym uciekła. Muszę pogadać z szef...ową.

10:45

160. Górzyański patrzył na siedzącego naprzeciwko Miśka. Ubrany w schludny podkoszulek i nieco wytarte dżinsy, mężczyzna wyglądał w tych swoich okularkach na młodego intelektualistę, nie na barmana. Wprosił się do niego, podobno w ważnej sprawie, i teraz tarł w roztargnieniu policzek, i zbierał siły, by powiedzieć, z czym przyszedł. W końcu, ponaglony spojrzeniem komisarza, zaczął:

– Może to nic takiego, ale kiedyś widziałem... Kilka razy widziałem, jak Norbert spotykał się w knajpie z jakimiś ludźmi i coś im przekazywał. W tych rozmowach brał niekiedy udział Heniek, ale o co chodziło, nie wiem. Na pewno te interesy nie dotyczyły restauracji, bo rozmowy z dostawcami i kontrahentami odbywały się gdzie indziej i całkiem inaczej. Nie wiem, czy to ważne, ale jakoś o tym nie powiedziałem, gdy tu byłem poprzednio, i teraz pomyślałem, że może warto powiedzieć, że u nas coś się działo, choć prawdę mówiąc, nie wiem co. Nikt inny pewnie nie wie o tym, bo tylko ja za barem widziałem tych gości Zawijki, no i to, co się działo przy stolikach – recytował niemal na jednym oddechu. Górzyański notował coś na karteluszku. – Jakieś koperty sobie przekazywali. No ale co w nich, to oczywiście nie wiem. Może kasa? Może to jacyś mafiosi, haracze, może to ważne?

– Potrafi pan opisać tych rozmówców Zawijki?

– No, wie pan, nieszczególnie. Oni się za bardzo w oczy nie rzucali, tacy zwykli faceci, prawdę mówiąc, na gangsterów mi nie wyglądali, i kobiety też były. Może gdybym zobaczył kogoś ponownie, tobym rozpoznał. Ale pewności nie mam.

Siedział vis-á-vis Górzyańskiego i wyglądał tak poczciwie w tej swojej koszulce z krótkim rękawem i ulizanymi włosami (jakby je wodą potraktował). Tylko nad okiem miał zawadiacki czub. Trochę dziwnie to wyglądało, więc Górzyański zastanawiał się, czy taka teraz moda, czy to sprawa osobnicza. Przemowa Miśka pasowała mu mniej więcej do układanki, więc ucieszył się szczerze.

– A! To dobrze, że pan może kogoś rozpoznać. Proszę przysiąść na chwilę w drugim pokoju i spisać nam to wszystko, co tylko pan pamięta. Z najdrobniejszymi szczegółami.

– Okej. Nie ma sprawy. Tylko że ja nie mam za dużo czasu. Do pracy muszę.

– Jasne. Możemy pana podrzucić, jak pan skończy.

– Dzięki. Aha, mam też drugą sprawę. Kiedyś widziałem, jak na podwórku, z tyłu, za knajpą, tam gdzie wychodzimy na papierosa, znaczy nie ja, bo ja nie palę, ale Lucyna czy Sania, no więc tam, gdy wyszedłem wyrzucić śmieci, się kłócili, znaczy Oksana z Rychem, ale o co im poszło, to nie wiem, bo jak mnie zobaczyli, to zaraz się zamknęli.

– Nic pan nie słyszał?

– Prawie ani słowa. Tylko ona krzyknęła akurat, że on musi to załatwić, jak się wyraziła... gonorowo. Nie wiem, czy dobrze zrozumiałem, ale to chyba „honorowo"?

Popatrzył pytająco na komisarza. Ten pokiwał głową. Jemu też się tak wydawało, ale rzecz była jeszcze do sprawdzenia.

– Aha! A jakie łączyły ich przedtem stosunki? Może pan coś zauważył?

Misiek przez chwilę znów tarł policzek. Zmarszczył czoło i zrobił dość bezradną minę.

– Chyba żadne. Nigdy nie widziałem, żeby gadali albo coś. Więc się zdziwiłem, że się kłócą. Rychu mało z kim gada, on jest raczej taki osobny. Maszyna do gotowania, dosłownie. A i Oksana nie była osobą zbyt wylewną. Miła, grzeczna, ale na dystans.

– A jakie były jej relacje z innymi osobami w firmie?

– No, też poprawne. Dziewczyny ją lubiły, kucharz trochę ją podrywał. Znaczy Heniu, ale nie miał szans, bo ona, jak mi się wydaje, przez pewien czas coś miała z Zawijką. Nawet się zastanawiałem…

– Coś miała?

– No, może byli ze sobą? Zauważyłem, że kilka razy tak jakby się ociągali z wyjściem i zostawali po robocie tylko we dwoje. Ale może to był przypadek, czy ja wiem…

10:55

161. Telefon nie odpowiadał. „Abonent czasowo niedostępny” – oznajmiał bezosobowy damski głos w słuchawce. Nienawidziła tego głosu. Zawsze się potykała o ten wyłączony telefon. Niby rozumiała, że gdy się pracuje w telewizji, to musi być wyłączony, ale jednocześnie było jej przykro. I tyle. Zdenerwowana, międliła w ręku karteluszek z numerem.

Znów musiała odejść od automatu, bo teraz chciał zadzwonić starszy pan bez zębów, w szpitalnej piżamie. Większość chorych miała komórki i tylko takie stare gruchoty jak ona musiały korzystać z wiszącego w hallu ustrojstwa ze słuchawką. Odeszła i zaczęła swój spacer. Ostatnio narzuciła sobie taki rytm. Dziesięć razy wzdłuż korytarza, w tę i we w tę, po śniadaniu, obiedzie i kolacji. Nie był to długi dystans, ale dla niej jak trasa Moskwa–Waszyngton. Musi nabrać sił, żeby dać sobie radę z tym, co ją czeka w domu. Cały świat na mojej głowie, pomyślała. Dobrze, że Mruczek zdechł. Jestem sama, ale choć tego jednego problemu już nie mam. Tego się nie robi kotu. Lepiej, gdy kot robi to nam.

Szła powoli z pochyloną głową, powłócząc prawą, mniej sprawną nogą. Kiedyś odpadła od ściany w Tatrach i się nieźle połamała. Ale w sumie miała szczęście – przeżyła i wróciła do wspinaczki. Teraz, na starość, lista jej dolegliwości pokrywała się z listą dawnych kontuzji.

A mówi się, że sport pomaga. Może i tak, ale te wszystkie urazy szyi i nóg lubiły przypominać o sobie co rano i każdego dnia trochę trwało, zanim się rozruszała, rozchodziła i mogła zająć się dniem. Teraz chodziła po korytarzu i zastanawiała się, jak się dostać do domu. Nie miała w portmonetce wystarczającej sumy na taksówkę. Wylądowała przecież w tym szpitalu tak nagle. A Sławek nie przyszedł. Ani razu. Choć przecież pielęgniarki do niego dzwoniły. Kompletnie o niej zapominał w tym swoim młynie zwanym życiem. Mama przecież zawsze sobie da radę. Otóż nie.

Ale on ma kredyt i żonę, która nie wytrzymuje już z facetem pracującym osiemnaście godzin na dobę.

Ale ja też, ja też już nie wytrzymuję! Nie daję sobie rady! Tylko jak to powiedzieć, żeby do niego dotarło? Żeby zaczął robić to, co powinien?

Niechlujny mężczyzna w piżamie opuścił stanowisko pod telefonem, więc znowu, powoli, szurając bolącą nogą, pani Marta podeszła do aparatu. Ale zamiast numeru do Sławka wykręciła numer Zosi.

10:56

162. Wiesiek Matulak nie miał źle. Słońce przygrzewało, ptaszki świergoliły jak głupie, a on tkwił na ławce pod turkusowym blokiem i czytał „Wyborczą". Tak się usadowił, żeby widzieć i słyszeć wychodzących z bloku.

W kieszeni miał niewielkich rozmiarów aparat fotograficzny Sony, a zadanie było proste: zrobić zdjęcie.

11:00

162. Zabawne. Wykręciła numer Zosi i w tym samym momencie usłyszała gdzieś w pobliżu dzwonek telefonu komórkowego. A po chwili w słuchawce dziewczęcy, wesoły głos.

– Tak, słucham.

– Zosiu, to ty?

– Ojej, pani Marto, ale śmiesznie! Nie tylko panią słyszę, ale i widzę. Niech pani odłoży słuchawkę i spojrzy na korytarz.

Po chwili śmiały się obie z tego zbiegu okoliczności.

– Chyba cię przyciągnęłam myślami – powiedziała Stasińska, gdy już usiadły i ciekawie przyjrzała się tarcie odwiniętej właśnie przez Zosię z folii i ułożonej na szpitalnym talerzu. – Kochana jesteś, że przyszłaś, i to jeszcze z takim jedzeniem…

– Przyszłam, bo chciałam z panią pogadać, poradzić się.

– A wiesz, jak też mam sprawę. Właśnie dlatego… Ale nie wiem, jak zacząć. – Starsza pani najwyraźniej miała kłopot.

– No to niech pani je i mówi, bez żadnych wstępów. Ja swoje powiem potem. Picie pani ma? Mogę skoczyć.

– Nie, nie, Zosiu, siedź… Mmm, pyszne – rozanieliła się Stasińska pod wpływem pierwszego kęsa Zosinej tarty. – Widzisz, jutro mam stąd wyjść.

– Och, to świetnie! To znaczy, że już pani lepiej. Cieszy się pani?

– No tak, cieszę się. Tylko, widzisz…

Oczy pani Marty nagle dziwnie się zaszkliły, a twarz zrobiła się blada, aż Zosia się przestraszyła. Kobieta odstawiła talerz.

– Wiesz, to okropne… Aż głupio mi mówić. Ale ja nie mam… Nie mam stąd jak wyjść.

Lekko szklące się oczy popatrzyły na dziewczynę z niesłychaną intensywnością. Pani Stasińska nawet zamrugała, ale łzy nie popłynęły. Zagryzła tylko wargi i opuściła głowę, żeby Zosia nie widziała, że się rozkleja, że ją wzięło…

Zosia przysiadła na jej łóżku i pogłaskała ją po ręce. Czuła, że stara kobieta drży.

– Co pani? Jak to? No, przecież normalnie.

– Dziecko, próbuję dodzwonić się do syna, ale on ma ciągle wyłączony telefon. Pracuje. Synowa mnie nienawidzi i w ogóle nie chce ze mną gadać. Nie interesują się mną. On tu ani razu… A nikogo innego nie mam. I nawet nie mam na taksówkę do domu. Emerytury jeszcze nie dostałam, nagle tu przyszłam. Tak mi wstyd o tym mówić. Mój syn… Budują wielki dom w Radości. No i taką ja mam z nimi radość.

– Boże, pani Marto… – Objęła ją Zosia. Pomyślała, że nie dalej jak wczoraj pozwoliła objąć się w ten sposób Grzegorzowi. A teraz jakby oddawała te objęcia. Taki łańcuch. – Nie ma sprawy, proszę się uspokoić. Przecież ja panią bez problemów jutro odwiozę taksówką do domu. I pomogę pani ze wszystkim. Zakupy jakieś zrobię, może coś upichcę. Albo nie, wie pani co? Po co taksówką? Poproszę Grzecha, znaczy Grzesia, Grześka znaczy… No wie pani, opowiadałam… On ma auto, na pewno się zgodzi. Zaraz zadzwonię, umówię się z nim. A jak nie będzie mógł, pojedziemy taksówką.

– Oj dziecko! Co ja bym bez ciebie…?

11:05

163. Wezwanie od Norberta było tak nagłe, że Iwonka wyszła z domu, gotując się zdecydowanie bardziej

gwałtownie niż rosół, który robiła nieco wcześniej. Zupy miał teraz przypilnować Rysiek. Gdy powiedziała, że musi wyjść, znowu spojrzał na nią tak jakoś dziwnie. Oczywiście, raz jeszcze zwaliła wszystko na jakieś fanaberie ciotki. Ten sukinsyn zażądał natychmiastowego spotkania! Wciskała telefon w ucho najsilniej, jak mogła, żeby przypadkiem stojący o dwa metry od niej mąż nie usłyszał tego, co ona.

– Co się, do kurwy nędzy, stało z tym ostatnim zleceniem? – krzyknął w telefon.

– Wszystko w porządku, załatwione – odpowiedziała, mocno dosłodzonym na użytek Ryśka głosem.

– Co załatwione? Nic nie załatwione! Właśnie dostałem wiadomość, że gówno, a niezałatwione. Byłaś, gdzie miałaś być?

– No dobrze, ciociu. Skoro to takie pilne, to na momencik mogę wpaść.

– Jasna cholera, znowu ta zabawa z tym twoim... Przyjeżdżaj zaraz, tam gdzie ostatnio, czekam. I żebym nie musiał długo – rzucił do słuchawki Norbert wściekle, ale przynajmniej nieco ciszej.

Iwonka była rozdrażniona do niemożliwości. Czy ten skurwiel nigdy już się od niej nie odczepi? Tłumaczyła mu ostatnio, że musi się przyczaić, że Rysiek coś zaczyna podejrzewać, że ma dość... I tak sprytnie załatwiła sprawę z tą dziewczyną. A ten tu dzwoni i jej robi awantury, prawie przy Ryśku, którego dopiero co udało się udobruchać. Boże, gdyby to wszystko wyszło na jaw...!

Tym razem już ja mu wygarnę, pomyślała, wsiadając do golfa. Była tak wzburzona, że nie miała najmniejszych szans zauważyć faceta, który popatrywał na nią z pobliskiej ławki. Odłożył gazetę i wyciągnął z kieszeni jakiś nieduży przedmiot.

11:10

164. Uspokojona Marta Stasińska nabiła właśnie na widelec ostatni kawałek tarty, a Zosia kończyła uzgadniać wszystko z Grześkiem. Był trochę zdziwiony i niekoniecznie szczęśliwy, że Zosia znalazła mu takie mało weekendowe zajęcie na jutrzejsze piątkowe przedpołudnie, ale bardzo chciał jej pomóc, pobyć z nią, właściwie wszystko jedno, z jakiego powodu. Więc skoro go potrzebowała... Wyczuł w jej głosie, że to dla niej ważne, a jemu się tak jakoś porobiło, że co było ważne dla niej, to i dla niego też.

– Dobrze, Zosiu, tak jej przekaż – podsumował krótką rozmowę.

– No i załatwione! Mówiłam pani, że to superfacet, że nie zostawi starszej pani z chorymi nogami – zaszczebiotała do Stasińskiej, którą spora porcja tarty i dobre nowiny wprawiły w całkiem niezły humor.

– Zosiu, czasy, kiedy superfaceci interesowali się moimi nogami, skończyły się jeszcze wcześniej niż kariera Edwarda Gierka. Ja bym raczej powiedziała, że jemu o całkiem inne nogi chodzi. A że ja się przy okazji przejadę do domu, to już wartość dodana do twoich zgrabnych łydek.

Zaśmiały się obie.

– No to pa, do jutra – rzuciła Zosia, cisnąwszy do szpitalnego kosza folię po tarcie. – Będziemy u pani w południe.

Objęły się na pożegnanie.

– Wiesz co, Zosiu, mam jeszcze do ciebie małą prośbę – powiedziała Stasińska.

– Picie?

– Nie. Mów do mnie może ciociu? Naprawdę chciałabym mieć taką siostrzenicę...

13:50

165. Luśka trochę zmarzła. Krótkie szorty są spoko, gdy się jedzie cabrio i wiatr włosy rozwiewa, ale w areszcie sprawdzają się średnio. Poza tym nie miała majtek na zmianę ani pasty do zębów. Na śniadanie był fatalny żółty ser i cienka herbata. A ona lubiła duże śniadania, miała świetną przemianę materii i marzyła się jej jajecznica z czterech jaj z pomidorami na boczku. A nie anemiczne kanapki z serem i pasztetem. Zastanawiała się, co będzie dalej. Nie wypuścili jej po czterdziestu ośmiu godzinach. Prokurator coś tłumaczył, gadał o jakichś zarzutach, choć jednocześnie ten gliniarz wczoraj obiecywał... Liczyła, że ją wypuszczą. Na razie punkt o trzynastej wezwano ją na przesłuchanie. Wstała z krzesła, przymocowanego do podłogi tuż koło miniaturowego stoliczka, rozciągnęła się z zadowoleniem (zawsze to jakaś atrakcja, to przesłuchanie) i pomaszerowała z tęgim funkcjonariuszem, z tyłkiem jak stodoła

i brzuchem jak piłka lekarska. Taka góra tłuszczu! – dumała, idąc przed nim przepisowe trzy kroki. Jak on by dogonił kogoś, komu przyszłoby do głowy uciekać?

Tym razem obeszło się bez przewożenia do prokuratury. W niewielkiej salce na komendzie siedział zupełnie jej nieznany mężczyzna w granatowej wiatrówce, z niewielkim zarostem i miłą twarzą. Taką lekko marzycielską.

– Starszy aspirant Matulak – przedstawił się. – Mam tu coś dla pani – rzekł i wskazał na stojącego na stole laptopa. – Proszę się przyjrzeć kobietom na zdjęciach i wskazać, czy któraś z nich jest tą Agnieszką, o której pani nam opowiadała.

Luśka nachyliła się nad ekranem, kolanem wspierając na krzesełku, a Matulak klapnął obok i zaczął przewijać zdjęcia.

– To ta, to ta, to ta! – wrzasnęła Luśka przy trzecim.

14:00

166. W końcu oddzwonił.

– Podkomisarz Lorenc – usłyszała w komórce. – Podobno chciała pani ze mną rozmawiać?

– O tak! Jak dobrze, że pan dzwoni.

Sylwia dość składnie opowiedziała to, co przypomniała sobie poprzedniego dnia.

– Czy ktoś może potwierdzić pani relację? – zapytał podkomisarz.

– Tak. Mecenas Mirosław Sobecki.

– Kim on dla pani jest?

– No, to mój... hm, znajomy. Przyjaciel. I doradca prawny.

– Hm – chrząknął znacząco Lorenc. – Mam nadzieję, że to prawdziwa historia. Rzeczywiście może być ważna... Jeśli się potwierdzi. Oczywiście, musi pani wszystko to zeznać do protokołu. Proszę zaczekać, zastanowimy się, kto z panią porozmawia. Wkrótce do pani zadzwonię.

16:50

167. Górzyański siedział w swym pokoju z Zabiełłą i Chmielem, gdzie próbowali złożyć do kupy wszystkie nowe informacje. Rozpoznanie Iwonki na zdjęciu przez Luśkę potwierdzało, że istnieje związek między biznesem z kradzionymi autami a modną włoską restauracją na Saskiej Kępie. Iwonka Gajewska – jej mąż Ryszard – Tutto Bene – Zawijka – Agacka – Egon Schmidtke. Zresztą kradzione auta to zapewne niejedyny obszar zainteresowań Spedpolukry i jej polskich, niemieckich i ukraińskich udziałowców. Ale komisarzowi ciągle parę rzeczy nie pasowało. Nie był pewien, czy Iwonka łączy się z całą tą ekipą przez męża, czy raczej – jak przypuszczał – weszła w interes bezpośrednio, powiedzmy przez Zawijkę, z którym dziś odbyła dość burzliwą rozmowę w kawiarni Karma na placu Zbawiciela. Matulak widział, ale, niestety, nie słyszał. Ale mówił, że oboje się pienili jak siklawy.

Górzyański stukał palcami o biurko (co nieco denerwowało Zabiełłę) i klarował swoim współpracownikom:

– Warto by pokazać zdjęcie Iwony Gajewskiej temu barmanowi z Tutto Bene. Ciekawe, czy ją zauważył wśród znajomych Norberta. Mnie się coś wydaje, że pani Gajewska jest w bliższych stosunkach z Norbertem niż jej mąż, choć panowie pracują w tej samej restauracji. Jak myślicie?

– Może tak być. On taki raczej mułowaty chyba jest, nie bardzo go widzę w roli bossa, który wciąga do biznesu własną młodą żonkę – zgodził się z przedmówcą Andrzej Zabiełło.

Ludek Chmiel też pokiwał głową.

– Nie to, co Norbi. Ten zaczął lody kręcić chyba jeszcze w piaskownicy – rzucił smętnie. Spoglądał od czasu do czasu na drzwi, zadając sobie pytanie, czy pojawi się w nich Pyzatka z kawą, czy też nie. Oczywiście na kawie również mu zależało, ale głównie…

– Zastanawiam się, co zrobiło tych dwoje, Oksana Łuczynko i Henryk Rozalski – dywagował Górzyański – że zostali wyeliminowani przez kumpli. Zaczęli kręcić z kimś innym? Widzieli coś, czego nie powinni? Wiedzieli? Co to mogło być? I czy rzeczywiście ludzie Zawijki czy Agackiej powierzaliby takie zadanie Ukraińcom? Temu całemu Gienie? To możliwe. W końcu Wołczanow został na Ukrainie błyskawicznie zlikwidowany.

– Mogło też chodzić o jakieś jego tamtejsze zaszłości – podrzucił Ludek. A Zabiełło zapytał:

– A co robimy z Gajewską? Zamykamy?

– Właściwie nie ma na co czekać. Ale… Jeśli mamy rację i Iwona działa bezpośrednio z Norbertem, bez udziału męża – ciągnął wywód wyjątkowo dziś rozmowny komisarz Górzyański – to może lepiej ją poobserwować trochę i zdobyć pewność. Wokół sprawy tej beemy, co nie dojechała na Ukrainę, już się pewnie coś dzieje. Być może tego właśnie dotyczyła ta ich dzisiejsza burzliwa rozmowa. Więc to całkiem niezła okazja, żeby wykonać mapę różnych powiązań. A ta Iwona to chyba nie jest nikt bardzo ważny, więc nie przypuszczam, żeby miała uciekać. Dajmy sobie jeszcze chwilę. Po co ich płoszyć? Niech sobie jeszcze podziałają pod naszym okiem.

Rozległo się długo wyczekiwane przez Ludka pukanie. Po gromkim „proszę" gospodarza drzwi się uchyliły i pojawiła się w nich Pyzatka. Bez kawy.

– O, nie ma kawki? – skomentował sytuację Chmiel.

Pyzatka spiorunowała go wzrokiem.

– Panie komisarzu, dzwoni prokurator Lisiecki. Porozmawia pan?

– No tak. Przełącz, proszę – odpowiedział Górzyański, tradycyjnie już dodając w myśli: „A czego ten znowu będzie głowę zawracał?".

Po chwili już wiedział.

– Co, znowu dziewczyna do przesłuchania? Też takie długie nogi? – zapytał, wzbudzając wyraźne zaciekawienie obu swoich podwładnych.

– O, długie włosy tym razem? Jutro o dziewiątej trzydzieści? Dobra, będę.

17:30

168. Ewa Sidorkiewicz zadzwoniła do drzwi. Nikt nie otwierał, więc ponownie nacisnęła dzwonek. Usłyszała jakieś szurania i nagle w szparze, która się utworzyła znienacka, zobaczyła głowę chłopaka, na oko szesnastoletniego. Miał rozkudłane włosy, bluzę poplamioną jakimiś cieczami i worki pod oczami. Miał też zadrapanie od nosa do brody, przecinające wąską, zaczerwienioną kreską cały policzek.

– Słucham?

– Jestem kuratorem sądowym. Chciałabym wejść i porozmawiać. Z tobą i twoim ojcem.

Zobaczyła błysk paniki w oczach i już wiedziała, że dobrze, że się zgodziła i tu przyszła. Że ta wizyta ma sens. Młody szarpnął się, cofnął i chciał zatrzasnąć drzwi, ale mu nie pozwoliła. Miała to już przepracowane, nie pierwsza taka sytuacja. Rzadko chodziła sama, ale ta wizyta była szczególna, bo samowolna. We dwójkę zawsze było i bezpieczniej, i łatwiej, niemniej jednak i w pojedynkę potrafiła dać sobie radę. Szybko i sprawnie wepchnęła się za drzwi i znalazła się w ciemnawym przedpokoju. U sufitu nie było żarówki, sterczała goła oprawka, a niewielkie światło, które pozwalało dostrzec zarysy przedmiotów, wpadało przez otwarte drzwi z obszernego pokoju. Chodnik był zrolowany i potwornie brudny. Pani kurator przeszła dalej i zobaczyła, że pokój jest niemiłosiernie zagracony. W całym mieszkaniu śmierdziało stęchlizną i niewynoszonymi śmieciami. Pod ścianami w przedpokoju stały zwały plastikowych worków wypełnionych odpadkami wszelkiego rodzaju. Gdzieniegdzie rozlewała się plama czarnej cieczy, znikając pod zrolowanym chodnikiem. Miejscami całkiem świeża, miejscami zaschnięta na mur.

W padającym z pokoju świetle, niezbyt jaskrawym, gdyż poobrywane zasłony były częściowo zasunięte, zobaczyła w fotelu nieruchomą sylwetkę siedzącego tyłem do niej mężczyzny. W nieruchomej jak manekin postaci było coś dziwnego.

Zagapiła się na nią przez moment, zastanawiając się, co jej nie gra, gdy chłopak zaczął wrzeszczeć, by się wynosiła natychmiast, bo zaraz wezwie policję. Miał cienki, piskliwy głos, tuż przed czy podczas mutacji. Krzyczał głośno, chwilami głos mu się łamał, a mężczyzna nawet nie drgnął. To było... Kuratorka zignorowała młodego i powoli weszła do pokoju. Dzieciak, jak cień, kroczył za nią, teraz w milczeniu. To też było dziwne. Podeszła do siedzącego w fotelu mężczyzny, stanęła tuż obok.

– Dzień dobry, nazywam się Ewa Sidorkiewicz – powiedziała. – Jestem...

Zamilkła, przyglądając się jego twarzy w ciszy tak martwej, że nawet oddechu nie było słychać.

22 maja, piątek

9:30

169. Znów znalazł się w tym samym sekretariacie, lecz tym razem na pana prokuratora nie trzeba było czekać. Kiedy asystentka wprowadziła Górzyańskiego do pokoju, Lisiecki wstał zza biurka, żeby się przywitać.

– Już ci wszystko mówię. Trafiła tu do mnie od prokuratora Brzosta z prokuratury okręgowej, który prowadzi różne sprawy związane z przestępczością zorganizowaną. Mieli niedawno sygnał z Niemiec, że jakaś dziewczyna niby wynajęła tam samochód i nie oddała, a tak naprawdę pewnie nigdy w tych Niemczech nie była. Typowa kradzież tożsamości. No i wczoraj ta dziewczyna zadzwoniła do policjanta, który ją przesłuchiwał, że przypomniała sobie coś ważnego. Policja zawiadomiła Brzosta, on skojarzył tę historię z działalnością mojej grupy, no i dał mi cynk. Przeczytałem jej wstępne zeznanie i znalazłem tam pewną nazwę, która na pewno cię zainteresuje… – Lisiecki zawiesił głos.

– Czarek, nie rób mi tego. Mów albo wychodzę i nie wracam.

– Tutto Bene.

– Ożeż...

– Ano właśnie. Chodź, pogadasz z nią.

Sylwia Ryng streściła po raz trzeci lub czwarty w ciągu ostatnich dwóch dni historyjkę, która dopiero co wydostała się na powierzchnię z głębin jej kory mózgowej, konsekwentnie wszakże pomijając rolę, jaką w tym zdarzeniu odegrał Al Pacino. Górzyański słuchał z zainteresowaniem. Kiedy doszło do opisu sceny, w której kelnerka zaczęła ją przepraszać za zrzucenie torby z krzesła, komisarz przerwał.

– Chciałbym pani zadać dość ważne pytanie. Proszę się dobrze zastanowić, zanim pani odpowie. Pamięta pani dokładnie tę scenę z kelnerką?

– No tak, pamiętam. Wróciłam z parkietu, a ona kucała koło mojego krzesła i podnosiła torbę.

– Wywiązała się między paniami rozmowa. Proszę mi powiedzieć, czy ta kelnerka... Czy miała jakiś szczególny akcent?

– Akcent? Co pan ma na myśli?

– Akcent. Ni mniej, ni więcej. Krakowski, śląski, angielski, rosyjski, niemiecki... Jakąkolwiek cechę wymowy, która zwróciłaby pani uwagę.

– Nnie... – odparła Sylwia z wahaniem. – Nic takiego. Użyła określenia: „Jestem zgrabna jak hipopotamica pod koniec ciąży”. Chyba żaden cudzoziemiec tak by nie powiedział? A czy to śląskie, czy krakowskie, wybaczy pan...

– Jasne, jasne, dziękuję. A jak wyglądała? – rzucił szybko Górzyański.

– Zwyczajnie. Taka raczej nijaka blondynka, średniego chyba wzrostu. W tym ich restauracyjnym mundurku.

– Rozpozna ją pani?

– Tak, tak mi się wydaje. Bez problemu. Ona tam chyba pracuje...

Dalsza rozmowa z Sylwią Ryng nie wniosła już wiele więcej.

– Jak to możliwe – pytał Górzyański – że pani nie zauważyła na wyciągu ze swojej karty kredytowej tej niemieckiej wypożyczalni?

– Wie pan... Ja tego nie czytam. Wiem, że to pewnie głupio, ale ja te śmieci od razu wyrzucam – odpowiedziała.

– Ale musiała pani za to zapłacić. Nie wiem, ile pani zarabia, ale to przecież spora suma w końcu.

– No... Ja mam tak to ustawione w banku, że oni sami płacą, z mojego konta.

Górzyański westchnął, popatrzył na długie, piękne blond włosy... Dzięki Bogu pracował w trybie „policjant", więc darował dziewczynie narzucający się żarcik.

Przed zwolnieniem Sylwii Ryng do domu zarówno komisarz, jak i prokurator Lisiecki wyrazili przekonanie, że sprawa, w której ona wciąż pozostaje formalnie podejrzaną, niebawem zostanie rozwiązana. I zawiadomili ją, że zostanie jeszcze poproszona o rozpoznanie kelnerki.

I, jak mi się widzi, wcale nie będzie to rozpoznanie zwłok Oksany Łuczynko, ale jak najbardziej żywej osoby. Ciekawe, kogo oni zatrudniali do pomocy podczas większych imprez, dumał komisarz Górzyański. Na razie trzeba będzie pokazać pani Sylwii zdjęcie tej Lucyny, jak jej tam. Tak na początek, dodał w myśli. W końcu ona tam pracuje na stałe.

13:00

170. Oczywiście, trzeba było poczekać. „Wypis o dwunastej" w konwencji językowej placówki NFZ niekoniecznie oznacza wypis w samo południe.

Kiedy Zosia z Grześkiem (załatwiwszy sobie zastępstwo w knajpie) weszli do szpitalnego pokoju, Marta Stasińska siedziała zdenerwowana na łóżku. Miała na sobie własne ubranie, była nawet lekko umalowana. Obok stała torba ze spakowanymi rzeczami.

– Tylko ciągle tych papierów nie mam – powiedziała rozżalona, przywitawszy się czule z Zosią i oficjalnie z Grzegorzem Dolanem, którego obrzuciła uważnym spojrzeniem.

– Nie ma sprawy. Wezmę pani torbę, zaniosę do auta i tam zaczekam. A Zosia przyjdzie z panią, jak już wydadzą papiery. Czy potrzebny wam będę podczas tego spaceru?

– Nie, tak źle jeszcze nie jest. Damy sobie z Zosią radę. – Stasińska w obecności obojga znacznie mniej skłonna była uskarżać się na stan zdrowia.

Rzeczywiście, nie było tak źle. Beżowy nissan ruszył spod szpitala za piętnaście pierwsza, więc opóźnienie było, prawdę mówiąc, czysto symboliczne. Podczas jazdy Zosia z Martą odtwarzały raz jeszcze na użytek Grześka swoje pierwsze spotkanie, śmiejąc się z tego, jak sprytne okazały się obie. Choć Zosi, której przy okazji przypomniała się Oksana z tymi wszystkimi rurkami, zrobiło się nagle bardzo smutno. Biedna Sania…

W miarę sprawnie dotarli na Księcia Trojdena. Pani Stasińska wskazała swój blok, budynek z lat 60. dwudziestego wieku. Wśród żartów, śmiechów i miłych słów weszli nieśpiesznie na klatkę schodową, a potem wjechali windą na trzecie piętro. Nieco się guzdrząc, starsza pani wygrzebała klucze z torebki i po chwili wszyscy stali w przedpokoju niewielkiego mieszkania z nie najświetniejszych dla polskiego budownictwa czasów.

– Czekajcie, kochani, tylko pootwieram okna. Straszny tu zaduch. Mojego biednego Mruczka nie ma już od pół roku, a ciągle nie daje o sobie zapomnieć.

Grzegorz, zgodnie z instrukcją, odstawił torbę gospodyni w jednym z dwóch pokoików, między łóżko a szafę. Zosia zakrzątnęła się w kuchni, sprawdzając, co w niej jest, a co trzeba dokupić, żeby pani domu mogła funkcjonować w miarę wygodnie. Miała szczery zamiar zadzwonić do Wielisława Stasińskiego i nagadać mu, co myśli o takim postępowaniu z chorą matką, i zastanawiała się, jak dyskretnie zdobyć jego telefon.

Grzegorz kręcił się między nimi dwiema nieco nieporadnie. Stasińska wolniutko obeszła wszystkie kąty, po czym przestawiła podręczną torebkę na łóżko i zaczęła ją rozpakowywać. Zosia kończyła inwentaryzację lodówki i kuchennych szafek.

– No to ja już wiem mniej więcej, co trzeba kupić – powiedziała radośnie. – Grzesiu, pójdziesz ze mną, czy wolisz zaczekać?

– Może pójdę z tobą. Tutaj tylko będę zawadzał – odparł, oglądając książki zgromadzone na dużym regale w przedpokoju.

Wchodząc do pani Stasińskiej, Zosia zagadała po swojemu:

– Czy pani... Czy ciocia – uśmiechnęła się nieco nieporadnie – pija kawę rozpuszczalną, czy...

Nagle zamilkła.

– Jezus Maria! A to skąd tutaj? – Kiedy odezwała się ponownie, jej szept był na granicy słyszalności.

Grzegorz, który akurat wszedł za Zosią do sypialni, popatrzył na nią, stojącą jak w stanie hipnozy, z wzrokiem utkwionym w jedno miejsce, na zdumioną Martę Stasińską, na jej skromny, wyjęty z torby dobytek, ułożony na łóżku i na... firmowe, pomarańczowe nożyce Fiskarsa, leżące na samym wierzchu wypakowywanych rzeczy. To właśnie w nie tak intensywnie wpatrywała się Zosia.

Szukali ich. Szukali.

Czy to możliwe, że to one...? Właśnie tutaj?

Zosia sięgnęła z niedowierzaniem, zbliżyła do oczu i zobaczyła wydrapane literki GD. Przeniosła wzrok na stojącego o kilka kroków Grzegorza i cofnęła się, przerażona. Pani Stasińska odruchowo zrobiła to samo.

13:50

171. Stał na nabrzeżu i przyglądał się podpływającemu jachtowi. To była jego druga pasja, zaraz po golonce, jak często naśmiewał się jego wspólnik. Obserwował operację cumowania. Chciał zamienić parę słów z kapitanem. Facet pływał dla nich już kilka razy, ale dopiero teraz jest okazja, by poznać go osobiście. Furmanow sam trochę pływał, prowadził czasem i takie łodzie, ale przepłynąć z Morza Śródziemnego na Czarne jeszcze mu się nie zdarzyło.

Łódka w porządku. Żadne cudo, ale powinna się przyzwoicie sprzedać. Zamówień mieli więcej, niż byli w stanie dostarczyć towaru. Lonia zastanawiał się, czy zabrać Greka na wódkę, czy się z nim za bardzo nie bratać. Miał ochotę pogadać o tym rejsie.

14:00

172. Kamila zamknęła za sobą drzwi apteki i odetchnęła świeżym powietrzem z rozkoszą graniczącą z upojeniem. Jedno, czego w swoim zawodzie nie lubiła, to zapach. Kiedyś myślała, że się przyzwyczai, ale niestety, nic z tego.

No ale żebyśmy tylko takie zmartwienia mieli, pomyślała. Lunch jadała w małym, ale przytulnym barku vis-á-vis pracy. Dziś także. Tam było najbliżej. Na długo nie mogła się wypuszczać. Zostawiała przecież samą koleżankę, która przeważnie z utęsknieniem czekała na jej powrót. Czasem z powodu klientów, a czasem zwyczajnie, bo była głodna.

Nie było to dobre miejsce do pogadania, ale z Ewą dało się umówić tylko w środku dnia, między jej różnymi zajęciami. Gdy Kamila weszła do niewielkiej salki, przyjaciółka już siedziała w rogu, a przed nią dymił gigantyczny półmisek wołowiny po syczuańsku. Kamila szybko zamówiła kaczkę na ostro i usiadła obok, w przelocie całując przyjaciółkę w policzek.

– Witaj! Smakuje?

– Pycha! – Ewa skinęła głową. Powiedziała to niezbyt wyraźnie, z ustami pełnymi wołowiny i klusek.

Sięgnęła po szklankę z colą, popiła i powtórzyła, już wyraźniej:

– Pycha! Naprawdę fajny ten barek.

– Jasne. Bogate menu i prawie darmo dają. Ale mów mi, czego się dowiedziałaś?

– No cóż, byłam tam, u tego Marcina. Miałaś nosa. Prawdziwa masakra. Weszłam do mieszkania prawie przemocą. Nie da się ukryć, że wygląda równie kiepsko jak muzeum kairskie. Pajęczyny i trupi zapach.

– Tak wygląda muzeum w Kairze? – zdziwiła się Kamila.

– No może ciut przesadzam, jest cudownie stare i zniszczone. Takie dziewiętnastowieczne. Tak mi się powiedziało. U Rozmusów było mniej cudownie: starość, brud, niewynoszone śmieci, brak elektryczności i gazu. Kompletny upadek. A w tym wszystkim ten chłopak i jego ojciec.

– Rozmawiałaś z ojcem? To jakiś pijak? Bezrobotny? Element?

– Nie. Nic z tych rzeczy. Ani pijak, ani bezrobotny. Znaczy nie pracuje. Ma rentę. Matka sobie poszła, ot tak. I chłopak został sam z chorym ojcem. Kompletnie, jak widać, sobie nie radzi. A z ojcem nie rozmawiałam. Z nim nie da się rozmawiać. Siedzi w fotelu jak martwy i się w ogóle nie odzywa.

– Czemu?

– Nie wiem. Zdaje się, że to bip. Tak wynika z tego, co mówił chłopak. Choroba dwubiegunowa, bipolarna, wiesz – raz euforia, raz depresja. Akurat teraz ojciec jest na dnie. Zero kontaktu, siedzi i gapi się przed siebie. Myślałam, że nie żyje. Zupełnie nieruchomy.

– No a ten Marcin?

– Opiekuje się, jak może, ale to naprawdę nie jest zajęcie dla nastolatka. Nic dziwnego, że jest agresywny.

Kamila zabrała z lady swoją porcję, postawiła na stoliku i sięgnęła po widelec.

– Możesz jakoś im pomóc? – zapytała.

– Zgłosiłam to do opieki. Ojca już zabrano do szpitala, dwubiegunówkę dość łatwo się leczy, po prostu trzeba cały czas brać lit, bo to jego niedobór powoduje chorobę. Jest tylko jeden problem: stan euforii jest tak cudowny, że mimo cierpień w okresie depresji, chorzy często rezygnują z litu. Tak właśnie jest w tym wypadku. Dogadałam się z tym Marcinem, że ma jakąś ciotkę, zadzwoniłam do niej, przedstawiłam sytuację, no i jutro kobieta ma przyjechać z Poznania. Może jakoś mu pomoże, skoro zdecydowała się przyjechać. Inaczej chłopak wyląduje albo w domu dziecka, albo w rodzinie zastępczej. Tak między nami to ani mnie, ani jemu, ani Gosi Zalewskiej z MOPS-u takie rozwiązanie się nie podoba. Na razie czekamy na ciotkę.

– Myślisz, że jakby mu się jakoś tam sprawy poukładały, byłby inny? Spokojniejszy?

Ewa odłożyła widelec.

– Niekoniecznie. Może. W każdym razie będzie miał szansę...

14:45

173. Górzyański wpatrywał się to w foliowy woreczek z pomarańczowym przedmiotem, to w Dolana. Nożyczki z Tutto Bene. Jak twierdził kucharz, znalezione u sąsiadki Oksany ze szpitala. Ktoś je zostawił. Na szpitalnym stoliku.

No i wygląda na to, że mnie załatwił.

Nażelowany, a załatwił. Przynosił mi po kolei różne klocki z tej układanki, a teraz przyniósł jeszcze to, myślał. Nie do końca wiedział, gdzie ten klocek pasuje, ale czuł, że jest bardzo ważny. Może to król klocków? Komisarz ponownie spojrzał na torebkę. Wziął ją do ręki, wstał zza biurka i otworzył drzwi do pokoju Pyzatki.

– Prześlij to natychmiast do laboratorium. Najpilniejsze z najpilniejszych.

25 maja, poniedziałek, trzy dni później

12:30

174. Restauracja Tutto Bene była zamknięta. Barman Misiek wywiesił na drzwiach kartkę: „Nieczynne do odwołania”.

Grzesiek Dolan i Zosia Staszewska stali przy barze i wpatrywali się oszołomieni w komisarza Górzyańskiego. Przed chwilą Zabiełło z Chmielem wyprowadzili Zawijkę z kajdankami na rękach. No, to ich specjalnie nie zaskoczyło. Ale to wcale nie był koniec.

Chwilę później bowiem kajdanki zatrzasnęły się na przegubach Lucyny, którą Sylwia Ryng rozpoznała na zdjęciu jako tę, która kilka miesięcy wcześniej majstrowała przy jej torbie. W miarę jak Górzyański recytował, że zostaje aresztowana w związku z podejrzeniem o przestępstwo z artykułu numer taki a taki, zwykle i tak ogromne oczy Zosi przybierały całkiem nieprawdopodobny rozmiar. Z przerażeniem wyszeptała w objęciach Grzegorza:

– No co ty? Lucy? Ty? Co ty? Co to za artykuł?

Lucyna spojrzała na nią z lekceważeniem.

– Ech, Zośka, ty to durna jesteś. Tak jak i Oksana. Ona też nie chciała. Tobie to nawet nie proponowaliśmy. A ja co życia użyłam dzięki tej kasie, to użyłam, i gówno mi zrobią. Posiedzę chwilę, ale figę zobaczycie! – powiedziała butnie do Górzyańskiego. – A potem wyjdę i sama taką knajpę sobie otworzę.

– No cóż. Nie liczyłbym na to. Sądzę, że pieniądze znajdziemy, a pani posiedzi dłuższą chwilę. Wtedy pani zdecyduje, czy było warto. Wyprowadzić – rzucił komisarz do czekającego w pobliżu drzwi sierżanta.

– Panie komisarzu, jak to? Lucyna? Co to za artykuł, ten, co pan mówił? Że Lucyna... – mamrotali z niedowierzaniem Zosia z Grześkiem.

– Trwa postępowanie, nie mogę udzielać... – zaczął Górzyański urzędowo. Ale spojrzał raz jeszcze na te dwie zdziwione twarze i pomyślał, że nie będzie nieszczęścia, jak się na chwilę przełączy na ten drugi tryb...

– No przecież chyba już wiecie, co tu się działo. Agacka i Zawijka zorganizowali sieć miejsc, w których mieli dostęp do dokumentów różnych dobrze sytuowanych osób. Restauracje, salony kosmetyczne, fitness cluby. Musiało być tego sporo, żeby rozmyć podejrzenia. Ich ludzie podkradali te dokumenty, ale tak, żeby nikt się nie zorientował, i tylko na chwilę. Kopiowali, podrabiali, no i wykorzystywali potem. Do czego konkretnie i w jakiej skali, naprawdę nie mogę mówić, zresztą sami jeszcze nie wszystko wiemy. Ale to był dobry biznes. Lucyna Małecka była jednym z takich specjalistów od pierwszego kontaktu. Blisko toreb, płaszczy, odwieszonych marynarek... A na samej górze znany przecież panu – komisarz spojrzał Grzechowi w oczy – owoc polsko-ukraińsko-niemieckiej integracji, czyli Spedpolukra. Sam mi pan pokazał zdjęcie z tego święcenia chłodni.

– A... ale Sania przecież nie... Lucyna sama po... powiedziała... – jąkała się Zosia.

– Nic nie wskazuje na to, żeby Oksana Łuczynko miała coś wspólnego z tą działalnością.

– A co z jej dzieckiem? Co z Marynką? – zapytała dziewczyna już pewniejszym głosem.

– To wiemy. Tego dnia, przed wieczorną strzelaniną, Giena Wołczanow w towarzystwie Swietłany, swej ówczesnej partnerki, przyjechał do mieszkania Oksany na Jagiellońską i zabrał dziecko do siebie, a następnie przez wyjeżdżającą znajomą wysłał na Ukrainę. To jest jego dziecko. Wiemy to z badań DNA.

– Dlaczego je zabrał? Oksana tak kochała Marynkę...

– A może tak wspólnie uradzili? Albo może to miał być jakiś przejściowy układ? Obawiam się, że możemy się już tego nigdy nie dowiedzieć. Marynka trafiła do miasta Brody w obwodzie lwowskim, do domu niejakiej Zoji Honczar. Stamtąd ichnia milicja zabrała ją do domu dziecka. Już zawiadomili babcię, u której wychowuje się jej starszy braciszek.

– Biedna mała. Żeby tylko ta babcia ją wzięła – westchnęła Zosia. Nagle spojrzała na Grześka.

– A czy to by było możliwe… – zawiesiła głos, nie skończywszy zdania. – Ale dlaczego ją… No, Oksanę wtedy… I kto?

– Ja już i tak za dużo powiedziałem. Trwa postępowanie. – Górzyański odwrócił się w kierunku wyjścia, dopowiadając w myśli: „Też bym chciał wiedzieć, miła panienko".

Po chwili jednak zatrzymał się i odwrócił w kierunku Zosi i Grześka.

– Państwo nam w tym wszystkim bardzo pomogli. Dziękuję.

Skinął im głową i wyszedł z Tutto Bene.

26 maja, wtorek

7:00

175. Poszło ich dwóch. Górzyański z Chmielem. Matulak z Malonkiem ubezpieczali ich na zewnątrz.

Zadzwonili do drzwi o siódmej rano. Gdy ich zobaczyła na tle seledynu klatki schodowej, zbladła i cofnęła się o dwa kroki. Była ubrana, umalowana, gotowa do drogi. Z tyłu za nią zobaczyli dwie walizki. Weszli, korzystając, że ze strachu cofnęła się w progu.

– Co tam, sroczko? – Rychu Gajewski z ciągle obandażowaną ręką na niebieskim temblaku pokazał się w drzwiach przedpokoju.

– Policja... – wyszeptała przez zduszone gardło.

– Dzień dobry. A gdzie to się szanowni państwo wybierają?

Iwonka złapała oddech i jakby uspokoiła się na moment.

– Na wakacje. Mąż miał wypadek, więc postanowiliśmy...

Zdziwiony Rychu podszedł i objął żonę ramieniem.

– A pan w jakiej sprawie? Tak rano?

Iwonka złapała oddech i odruchowo cofnęła się za męża.

– No, co do tych wakacji... – Górzyański wyciągnął papier i zamachał. – Mamy nakaz aresztowania.

– Jaki nakaz? Co pan? Zwariował? – wykrzyknął Rychu, a Iwonka chwyciła się kurczowo poły jego koszuli. Wyglądała jak przestraszone dziecko, aż Górzyańskiemu zrobiło jej się żal. Przez moment, zaledwie przez moment. Wyrecytował formułkę.

– Co?! – wrzasnęła. – Co? Rychu? Co oni? Rysiek!

Rychu stał jak wmurowany i gapił się tępo na komisarza.

– Jak, kurna? Moja Iwonka? Aresztować... Iwonkę aresztować? Sroczkę? – W kącikach ust mamroczącego Rycha pojawiła się biała ślina.

– Proszę się ubrać. – Zignorował go Górzyański, zwracając się do Iwony Gajewskiej. – Idzie pani z nami.

Iwona nadal stała bez ruchu, za to Rychu drgnął i zaczął się wolno zbliżać. Komisarz, który właśnie rozglądał się po pokoju, usłyszał krótki okrzyk Ludka Chmiela:

– Jurek, uważaj!

Rychu zamachnął się szeroko zdrową, lewą ręką. Mimo dość potężnej postury napastnika Górzyański nie miał większych problemów ze złapaniem zmierzającego ku jego głowie ramienia. Drugą ręką przyciągnął Rycha do siebie, za tę samą koszulę, za którą przed chwilą próbowała ukryć się Iwonka. Ich twarze znalazły się tuż obok siebie. Komisarz widział teraz dokładnie białe kąciki ust i drgające mięśnie twarzy Gajewskiego. Patrząc mu głęboko w oczy, zapytał, najspokojniej, jak umiał:

– Gdzie pan trzyma broń?

A Rychu popatrzył na niego tymi swoimi maślanymi oczami, po czym podniósł je, wskazując wzrokiem na pawlacz.

– Tam.

Górzyański nieomal się zakrztusił. Takie to było proste,

Chmiel w lateksowych rękawiczkach na dłoniach szybko chwycił krzesło, wszedł na nie i już po chwili trzymał w dłoniach pudełko po butach. Postawił je na stoliku pod lustrem, otworzył i delikatnie wyciągnął pistolet.

Obejrzał go.

– Zgadza się – powiedział. – Makarow, dziewięć milimetrów.

Komisarz odsunął się od Rycha i wyciągnął z kieszeni marynarki kolejny papier. Zabrzmiała podobna formułka, tyle że z całkiem innym numerem artykułu.

Iwona nagle odzyskała kontenans.

– Czy pan zwariował? Pod zarzutem dwukrotnego morderstwa? No, porąbało was ze szczętem. Rychu! Powiedz coś.

– Ja nie... – powiedział Rysiek i przerwał.

Iwona zamarła, a potem rzuciła się na męża, szarpiąc go za koszulę. Tę samą.

– Czyś ty zwariował? To jest prawda?! Jezu, ty bałwanie! Coś ty narobił? Czemu, kretynie? Powiedz mi, dlaczego? Dlaczego to zrobiłeś?

Szarpała go i biła, krzyczała, wrzeszczała, tupała. Rychu tylko odsunął żonę od siebie lewą ręką i popatrzył jej w oczy tak intensywnie, że zamilkła.

– Dla ciebie... – powiedział. – Dla ciebie. Sroczko.

W Iwonę znów jakby diabeł wstąpił. Rzuciła się go bić, aż Ludek Chmiel chwycił ją za ramiona i powstrzymał.

– Dla mnie? Jak to dla mnie? Chcesz mnie, chuju, wrobić? – wrzasnęła.

Rychu pokręcił głową ze zdziwieniem. Przestępował z nogi na nogę, jak małe dziecko.

– No, co ty, Iwonka, no co ty? Ja z miłości. Nie chciałem cię stracić.

Doświadczenie mówiło Górzyańskiemu, że parę rzeczy lepiej ustalić od razu, korzystając ze stanu pobudzenia emocjonalnego.

– Czy pan miał romans z Oksaną Łuczynko?

– Nie żeby zaraz romans... – odparł cicho, patrząc lękliwie na Iwonę.

– Jak długo?

– E tam, krótko. Parę razy. Kurna, przed Iwonką.

– Mówiła, że pan jest ojcem jej dziecka?

Pokiwał głową.

– Szantażowała pana?

– Nie, pieniędzy chciała. Alimentów. No i powiedziała, że Iwonce wygada. Sroczko, byś mnie rzuciła.

– Dwunastego maja wieczorem, po wyjściu ostatniego klienta z Tutto Bene, wszedł pan do restauracji i strzelił do Oksany Łuczynko.

– I do Staszewskiej, kurna, bo się przyplątała. Nie trafiłem, ale nic nie widziała, bo dupą była wtedy do mnie.

– I wtedy Henryk Rozalski wrócił po jakąś swoją paczkę. Widział pana?

Rychu pokiwał smętnie głową.

– Co było następnego dnia?

– Wiedział o dzieciaku, widział mnie wtedy w drzwiach. No, chciał kasy. Umówiliśmy się w parku. No i żem mu, kurna, wypakował. Dwa razy.

Górzyański skinął głową na Ludka, który z kieszeni kurtki wyjął foliowy worek z nożycami do drobiu i pokazał Rychowi.

– A piętnastego maja... – tym razem mówił Chmiel. – Udał się pan do szpitala, w którym leżała nieprzytomna Oksana Łuczynko. Zabrał pan ze sobą to.

– No, kurna, i żem zapomniał tych nożyc.

– Po co pan tam poszedł? – zapytał komisarz.

– Na filmie widziałem. Myślałem, że jak jej te rurki poobcinam, to szybciej kipnie. Nie dało rady, kręcili się, kurna. Żem spanikował. Odłożyłem na szafkę.

Wszyscy zamilkli. Ciszę przerwał Rychu.

– I to po tych nożyczkach...? – zapytał.

– Wie pan, postawny facet w koszulce z napisem „Hawaii Club"... No i odciski.

Rychu wciąż się gapił tępym wzrokiem na komisarza, przetrawiając, jak się zdaje, wydarzenia.

Iwonka zaś już od kilku chwil siedziała na podłodze. Zjechała nagle w dół i teraz, oparta o ścianę, trzymała się za głowę.

– Idiota… – szeptała. – Zawsze mówiłam, że to idiota. Kompletny idiota!

Ostatnie zdanie wykrzyczała całkiem głośno, ale że drzwi wejściowe były wyciszone, Adamczykowa ze stanowiska obserwacyjnego we własnym przedpokoju i tak nie zdołała dosłyszeć słów sąsiadki.

18 lipca, czwartek, dwa miesiące później

20:12

176. Byli w domu prawie wszyscy. Tylko Maciek, oczywiście, zabawiał się w tym swoim dziwnym klubie na Odrowąża. Kamila siedziała pośrodku kanapy, mając po bokach Alę i męża. Pedro dziwnie pochrząkiwał, wyciągnięty jak długi na dywanie między kanapą a telewizorem. Górzyańska pochyliła się, żeby podrapać go po głowie. W telewizji leciała reklama Banku Westfalsko-Hanowerskiego, w której znany aktor przechodził zadziwiającą metamorfozę: od nieogolonego, obdartego menela wchodzącego do oddziału BeWuHa, do wychodzącego stamtąd przystojniaka w świetnym garniturze, otoczonego tłumem młodych kobiet proszących o autograf. Na koniec mówił: „Trudne? Nie – proste!”, i puszczał oko do publiczności.

– To i tego w końcu wzięło – skomentował Górzyański. – Do tej pory się jeszcze trzymał.

Helena Kamecka przyniosła z kuchni dwie szklanki herbaty. W każdej pływał plasterek cytryny. Postawiła je na stole: jedną przed mężem, drugą dla siebie. W telewizorze wybrzmiewało właśnie hasło: „Proste w BeWuHa", wyśpiewywane przez damski chórek.

Miro Sobecki rozsiadł się wygodnie w obitym skórą fotelu i zawołał w kierunku łazienki, w której przed kilkoma minutami zniknęła Sylwia:

– Sylwuś, siknij już wreszcie i chodź popatrzeć. Ciekawe, komu dziś Wielisław dupę obrobi.

Pan Julek siedział w napięciu na swojej sofie i wpatrywał się w ekran. Dla rozluźnienia nalał sobie do pękatego kieliszka przyzwoitą porcję brandy. W telewizorze pojawiła się kolejna reklama: cztery pary długich, zgrabnych nóg – same nogi, bez góry – wchodzą do pubu. Zdumiony barman pyta: „A gdzie reszta?". Na to z wiszącego nad barem emblematu znanego browaru mruga lotnik w pilotce ze słowami: „Reszta? Reszta jest tutaj!", i wskazuje dłonią nazwę piwa. Cała sala wybucha śmiechem, do zgrabnych nóg doklejają się nie mniej zgrabne reszty i wszyscy radośnie wznoszą w górę napełnione kufle.

Jezu, co za brednia, pomyślał Misiek Leszczyński, ściszając dźwięk w małym telewizorku ukrytym w jednej z szafek baru Komórka w Komorowie, w którym pracował od trzech tygodni. Aparat wstawił tam z myślą o jakichś ważnych meczach albo takich wydarzeniach jak dziś...

Akurat gdy na ekranie pojawiła się plansza oznajmiająca koniec bloku reklamowego, Zosia odłożyła sztućce na talerz, z którego zniknęły już ślady po ostatnim gundel palacinta.

– Pyszne były – powiedziała do Stasińskiej z uśmiechem.

– No więc mniej więcej takie podawali w dawnym Budapeszcie – odparła zadowolona starsza pani. – Zabieram talerze, zaraz się zacznie – dodała podekscytowana. – Mój Sławek i...

20:15

177. Kiedy wybrzmiał dżingiel programu, w studiu rozświetlił się reflektor skierowany na prowadzącego. Wielisław Stasiński, jak zwykle elegancko i nienagannie ubrany, zaczął:

– W „Bez przerywania" rzadko mówimy o jedzeniu. Może zbyt rzadko, bo to przecież, w takim czy innym kontekście, temat codziennych rozmów w milionach polskich domów. A dzisiaj będzie lejtmotywem naszej audycji. W naszym kraju powstają setki nowych restauracji. Ale w niewielu z nich smakoszom z całego miasta zdarza się czekać w kolejce na wolne miejsce. A tak właśnie było do niedawna w pewnym kultowym lokalu na Saskiej Kępie, to samo się zaczyna w całkiem nowym miejscu na Mokotowie... Oto przed państwem kulinarny czarodziej z Saskiej Kępy i Mokotowa, jeden z najwybitniejszych polskich kucharzy młodej generacji i nasza nadzieja na liczne gwiazdki Michelina – Grzegorz Dolan!

Następny reflektor wydobył z głębokiego cienia Grześka, ukazując go – lekko mrużącego oczy – widzom w całej Polsce. Gdy tylko przebrzmiał kolejny dżingiel, ciepło uśmiechnięty Stasiński zwrócił się do rozmówcy.

– Panie Grzegorzu, o cóż innego mógłbym pana zapytać? Ja, który w kuchni nie bardzo radzę sobie z takimi zadaniami jak jajecznica. Jaki jest sekret dobrego gotowania?

– Dobre gotowanie? – zaczął Grzesiek. Widać było, że jest mocno stremowany. – No, czy ja wiem...? – Zawiesił się na chwilę.

Wielisław Stasiński spojrzał na niego z obawą. Zaraz mi się tu burak zacuka, pomyślał. Poci się jak Nixon podczas debaty z Kennedym. Po co ja się dałem matce namówić? W oczach prowadzącego widać było lęk, pokrywany profesjonalnie ciepłym uśmiechem.

Zosia mocno ścisnęła poręcz fotela.

Pan Julek zatrzymał w pół drogi rękę transportującą kieliszek od blatu stolika do rozchylonych już wstępnie warg.

Górzyański spojrzał na rozciągniętego u stóp Kamili Pedra i pomyślał o oczekującym ich spacerze. Pedro, czując to spojrzenie, pyknął dwa razy przednią łapą w dywan i zaczął coś kombinować w kwestii kredensu.

Barman Misiek zacisnął usta.

Helena Kamecka nerwowo wyciskała łyżeczką sok z plasterka cytryny spoczywającego na dnie szklanki.

A Grzesiek? Grzesiek spojrzał na stojące przed nim kamery, na reflektory w studiu, na puder na twarzy rozmówcy (tego na własnej twarzy nie widział, ale czuł go nieustannie). I nie wiedzieć czemu przypomniał sobie Zosię w zielonym kubraczku, krojącą bakłażany na sycylijską caponatę według jego przepisu. San Corrado... Przyjrzał się Stasińskiemu wzrokiem człowieka, który po dwutygodniowym obozie wędrownym w górach Atlas wykąpał się w końcu we własnej wannie. I zaczął mówić:

– Cóż, w sprawie gotowania, tak jak i w innych sprawach, jestem zwolennikiem prostoty. W kuchni może nawet bardziej niż gdzie indziej. Zapewne zna pan to zdanie Einsteina: „Wszystko powinno być tak proste, jak to tylko możliwe, ale nie prostsze"?

KONIEC

☺

Dziękujemy Włodzimierzowi Grudzińskiemu za ciekawe rozmowy o kartach kredytowych. Mamy nadzieję, że niczego nie pokręciliśmy.